LE MONDE INDIGO

Du même auteur

Aux Editions Stock

LE PERROQUET MANCHOT, roman.
LA FEMME ÉCARLATE, roman.

Aux Editions Christian Bourgois

L'ART ET LES ANARTISTES, pamphlet.
LA MANIÈRE NOIRE, roman.
LE CONTRE-PITRE, entrées de clowns.
HISTOIRE DES NUS.
BELPERROQUE OU L'ENTERREMENT DU PERROQUET (guignol).

Aux Editions Julliard

NOIR SUR BLANC, roman.
LE DIPLODOCUS, roman.
LES MYSTÈRES DE MOSCOU, essai.
LÉONARD DANS L'AUTRE MONDE, roman.
LE TAUREAU-MATADOR, roman-conte.
LE SOLDAT CONNU, roman.
LE COMPLEXE DE FILACCIANO, essai.
AUJOURD'HUI, roman.
PICASSO SUR LA PLACE, essai.
LE VOYAGE A LUCERNE, petit roman.
LA GADGETURE, roman.
LA FEMME-CROCODILE, roman.
LE GUERRIER FOURBU, roman.

Chez d'autres éditeurs

MATRICULE 2078 : *L'Affaire Henri Martin*. Editeurs Français Réunis.
LA MONTÉE AU MUR, roman (*Prix Fénéon*, 1951), Editeurs Français Réunis.
LE MASSACRE DES INNOCENTS : *L'Art et la Guerre*, Editions du Cercle d'Art.
CINQ PEINTRES ET LE THÉATRE : *Coutaud, Gischia, Léger, Labisse, Pignon*, Editions du Cercle d'Art.
SECRETS D'ALCÔVE D'UN ATELIER, Editions du Cercle d'Art.
  1. Les dames de Mougins.
  2. Le peintre et son modèle.
  3. Notre-Dame de Vie.
PICASSO DIT, Editions Gonthier.

En 10/18

L'ART ET LA ROSE, pamphlet.
LA MANIÈRE NOIRE, roman.
LÉONARD DANS L'AUTRE MONDE, roman.

Hélène Parmelin

Le monde indigo
Cramponne

Roman

Stock

Pour Edouard.

« La plume est la langue de l'âme. »
DON QUICHOTTE.

1

La manifestation

Antoine Lagrenée rencontre Cramponne le 1ᵉʳ mai 1976. Je retourne en arrière. Mais c'est un arrière proche. Tout se passe aujourd'hui. Je vis en même temps que les personnages de ce livre. Personnages. Et non pas héros. Nous ne sommes pas des héros. Vous n'êtes pas des héros.

Nous avons tous les mêmes ciels à soleils ou calamités, à tours et immeubles ou horizons à l'infini. Nous avons les mêmes saisons. Qui ne sont plus jamais de saison. Nous puisons, ou ne puisons pas, à notre convenance, dans les mêmes informations, les mêmes programmes de télévision. Les mêmes affiches nous racolent. Nous partageons les mêmes guerres environnantes, quoi que nous fassions de leur sang dans l'indifférence ou la passion de nos esprits à leur égard. Guerres de religion, guerres d'indépendance, guerres de terres et de couleur, guerres de peau et d'uranium, guerres de guerres. Et les mêmes guerres intérieures. Nous sommes ensemble et sans la moindre ressemblance les uns avec les autres, dans l'aujourd'hui superbe et meurtrier de notre monde.

Où les ordinateurs font les factures. Où les

tickets de métro se poinçonnent tout seuls. Où les peuples s'émancipent et s'entre-tuent. Où les robots de génie espionnent pour nous les planètes inhabitables. Où les robots guerriers pulvérisent sans personne les matières vivantes ou inertes qu'ils ont à frapper. D'énormes tremblements de terre et cyclones secouent les villes et les villages depuis quelque temps, écrasent les hommes et les maisons. La Bretagne se dessèche, le Midi se gorge d'eau. Tout est à l'envers. Tout est à l'endroit. Tout change, tout violente, tout avance, tout grouille, s'effondre, se dévore, s'émancipe. Tout est mensonge. Tout est vérité là où nous sommes ensemble et à l'infini les uns des autres.

Le 1er mai 1976, Lagrenée monte derrière Cramponne, et sans savoir qu'elle existe, les marches du métro Strasbourg - Saint - Denis. Tous deux, sur leur côté gauche, se voient poser à chaque pas la même question par le même mur à répétition d'affiche. « Qu'est-il vraiment arrivé au *Hindenburg* ? Qu'est-il vraiment arrivé au *Hindenburg* ? Qu'est-il vraiment arrivé au *Hindenburg* ? » Tous deux sont agressés sur leur droite par une charge de diplodocus, pointant vers eux leurs cous de tours Eiffel molles, dans le fin fond d'un certain « Sixième Continent ».

La ville a des murs si chargés de paroles, de fromages et de visages, d'animaux-camelots et de derrières d'enfants sur des pots de chambre, de lessives extatiques, de momies de légumes criant leur fraîcheur, de seins se croisant le cœur ou choisissant la liberté surveillée que notre tête véhicule un tapis roulant multicolore, par-dessous les pensées ou par-dessus. A condition qu'il nous reste la place d'en avoir.

« Qu'est-il vraiment arrivé au *Hindenburg* ? » se répète Lagrenée, avec des pensées nageant dans la mode des films à ébranlement gigantesque du public, des tremblements de terre, fin du monde, incendie de tour et autres requins ou karaté. Faut que ça secoue. Mais pour que ça secoue, avec ce que le monde vit et ce que le monde regarde, plus ça secoue moins ça secoue et plus il en faut.

Sur le dernier *Hindenburg* avant la sortie, une large inscription manuscrite blanche s'étale le long des flancs du dirigeable de l'affiche. On la voit dans plusieurs stations. Elle dit : « Contre la vie chère, volons ! »

Cramponne monte devant lui. Il note sa présence sans y prendre plus garde qu'au *Hindenburg*. Enregistrement.

Une grande forte fille. Des cheveux ni clairs ni foncés, bien tendus par une barrette et plats sur le crâne. Des jeans ni neufs ni vieux bien remplis bien tendus jusqu'aux bottes. Et un tee-shirt bleuâtre sur une poitrine à la mesure du reste.

Tee-shirt. Je ne sais pourquoi tous ces mots, dans une autre langue que la leur, se crétinisent. Bref un tee-shirt qui porte en ombres chinoises bleu nuit à droite un homme de profil, à gauche une femme de même, communiquant dans un bouche-à-bouche agité par la géographie de chair qui les envolume et les secoue au rythme des pas.

Cramponne a enfilé là-dessus une veste de laine bleu marine garnie d'un écusson indéterminé et de deux poches. Où sont ses mains. Et un sac qu'elle porte à l'épaule. Comme tous et toutes. Lagrenée en a un. Enorme. Presque une musette. Celui de Cramponne a des ramages. L'un de ces grands machins bigarrés à la Cardin des pauvres ou Dior des faubourgs, trafiqués dans des tissus dont on faisait autrefois les fauteuils. C'est la dernière trouvaille d'une ville

15

qui, depuis quelque temps, fait son beurre en baptisant rétro tous ses profits d'avenir.

Cramponne est dévorée par la foule, le temps d'y entrer. Lagrenée l'a oubliée, le temps de la voir. Là se situe la première rencontre sourde et muette de leur aventure.

Soleil. On le voit rarement en personne dans la ville. A l'exception des espaces sublimes au-dessus des ponts, il est toujours dissimulé quelque part derrière un nuage ou une construction. Et peu importe. Ce n'est pas lui qui compte. Mais son don de métamorphose. La vie qu'il ajoute au monde automobile et au monde de pierre, au monde humain et au monde de verre des magasins, n'a son équivalent nulle part au monde dans les illuminations tranquilles des soleils sur paysages.

Il y a quelque chose de sorcier dans le soleil de ville, sophistiqué par son éparpillement sur les vitres, le métal, les toits. Les gens s'étirent dedans avec une langueur voluptueuse. Les phares de jour éblouissent. La poussière s'allume. Les pavés des petites rues dessinent des formes bizarres. Le clochard sur son banc est nimbé, son litron lance des étoiles. Toute la grisaille attrape des paillettes. Tout se théâtralise. Et les filles de la rue Saint-Denis, peu nombreuses aujourd'hui dans leurs cadres de portes, ont des boucles d'oreilles et de souliers, des pendentifs comme des escarboucles. Le soleil de ville a des pouvoirs de carnaval des choses auprès desquels l'inévitable soleil des champs ne fait pas le poids.

Les terrasses de café prennent l'allure pimpante des salles de théâtre en plein air quand on refuse du monde. Les gens pourvus de tables et de chaises et de verres et contents regardent passer les gens qui les regardent. Ils attendent l'arrivée de la manifestation du 1er mai, pour la regarder passer confortablement. Tous ceux qui n'en ont pas envie ou qui trouvent plus prudent de changer de quartier ont disparu. Les autos se font rares, les piétons se mettent à marcher sur la chaussée. Des familles entières guettent sur les balcons, toutes sortes de petites ventouses humaines sont collées du bas en haut des façades. Il y a des gens qui mangent leur dessert, on les voit entrer et sortir avec des morceaux qu'ils portent à la bouche. Ils ont tous la tête tournée du même côté, vers le boulevard Sébastopol. Beaucoup de volets fermés. Prudence ou campagne. Pourtant tout le monde sait que la descente d'usines — entre autres — sur le Paris du 1er mai, avec grosse participation ouvrière, ne provoque en principe que peu ou pas d'échauffourées sur ses arrières.

La police invisible stationne dans les petites et grandes rues alentour. Tranquille. A moins de casseurs en queue de manifestation ou de casseurs prévus ou à prévoir — et ce n'est pas le cas aujourd'hui — *a priori* le calme. Tous les casques et boucliers des guerriers de rhodoïd sont en place et les C.R.S. sur pied de frappe. Mais les grands cars échoués somnolent. Belote. A l'exception de quelques gradés en civil de la vigilance secrète, tous les cars tapent le carton.

Cramponne s'est mise en marche doucement dans la foule du trottoir de droite, direction Opéra. Elle se promet de ce qu'elle appelle le spectacle un plaisir indicible. Comme si la ville était en train de se préparer dans les coulisses à lui donner une pièce à grand spectacle avec acteurs majeurs et figuration sans limites. Elle est là comme dans une loge. Elle aime le 1er mai.

Tout cela sans l'exprimer. Elle se sent bien. C'est tout. Comme à l'ordinaire. Le fait d'être seule lui est plus agréable que le contraire. Elle y trouve un repos et un plaisir supplémentaires. Les vies peuplées de travail et de gens s'épanouissent dans l'indépendance d'une solitude. Mais dans la foule. Rien ne lui est plus étranger que le goût de la solitude tout court.

Sa seule remarque claire, au cours de ses premiers pas, est de se demander qui elle va rencontrer. Personne sans doute. En tout cas aucun de ses employeurs. Ni ses compagnons du soir. Qui ne fréquentent pas ces rassemblements. Ou les dénigrent.

Le seul dont elle ne serait pas étonnée de reconnaître la silhouette bossue et replète est Malingaud. Oui Malingaud se trouve peut-être là dans cette foule. Avec son inséparable Broque, son Ombre. Bien qu'il l'ait comme à l'ordinaire chargée de tout lui raconter, peut-être a-t-il fait l'effort, pour ce jour si particulier, de venir lui-même à la chasse. Malingaud constitue à lui seul un des innombrables mondes de Cramponne. A coup sûr un de ses mondes préférés. Avec aussi naturellement son inséparable Broque. Et l'inévitable Barilero.

Grâce à l'attention que Malingaud lui demande de porter sur ce qu'elle vit, y compris et surtout dans son travail, son intérêt instinctif pour le monde se décuple. Chaque passant lui est une rencontre intéressante. Le monde fou du boulevard lui en fournit de toutes les qualités. Sa tête les énumère et les étiquette sans mots au fur et à mesure des chassés-croisés.

Malingaud dit que la foule des boulevards et celle des ports se ressemblent. Il égrène des noms de ports qu'il connaît. Gênes, Hambourg, Tanger, d'autres. Cramponne ne peut lui opposer le port de La Seyne. Où elle est née. Ni celui de Toulon, dont les quais, hormis les marins, exposent surtout la population de la ville et les petits marchands. Par contre, elle connaît Marseille. Et en ce qui concerne la Canebière, il est vrai que sa foule et celle du boulevard ont quelque chose en commun. Mais le port des boulevards de Paris centuple la diversité des catégories d'hommes et de costumes.

Des capes et des jeans serrés aux fesses. Des barbus-chevelus. Des tondus à la bonze. Des nœuds papillon et des endimanchements de personnes cossues à ne pas y croire, avec des gilets de peau sous des chaînes à breloques, ou des chapeaux genre reine de Hollande au Parlement. Des géants. Des crevés. Des familles noires en boubous étincelants et des couples gris en plis coupants au pantalon. Des hommes à chignons. Des ponchos et des saris. Des galabias arabes et des turbans, des gandouras et des chéchias. Des normaux qui passent inaperçus et des gens qui parlent tout seuls sans que personne y prenne garde. Toutes les sortes de vrais hippies et de hippies d'occasion à crasse volontaire. Des paumés en chaussures à la Charlot. Des racoleuses dont on reconnaît le métier à un murmure au cours du passage. Parmi elles une rouge de la tête aux pieds, cheveux et robe et collants et bottes et sac et maquillage. Dont l'affichage volontaire fait chuchoter les dames et cligner les messieurs. Des pauvres-pauvres vraiment pauvres, comme au XIXe siècle, pauvres mais honnêtes, avec du cirage aux trous de leurs souliers et une dignité éperdue sur leur face de victimes. Et des pauvres faméliques à l'œil en dessous avec un regard de ciment et des accoutrements à la *Mystères de Paris*. Une dame sous une ombrelle de soie, avec des gants blancs boutonnés jusqu'au coude. Et une division de Japonais précédés de téléobjectifs comme des canons de campagne. Un garde champêtre ou poilu de 14 en facteur ancestral avec la moustache gauloise et cinquante centimètres carrés de croix qui bringuebalent et cliquettent au bout de leurs rubans. De ceux dont la grand-mère de Cramponne dit qu'ils ne perdent jamais une occasion de sortir leur batterie de cuisine.

L'évocation de la grand-mère Arsène — du nom de son défunt mari — se résume par ces mots qui traversent sa pensée : « Encore un qui a un carreau de cassé dans la tête. » Mots si familiers qu'ils ne la font pas même sourire. Ils font partie du vocabulaire mythologique des familles.

Cramponne a déjà oublié le garde champêtre, pour une fille blonde sous une chasuble d'enfant de chœur toute en dentelle, qu'elle a dû mettre longtemps à trouver à la foire aux Puces, et qui s'arrête au haut de la cuisse. Toute percée de trous-trous. Et sans rien dessous. Encore une qui a un carreau de cassé dans la tête. S'il faut en croire la grand-mère Arsène, le nombre de ceux qui aujourd'hui ont « un carreau de cassé » ne fait que croître.

Le monde futur est présent dans toutes les formes de ventres de femmes enceintes, les ronds, les pointus, les projetés, les ballons ballonnant la jupe longue ou les minis relevées en arc sous le ballon. Ils sont le point saillant des promenades de famille, avec du bras dessus bras dessous, un cri perpétuel de rattrapement des mômes, le grand-père tiré-poussé, la grand-mère attelée à la voiture du petit dernier.

Sans oublier un cul-de-jatte chauve vendeur de billets de loterie. Des manchots en pagaille. Un poivrot qui ne cesse de montrer le poing à un certain Fernand, pourriture, saloperie de Fernand de pourriture de pourriture de Fernand. Et beaucoup de paralysés, d'infirmes, de cassés, de mal-nés. Les uns poussés. Les autres manœuvrant avec leurs bras. D'autres arrêtés et vendant des journaux. Mais tous sur de grandes roues, avec des yeux larges comme le monde et des peaux de papier.

On donne et on reçoit des coups à chaque pas. De pied, de coude, de poussette, de paquet. A chaque coup qu'elle encaisse, Cramponne dit pardon, en regardant le bousculeur dans les yeux comme pour mettre en évidence sa propre culpabilité. Chose curieuse, les gens n'apprécient pas ce retournement subtilement courtois. Ils se sentent aussitôt innocents et bousculés. Ils ronchonnent en se tenant le pied qu'ils ont eux-mêmes projeté. Cramponne n'en tient aucun compte et passe, dans son aisance et son plaisir. Les gens qui détestent la foule — et ce sont les plus nombreux — ne peuvent rien comprendre à cette ivresse curieuse du grouillement des hommes. Qui pousse les amants de la foule à s'enfoncer dedans. Sans jamais s'y perdre.

Pourtant leur plaisir ressemble curieusement, par sa plénitude, à celui de l'homme à la barre de son petit voilier. Ou grand. Dans le silence des hommes où ne parlent que la mer et le vent. Tout vient de l'extérieur. Tout vous donne des ailes, les pores se gonflent, la peau monte à la surface et se saoule, on est soi-même à la mesure du ciel.

La foule, quand on sait jouir de sa diversité, vous enveloppe de sensations d'une vitalité plus grandiose. Car tout devient théâtre. Mais en même temps point d'interrogation sur le monde. Avec précipitation en violence de tous les réflexes humains d'horreur, gaieté, pitié, indignation, admiration, déchirement, ironie. Et le reste.

L'œil de Cramponne se pose avec le même

intérêt de vivre dans la multiplicité des hommes, sur une belle Indienne en sari et au front pointé, ou sur un couple bien découplé, immensément fier de porter des enfants superbes à cheval sur ses épaules.

Si on l'aborde — et Dieu sait si sur les boulevards toute femme entre douze et quatre-vingt-dix ans peut trouver chaussure à son pied, avec ou sans rémunération de part et d'autre selon l'âge ou les avantages — si on l'aborde elle a une façon cordiale de passer sans entendre, qui ne laisse aucune place à la récidive. Quelques mots avenants ou obscènes lui frôlent les oreilles. Tout fait partie de la vie et elle va de l'avant. Malingaud se demande souvent si quelque chose au monde peut désespérer Cramponne, l'indigner, la sortir de ses gonds. Jusqu'à maintenant, elle ne lui a jamais donné l'occasion de répondre à cette question. Il est vrai que leur amitié ne fourmille pas de rencontres. Ils ne se voient qu'au hasard des possibilités de Cramponne. Qui travaille le soir trois fois par semaine.

L'Ombre de Malingaud, Broque, croit que Cramponne est faite d'une essence particulière. Et lui parle toujours comme si elle allait se changer en génie de vingt mètres et retourner à sa jarre au fond de la mer. Par contre Barilero le Diable passe son temps à se casser contre Cramponne. Dont il espère un jour percer la surface de tranquillité. D'une façon ou d'une autre.

Elle s'arrête pour acheter une glace en cornet. La petite marchande bossue — tiens, elle aussi, mais sa bosse fait une pointe, celle de Malingaud est davantage incorporée — la petite marchande s'essouffle et sue. Elle dit que c'est le premier soleil. Cramponne affirme que c'est vrai, ça fatigue, et elle n'a plus de jambes. Elle qui se sent dans l'aisance générale de son corps de la tête aux pieds. Elle hésite, et choisit framboise et chocolat. Tous les goûts sont dans la nature, dirait Malingaud. Double boule. Le remplissage du cornet avec la petite louche spéciale la remplit d'un plaisir enfantin. C'est rond. Ça fait la boule. Ça se pose là où il faut. Tout s'accomplit à merveille. La petite marchande bossue rend la monnaie et se met à servir deux fillettes qui émettent des rires de fonction. La petite marchande croche dans la glace et ainsi de suite. Son attitude avec les clients a quelque chose de sirupeux et de servile, malgré la hâte. On dirait qu'elle se répand en remerciements à l'excès et humbles de surcroît comme si les gens lui tendaient leur argent par charité, et non pour échange.

Malingaud a sur Cramponne cette influence de la pousser à ne jamais regarder les gens comme ce qu'il appelle des « collectifs ». Mais de les isoler, d'essayer de tâter, même rapidement, comment chacun existe en lui-même. Tout le monde a un nom, dit-il. Les « gens », ça n'existe pas.

Même si Cramponne ne pratique que superficiellement cet exercice, elle n'en a pas moins l'habitude d'essayer de surprendre le « nom » de chaque rencontre. Sur les boulevards, ce sont des travaux d'Hercule. Elle se livre à cette observation naturellement, comme à l'ordinaire. Ce qui fait qu'elle se déplace avec énormément d'intérêt. Lentement. Bien assurée sur ses bottes. Ses pieds à leur aise. Ces vieilles bottes sont idéales pour ce que Cramponne appelle « un jour de congé debout ». Debout, comme à l'ordinaire. Mais un deboutisme de fête et de découverte. Qui change tout.

Elle promène sa langue alternativement sur

les deux boules serrées dans leur cornet comme des seins sur une guêpière. Un plaisir sensuel naît de cet allèchement, qui amène le bon goût par l'attouchement. D'aucuns voient dans ce geste on ne sait — ou on sait — quelle sexualité. Il suffit de regarder la foule pour comprendre que le petit cornet de glace constitue un puissant dispensateur de plaisir gai. Sans plus. Sans moins. Même chez les mères innombrables, et en forte proportion plus exténuées encore par le jour de fête qui implique le briquage de la progéniture, et un habillement plus compliqué que celui de la semaine. Les mères donnent à lécher de temps en temps le petit bouquet de glace ronde à l'occupant hilare ou hurlant de la poussette ou du landau. Qu'elles projettent dans la foule.

Cramponne, dans son avancée lente, ne rate pas du regard un seul équipage. A chaque bébé roulé, qu'il soit assis suçant sa sucette, son pouce, sa manche ou l'ordure immonde qu'il vient de cueillir sur le trottoir comme une fleur au parc. Qu'il soit endormi ou pleurant, dans une Rolls à hochets électroniques et oreillers de Malines ou de superdentelle de polyvinyle, ou dans un landau de récupération dont l'arbre généalogique traverse une douzaine de fois la Foire à la ferraille et toute la parentèle à tour de rôle des nouveau-nés. A chaque mère de hardes ou de deux-pièces-lainage à inévitable clip au revers. A chaque Vénus en maternité ou mamellifère au bout de son rouleau, Parisienne, Africaine, Chinoise, Bretonne, Algérienne ou indéterminée. A chaque vieille, jeune, rose, sale, endimanchée ou à la va-comme-je-te-pousse. Que le môme soit hideux ou merveille, nacre et perle ou horreur gluante, loucheux, spectral ou soleil noir ou blanc, Cramponne y va de son sourire d'extase et de son hochement

24

de tête sur la signification duquel aucune mère ne fait d'erreur.

Elles se redressent aussitôt. Elles communiquent dans la fusion. Le lait de la maternité comblée leur irrigue l'âme. Même les plus écartelées, les plus attelées, les plus sur les genoux se ravivent à ce contact. Cramponne ouvre les vannes des sympathies réciproques.

Elle ne s'en rend pas même compte. Ce système de connivence avec le monde lui est naturel.

Lagrenée, dans ce domaine, n'a d'autre point commun avec elle au commencement de cet après-midi qu'une sorte de bienheureux contentement.

Il est arrivé par le même chemin. Même soleil. Même foule. Même attente. Mais d'une autre sorte.

Un peu indécis tout le temps qu'a duré son voyage sous la terre, il pose à peine le pied sur le boulevard qu'une certitude l'envahit du bien-fondé de sa présence. Le soleil, la diversité serrée de la foule le dispersent et l'allègent. La fille remarquée par Cramponne, nue sous sa chasuble d'enfant de chœur des Puces, passe devant lui, avec cet air de ne rien voir qu'arborent les gens affamés de regards. Suivie de près par l'hétaïre en chaperon rouge et par le garde champêtre qui a une batterie de cuisine et un carreau de cassé dans la tête. Lagrenée tombe aussitôt dans le ravissement de la rue. Où jamais rien n'est prévu. Ce plaisir devient en lui une sorte de réflexion calme sur sa vie quotidienne, mélange à parties égales d'une certaine sécurité et d'une certaine nostalgie sans amertume.

Il en est de la vie de chacun comme du roman du romancier. Il a toutes les possibilités, toutes les libertés. Il peut tout dire, tout faire, tout écrire, tout inventer. Le champ de la réalité imaginaire l'environne jusqu'à l'infini. Mais à partir du moment où il prend le départ, il s'enferme et se rétrécit, les milliards de romans possibles meurent, un seul demeure. Qui impose jusqu'à sa fin les limites de la plus infinie, de la plus enviable des prisons.

Lagrenée marche parmi la régularité des clowns d'affiches qui racolent pour le Cirque d'Hiver. A chaque rencontre de son œil, il se dit que l'affiche est horrible. Mais qu'elle dit clown. Du point de vue du cirque, c'est suffisant.

Il longe ensuite la porte ensoleillée d'un cinéma sans affiche, par obligation, et qui se contente du titre. *Les Tringleuses*. Il enregistre. Il enregistre avec intérêt tout ce que Cramponne remarque tranquillement comme inhérent à la vie quotidienne de la ville. Sans marquer le coup. Elle n'a aucun besoin de contrôler le monde dans lequel elle a été amenée à vivre. Il est autour d'elle comme un enveloppement naturel. Lagrenée, au contraire, le découvre à chaque pas, même s'il le connaît.

La foule, avertie de l'arrivée de la « tête » des manifestants par quelque agitation de balcon et par une rumeur différente de celle de la ville, reflue de la chaussée vers les trottoirs. Un fort courant qui pousse les passants entraîne Lagrenée et le colle aux affiches d'un autre cinéma — les boulevards regorgent de cinémas — qui donne *Erections*. De nombreux appels rédigés avec tout le soin qu'il faut pour que les mots prennent la force des photos interdites encadrent l'entrée. On peut lire par exemple qu'*Erections* a obtenu le phallus d'or au festival de Copenhague 1976. Et que c'est « le plus raide des pornos : 120 % à l'érectomètre ». Cramponne a déjà remarqué les inscriptions, amusée d'avoir cueilli pour Malingaud cette perle de la ville.

On pousse Lagrenée vers *L'Aquitaine à Paris*, bonne graisse, bon vin. Mais l'heure est passée. Par contre, dans la vitrine-miroir, il remarque la présence à ses trousses ou quasi de quelques personnages baguenaudant, l'allure famélique et le soulier étincelant. Avec des gueules de razzia sur la chnouf et méfiez-vous fillettes. Toujours les mêmes. Toujours différents.

Dans neuf sur dix des cas, ce sont des commis de boucher célibataires, des marchands forains ou des manœuvres orphelins de copains du dimanche, des travailleurs volants de la manutention, des provinciaux du bâtiment parachutés sur les chantiers de la capitale ou Algériens ou Portugais en déambulation communautaire du dimanche. Il n'y a rien de plus trompeur que le boulevard.

Un blondinet aux cils tremblants, la poitrine nue sous un collier noir bringuebalant entre les pans d'une chemise de lamé violet, tend à Lagrenée un œil de biche en disant « Une journée de velours ?... » Petit salut intérieur de Lagrenée aux mots. Jolie trouvaille. Journée de velours. L'adolescent a déjà disparu. Lagrenée franchit un moutard aux jambes torses, sa couche de matière plastique traînant au ras du sol entre les jambes. Il est tenu en laisse et harnaché. Au bout de la laisse apparaissent un père et une mère misérables et aux anges, vingt ans et la colonne vertébrale en cerceau, déshérités de la nature et de la vie, d'une vieille jeunesse éreintée du cheveu aux orteils. Mais heureusement doués de l'innocence pavanante des gens du spectacle des rues, ils sont tout occupés à se bécoter, à tirer des lèvres sur le même chewing-gum en riant aux éclats, et à haler la laisse de leur fruit commun. Qu'ils ramassent de temps en temps et mangent de baisers avant de le redéposer dans la foule. La scène dont ils croient être les vedettes les sauve de leur mornitude. Cramponne les a remarqués. De ceux-là, la grand-mère Arsène ne dirait pas qu'ils ont un carreau de cassé. Elle dirait simplement « Oh ! les pauvres bêtes !... »

Antoine Lagrenée s'approche enfin du bord du trottoir, juste devant le cinéma Rex. Les gens qui se haussent disent qu'on commence à voir des banderoles. Il se hausse sans résultat. Mais il voit en face de lui l'affiche, cette fois haute comme une maison, de *L'Odyssée du « Hindenburg »* sur la façade du Rex, avec l'inscription : « Sur quatre-vingt-dix-sept passagers, huit avaient une raison de le saboter. Un avait un plan. » Il a une vision de la salle du Rex avec son plafond en ciel étoilé, et le dirigeable en plein vol sur l'écran géant à travers les vérités de l'Histoire en mascarade.

« Qu'est-ce qu'ils font ? Mais qu'est-ce qu'ils font ? » Tout le bord du trottoir commence à dire « Qu'est-ce qu'ils font ? » Eventuellement en prenant Lagrenée à témoin. Ou tout autre voisin.

Son plaisir de l'imprévu de la rue se double de cette attente qu'il partage, sans trop savoir de quoi. Il y a très longtemps qu'il n'a pas vu de manifestation. Ailleurs que sur le petit ou le grand écran. Et il attend que ce vide devant lui se comble de quelque chose. Il regarde. Répond gravement par oui ou par non à un bonhomme tout rond à ses côtés. Qui consulte sa montre avec l'importance d'un starter, en calculant l'éventualité de l'arrivée de la « tête », dit-il. Que c'est pas encore pour tout de suite. Mais que ça ne va plus tarder. Ainsi de suite. On dirait un chef de gare.

Tout le monde attend la tête. Au niveau de la

chaussée et des bordures de gens immobiles, un certain climat d'énervement s'installe. Qui n'a rien à voir — sinon l'attente de la « tête » — avec tout autre attente de quelque défilé militaire, ou officiel, ou passage de chef d'Etat étranger ou n'importe quelle parade avec motards, flics à fourragères, drapeaux aux couleurs connues ou inconnues et barrières. L'événement populaire contestataire crée son climat longtemps à l'avance. Sans majorité silencieuse. Sans places à prendre et à garder. Sans effusions de crétinisme spontané. Sans délires de curiosité. Sans commentaires de la débilité. Et aussi sans narquoisisme de la rue. Une célébration. Un piétinement tranquille. Auquel du reste une seule partie du boulevard participe. Antoine Lagrenée perçoit où qu'il se tourne cette atmosphère spécifique. Tout en ressentant le côté bizarre de sa présence entre ces immeubles ensoleillés. En train d'attendre la tête d'une manifestation dans laquelle il ne se trouve pas impliqué. Il est touriste. Ou voyageur.

Et ce détachement qui n'en est pas un, cette impatience qui commence à le gagner provoquent en lui un curieux regard intérieur sur Julie, sa femme, dans sa maison. Assise comme à l'ordinaire près de la fenêtre, un châle vert sur les épaules, un livre sur les genoux. Elle a peut-être entrouvert la fenêtre et le soleil de mai dessine sur le parquet vitrifié ce triangle irrégulier dont ils ont en vain cherché la provenance. Julie a les yeux sur son camélia. Sans aucun doute.

Les balcons de l'immeuble nagent sur des balcons d'autres immeubles en face dont ils sont séparés par des zones basses indéterminées, avec des sols gravillonnés où poussent des bâtons qui seront arbres dans trente ans ou cinquante. C'est ce qu'on appelle les espaces verts, dit Julie. Sur les balcons, au lieu de ferrailles transparentes ou de pierres ou de grillages ou de n'importe quoi qui laisse passer le paysage des fenêtres, si indigent qu'il soit, on a mis des plaques d'altuglace couleur de jus de réglisse. Pour être davantage chez soi, ont dit les Récitants.

Vous avez sûrement remarqué, dans le monde que nous vivons, la présence de bonimenteurs qui expliquent toutes les finesses, technicités, commodités, innovations ou autres formicas, inhérents à la vie dite moderne, quelle qu'elle soit. Durant la période qui précède un achat, une location, ou une signature, les Récitants battent des ailes autour de vous et exhalent des parfums de fleurs. Une source de bonheur leur coule des lèvres et se répand sur vous. Plus tard ils se métamorphosent en blockhaus de ciment armé. Mais c'est une autre histoire. Du reste le Récitant, même en dehors du gouvernement, de la radio, de la télévision ou de l'Université qui, chacun à sa manière, en constituent les sources les plus prolifiques, est un personnage typique d'aujourd'hui.

Par exemple le chef de gare aux côtés de Lagrenée, qui continue à bonimenter sur la tête de la manifestation et sur son heure de départ et d'arrivée, est naturellement lui aussi un Récitant. Mais lui n'a rien à vendre ou à louer. Ni à mettre en mots. Il tente de capter et de garder à sa main l'attention des passants qu'il enveloppe de ses affirmations. C'est une pieuvre de mots.

L'admirable pensée de l'homme, plus rapide et plus efficace que les plus rapides fusées de science-fiction, permet à Lagrenée de plonger en une seconde dans la complexité de son monde familier, le temps seulement que le chef de gare reprenne souffle. Il n'a besoin, lui, d'aucune explication. Le mot camélia, en ce qui concerne Julie, lui suffit. Tout est dedans.

Ce camélia a commencé par pallier la mornitude de l'altuglace du balcon. Il est ensuite devenu une partie essentielle du comportement de Julie. Et par voie de conséquence du monde de Lagrenée à domicile.

Le radieux camélia vit dans une grande caisse dite d'orangers. Que le marchand d'arbustes, le concierge et Lagrenée ont réussi à monter dans l'ascenseur et à propulser jusqu'au balcon à l'aide d'un rouleau et avec mille sueurs. La caisse dite d'orangers a aussi son rôle à jouer. Elle a multiplié les premières extases de Julie, professeur de lettres en congé de longue maladie. (Elle souffre d'une arthrose de la hanche. Qui la crucifie.) Quand le Fabrice de *La Chartreuse de Parme* est dans sa prison, Clelia fait disposer sous ses fenêtres des orangers dans leurs caisses. Etc. Julie se nourrit d'analogies littéraires.

Le camélia est grand. Un peu arbre. Robuste. Fourni. Vert toute l'année, du vert vernissé des feuilles dures. Il appartient à la catégorie privilégiée des plantes ou arbres, cyprès ou oliviers, hibiscus ou eucalyptus, sapins et compagnie, jamais dépouillés par l'hiver, verts pour l'éternité de leur vie.

Arbre et jardin, le camélia crée dans la fenêtre la nature en sa plénitude. Il est le champ, la forêt ou la jungle. Jungle de camélia. Du début de février jusqu'à la fin du printemps, en pleine époque sans fleurs, il ouvre les unes après les autres des fleurs éclatantes, fleurs pour la chevelure ou le revers de veste des littératures, fleurs de conte ou de théâtre d'un rouge splendeur. Et qui vivent miraculeuses, dans le vent, la pluie, sous la neige, la fumée, tranquilles au milieu des calamités de l'air des villes.

Le reste du temps, ses gros boutons ronds couleur de jade portent le rêve de la prochaine floraison d'hiver. C'est le cas en ce moment.

Julie entretient avec cet arbuste des sentiments apparentés à l'amour. Malgré le calme exquis de ce qui lui tient généralement lieu d'exaltation, elle affirme que le camélia lui est plus précieux que la vie. Elle prend à l'arroser une volupté de cérémonie, comblée quand la terre sèche se noircit. Elle trouve des mots ardents pour exprimer la transformation du camélia quand on détache de ses ailes les feuilles jaunes ou les fleurs fanées. Qui ternissent son allure. Elle bêche la terre de la caisse avec un outil lilliputien. Elle la nourrit d'engrais non chimiques. De pourriture des forêts. De terre de bruyère. D'humus que tous les promeneurs du dimanche qu'elle connaît sont priés de lui rapporter de leurs randonnées. Quatre ou cinq fois par an, elle nettoie une à une les feuilles innombrables de l'arbuste, dessus et dessous. Et le petit tronc. Et les branches, avec précaution. Elle trempe du coton pour mener à bien cette opération hygiénique, tantôt dans l'eau, tantôt dans la bière ou le lait, ou dans quelque lait de beauté de plante qu'on lui a recommandé. Elle consulte des livres et éventuellement des agronomes. Quand il pleut, le balcon résonne du bruit des gouttes remplissant des seaux. Ce sont les réserves de Julie, désireuse d'éviter à son camélia l'absorption trop constante de l'eau javellisée du robinet. Elle dit que visiblement l'eau de pluie le régale.

Bref la présence de ce camélia sur le balcon, dont il occupe la plus grande partie, prend dans sa vie une importance si démesurée qu'on peut se demander si elle supporterait sa mort. Sa fille Aglaé ne cesse d'ironiser à propos du camélia. D'insulter le camélia. De faire du camélia le symbole détesté des excès d'âme de Julie. Et en même temps de dorloter le camélia au point de franchir en adoration les frontières de Julie.

Toutes ces particularités de l'existence du camélia dans sa liaison insolite avec celle de Julie, font partie — avec mille autres — de l'image complexe et fulgurante qui visite Lagrenée, debout en face du *Hindenburg* géant, nageant dans la couleur infâme et les visages grotesquement tortillonnés des affiches de cinéma. Julie assise devant le camélia lui donne au milieu de cette foule une sensation d'incongruité.

Ce boulevard ensoleillé, disparate, populaire et cosmopolite, crasseux et nippé. Ce mélange d'ouvriers et de maquereaux, de gros commerce et de camelots, de haute volée venue de l'Opéra et de bas-fonds sortant des petites rues alentour et des grands cafés dont les profondeurs recèlent toutes les sortes de mélos au naturel. Cette population si parisienne et qui a pourtant l'air d'avancer sur des quais maritimes. Tous ces marchands de babouches et de pralines, ces petits bourgeois en cravates emperlées. Tous ces ouvriers en famille au milieu du toutvenant général sans oublier les métiers spécifiques du boulevard dans le genre books, indics, drogue, marchands de tout à la sauvette, filles et maquereaux. Tous ces saris, boubous, fez, turbans, robes gitanes et robes africaines, cheveux crêpés, décrêpés, nattés, Jésus-Christ et panthères noires ou blondes. Tous ces clochards et épaves de toutes les navigations de la ville parmi lesquels les beaux quartiers si proches envoient des carrosseries de personnes à relent d'Opéra. Tout ce mélange en mouvement rend l'image de Julie devant son camélia plus incongrue que le passage incessant de la fille nue sous sa chasuble d'enfant de chœur.

Le bruit annonciateur grossit. Lagrenée commence à se déplacer en crabe, dans l'espoir de larguer le chef de gare qui commence à lui casser les pieds avec sa connaissance approfondie du temps de marche des manifestations. Auxquelles pourtant il ne semble pas participer corps et âme. Pas plus que Lagrenée du reste.

Il recommence à marcher en s'éloignant du chronomètre. A un moment il se trouve sous la façade pavoisée de rouge et de tricolore du journal *L'Humanité*. Tous les balcons sont habités, fenêtres ouvertes. Il règne un climat de partie prenante. Il se dit qu'on doit être magnifiquement bien là, pour voir. Qu'il faudrait avoir la possibilité de louer une fenêtre sur les boulevards, comme au temps des cérémonies cruelles, pour s'amuser à regarder rouer, place de Grève. Ou pendre.

Mais on perdrait le contact de la foule.

Par exemple ces deux Africains de haute taille, superbement enveloppés dans les plis blancs de leur robe de travail, et qui étalent avec soin sur une natte à même le trottoir, en plein grouillement des pieds qu'ils écartent et qui s'écartent, tous leurs coussins, chapeaux de cuir, colliers, babouches à pompons, guitares ou calebasses et tam-tams miniatures à poils de fourrure.

Au bord de la chaussée, une camionnette marquée « Fédération de Paris du Parti Communiste » diffuse des appels entrecoupés de chansons. Chansons chansons chansonnettes, machin et tremblotin repars reviens mon cœur. Et aussi triste H.L.M., complainte pour les loulous de banlieue ou le grand ensemble, guerre du Vietnam et d'ailleurs, mon frère portugais ou chilien et achetez la vignette de la fête de la Fédération de Paris du Parti Communiste. Ils interpellent les passants. Ils ont enfilé pour la circonstance des ponchos ou tabliers ou soutanes de matière plastique aux couleurs de Paris. Ça amuse les gens. Ils en ont même habillé leur chien.

Vignette. Achetez la vignette. Lagrenée les regarde un long moment, détaillant leurs gestes, écoutant leur gaieté, assimilant leur amusement, leur dévouement, leur Parti Communiste, leur vignette, écoutant leurs appels et leurs explications. Il se répète le mot. Vignette. Pour on ne sait quelle raison obscure, le mot porte en lui-même un désagrément. Vignette. Il se dit qu'ils devraient changer le mot. Et passe.

Le temps de ces observations tranquilles, le bruit prend de l'enflure en crescendo lent comme le bruitage de la foule en son polyphonique dans un théâtre, à partir de la vraie et inimitable voix de la foule. Les gens se serrent au bord du trottoir sur deux ou trois rangs. Et derrière cette ceinture de foule à la chaussée — qui rend le faufilement encore plus ardu — le trottoir continue à passer, pousser, promener, les terrasses de café à hausser le cou. Et encore derrière, les cinémas tranquilles ouvrent leurs bouches dans les murs, avec au fond une caissière sous son petit toit de guérite qui vend des billets de *Tringleuses* ou d'*Erections*.

D'un seul coup, un vide, un trou se fait, énorme, sur la chaussée. Lagrenée, en proie à une attente presque impatiente, a la sensation que sa tête elle aussi fait le vide. Comme la chaussée. Que le temps reste accroché quelque part. Il se tend pour voir, sans rien voir. Tous ses voisins plient comme lui les pieds, cherchant leur plus grande hauteur. Les oreilles reçoivent un fracas complexe de mots, de cris, d'éclats de voix, de musique, de rythmes, surtout de rythmes de mots sur un fond de percussions indéterminées, avec roulements de tambours humains en chœurs désaccordés d'une ampleur inconnue des orchestres.

Et le boulevard se barre en amont d'une perpendiculaire violemment coloriée, en une seconde apparaissant dans le champ du regard, constituée par une banderole géante portée par des têtes et des pieds. Le rideau vient de se lever. Les premiers acteurs tous ensemble envahissent la scène.

Ils font leur entrée en acteurs de quelque chose qui n'est pas du théâtre et qui en est. Ils avancent en action regardée, en exergue, sur le podium. La poitrine des porteurs de banderoles se gonfle, ils ont l'air de guerriers en armures. Les mots « union, action » sont écrits, criés, répercutés. Le premier groupe marche lentement. Regardant regardés, porte-drapeaux même sans drapeaux, en action même sans autre action que marcher, renforcés par la queue multidimensionnelle qui comble le boulevard derrière eux jusqu'à ce qui a l'air d'être l'infini. Ils manifestent et sont manifestés. Ce sont des hommes en expansion d'eux-mêmes et de tous ceux dont ils ne sont que l'avant-garde, dans un climat extrêmement touffu où viennent se heurter et se rassembler en même temps les affirmations et les contestations.

Le boulevard devient somptueux sous le soleil dans une clameur où pointent les mots indéchiffrables d'une sonorisation désaccordée. Un Opéra gigantesque de couleurs. Couleurs diversifiées des vêtements, des visages. Lettres rouges ou noires sur fond blanc ou réciproquement. Blanc incandescent des banderoles, rouge de feu des drapeaux, éclairs des cuivres, des toits de voitures à porte-voix. Une couleur non impressionniste mais divisée. Une fulgurance d'hommes multipliée par le bruit. Et par là-dessus au fond le ciel, le bleu angélique du printemps. Tout cela en un seul morceau indéchiffrable, indescriptible, en une seule couleur indésignable, en un seul mouvement où l'immobilité des immeubles participe. Et qui au fur et à mesure de son rapprochement, devient, homme par homme, femme par femme, la manifestation. Manifestation. Ils manifestent. Et sont manifestés.

Lagrenée derechef a brusquement sur son flanc droit l'obstiné chef de gare. Qui lui énumère avec une frénésie d'agent de renseignements au rapport tous les noms des dirigeants de syndicats, tous les noms de dirigeants des partis de gauche qui marchent ensemble derrière la première banderole. Et dont les haies applaudissent le rassemblement.

Sauf un grand maigre, dont il s'exaspère de ne retrouver ni le nom ni l'appartenance, il sait tout. Il ne cesse de répéter : « Pourtant bon Dieu je ne connais que lui ! » Il se gratte le nez, la langue et le cerveau, il se mord les doigts, il se tape du pied, il l'a sur les lèvres, il se fait un sang d'encre.

Pour être bien dans sa peau et se promener en liberté à travers ses pensées, Lagrenée manque de silence. Je veux dire d'une pensée jouant librement dans ce vacarme. Il ne souhaite écouter et regarder que l'événement de la manifestation. Dont il vient de ressentir avec violence l'irruption. La métamorphose du grand spectacle en signification. Le passage de l'écran géant en gros plan d'hommes.

Il lui faut échapper au chef de gare et à ses connaissances encyclopédiques de la gent manifestante. Il se retourne. Et prend la fuite.

Il s'aperçoit en tournant la tête que le chef de gare continue à se frapper le front et à faire des grimaces de mémoire au bénéfice d'une autre victime. Il y a sur le visage du chef de gare un épanouissement de la personnalité. Qui laisse perplexe. C'est un petit rat de la ville, sans aucun doute, qui ne cesse d'être un petit rat de la ville que ces jours-là, où par la grâce de ses connaissances du spectacle, il devient brusquement quelqu'un qui dispense ses connaissances aux autres et démontre combien il en a.

Si Malingaud était là, il se demanderait aussitôt si le chef de gare se défoule en arborant une personnalité que la vie étouffe. Ou si cette personnalité n'est qu'une aspiration détectable uniquement à la faveur d'un événement qui l'attise. Or Malingaud est là. Mais il est planté plus bas. Cramponne a cessé d'y penser, tout entière entrée dans le vif de l'événement.

Lagrenée essaie de remonter le boulevard à travers le trottoir imperturbable qui, à l'abri de la haie tournée vers la chaussée, continue à avancer comme si de rien n'était, à quatre pas de l'événement. J'ai toujours eu la fascination de ces déambulations sur le flanc des manifestations dites de masse et le mot convient. Cette vie dominicale qui prend son repos à sa convenance là où elle a coutume de se trouver, quoi qu'il arrive. C'est la vie, c'est la ville. La plupart du temps, ils ne sont pas même curieux. Seuls les enfants cèdent à la tentation de ce grand cortège de foire ou de cirque. Et font des échappées vite réprimées.

Lagrenée va bientôt prétendre que le chef de gare a joué le rôle du destin. Le fait est que sa fuite le rapproche de Cramponne. Qui se trouve maintenant à dix mètres de lui, au premier rang de la haie que le service d'ordre repousse.

Au moment où Lagrenée retrouve un point d'observation, il voit arriver la première usine en grève, si l'on peut dire. Il n'a pas le temps de lire son nom. Il entend toujours union, action. Il voit marcher en groupe desserré des hommes, des femmes et des enfants qui ouvrent et ferment la bouche en même temps, qui regardent les gens dans les yeux. Qui les prennent à témoin et font rebondir leurs mots sur eux. Les gens rient et applaudissent aux mots. Les mots sont :

Il est pourri le régime à Giscard.
Il nous envoie ses flics et ses clébards.

Ou bien « ses clebs et ses flicards ».

Au sein de son absence d'enthousiasme comme de sarcasme, et malgré son intérêt croissant, Lagrenée se sent bizarrement dépossédé de lui-même. Mal à l'aise dans la peau du curieux. Inapte à celle de l'opposant. Ou du contestataire de tous bords.

Il sent en lui cette montée de solitude particulière, qui est son état familier et la plupart du temps préféré. Une qualité de solitude qui lui est propre. Telle qu'il l'aime ou la subit dans la forêt, dans la nuit sans détermination, dans une maison ou un silence.

Une solitude où toute pensée active se détache et disparaît. Où tout ce qui est autour se substitue à cette pensée. Tout en lui devient arbres ou ciel ou noir de la nuit. Où ne vivent que les bruits. Tout se fait bruit et glisse dans la tête, d'un petit bruit à l'autre. Tout se passe comme s'il était vide en permanence de par sa propre nature, et aimantait par ce vide ce qui l'environne. Sans faire de choix. Tout ce qui vient vient et s'installe.

Il a connu par exemple des heures d'angoisse, motivée par la présence en lui d'une montagne voisine dans son immobilité, et de sa pesanteur sur son âme. Il a vécu au contraire des moments d'une légèreté parfaite de l'esprit par la simple entrée en lui, après avoir chassé le reste, d'un chemin ouvert dans une forêt, avec au bout cette fusée de lumière du ciel descendant jusqu'à terre.

Un jour qu'il se laissait ainsi envahir en silence par les fureurs d'une discussion à table qui l'occupait tout entier de ses pour et de ses contre en interférence, son fils Stanislas avait brusquement mis un nom sur ce qu'il appelle désormais le cas Lagrenée.

Il avait dit — je résume le diagnostic — que la position de Lagrenée dans l'existence était assimilable à celle d'un homme assis devant un feu de bois. On peut rester des heures devant un feu de bois sans rien faire d'autre que le regarder. On dit que le feu fascine. On est captivé, hypnotisé. On a les yeux dessus, dedans, sans jamais les détourner. Le feu ne favorise pas le mécanisme de la pensée. Il fait obstacle à toute méditation. On ne plonge pas en soi-même à la faveur de l'immobilité chaude. On est pris, occupé, vidé par le feu. Prisonnier de chaque flamme. Dans un bien-être extrême du corps et de l'esprit. Vissé par le regard. On ne s'arrache qu'avec peine. On peut rester enraciné des heures.

Stanislas Lagrenée avait découvert que son père passait tout entier dans tout. Comme l'homme passe dans le feu.

On ne peut donc lui reprocher son indifférence. Au contraire. Il ne perd pas un mot de la conversation. Rien ne lui échappe. Mais il ne participe pas. Il a les yeux sur le feu, quel que soit le feu. Tout devient feu. Un point, c'est tout.

Lagrenée avait répondu par des plaisanteries. Dit qu'il lui paraissait mal venu de comparer un feu royal de cheminée avec ce genre de discussions à propos d'un film que Stanislas qualifie de chef-d'œuvre et Aglaé de merde débile. Où les interlocuteurs mettent mutuellement leur intelligence, voire leur honnêteté en doute. Dit que le ton de ces discussions, par leur âpreté — à propos d'une chose sans importance qui est l'opinion personnelle de chacun sur le film — et par la férocité d'arguments qui finissent par confiner à la haine, fait naître en lui une fascination. En quelque sorte. Que peut-on demander de plus ?

C'est ce que dit Stanislas. Les yeux sur le feu. Fasciné. Présent et absent. Dans le feu tout entier.

Si fasciné qu'en proie au transfert de son intérêt dès que la conversation avait changé de ton, Antoine Lagrenée se retrouvait fasciné par Stanislas.

Il ressent aujourd'hui avec une certaine tristesse la justesse de cette appréciation. Tristesse ? Disons mélancolie. Il est vrai qu'il se tient en face de la manifestation comme au coin du feu. Il est vrai aussi que ce comportement, se dit-il avec l'ombre d'une satisfaction de lui-même, s'il coupe en lui depuis un temps déjà assez long toute velléité d'action, lui confère une faculté d'assimiler le monde que peu de participants actifs peuvent lui envier.

Il fixe intensément le feu de la manifestation. Et la manifestation, devenue cortège ininterrompu, lui explose à la figure. Il devient le réceptacle de ce mélange insensé. En l'air le *Hindenburg*, derrière *Les Tringleuses*, entre les deux les petits grands marchands africains, la fille en chasuble d'enfant de chœur, la fille-Chaperon rouge, ainsi de suite. En bas les ouvrières de Tricosa en grève et les filles de la haute couture en ponchos. Avec des mots écrits et criés : « Oui le travail manuel est dans la rue. » Panneaux au cou, panneaux à la main, petits panneaux individuels et grandes banderoles. Des clowns des Quat'zarts avec de grosses perruques vertes et des tubas qui font flamber le soleil, défilent en dansant et en cassant les oreilles, la foule est en joie. « Globus routier », avec leur motivation en l'air « 190 travailleurs tous licenciés le 1ᵉʳ mai ». Et des costauds avec des hauts-de-forme de papier pour *Le Parisien libéré*, toujours en grève. Pouvoir-patronat. « Halte à la braderie de l'imprimerie ! Maintien du potentiel papier ! » Tous les langages tarabiscotés tuyautés, tous les mots en matière plastique de la société de consommation sont là.

Il y a de grands vides. Au milieu d'un de ces vides, un petit dur aux jambes torses avance, avec au bras une grosse tassée aux seins flottant dans un chandail orange violent. Aglaé Lagrenée prétend que tous les seins flottants aiment les chandails vifs et mous. Ils poussent dans sa voiture un gosse agitant la main à la façon des reines anglaises ou hollandaises dans leur carrosse de couronnement. Ils crient tous les trois : « Halte à la-répression. Halte à la-répression. »

Des femmes à côté de Lagrenée applaudissent « à en avoir mal aux mains », disent-elles. Une surtout. Qui a la larme à l'œil. Qui se retourne tout le temps vers ses voisins pour les prendre à témoin. Qui entre de temps en temps dans le chœur. Qui participe. Elle attend, dit-elle, Hélio-Cachan. Mais elle dit que s'ils défilent avec la banlieue, c'est pas encore demain la veille. Qu'est-ce qu'il y a comme monde ! Qu'est-ce qu'il y a comme monde ! (C'est un des refrains de la haie, l'autre étant : on n'en verra jamais la fin.)

Un grand au nez de corsaire fait la contradiction. Il s'inquiète. Il trouve que ça manque de nerf. Qu'il y a moins de monde que l'année dernière. Que c'est clairsemé. Que les gens ont dû aller à la campagne. C'est la faute du soleil. Ils ne savent pas résister, dit-il, c'est la faute aux autos. C'est la mort de la classe ouvrière. L'automobile.

Ce genre de corsaire moralisateur se retrouve, comme le chef de gare, dans toutes les manifestations. L'un est commentateur-chronométreur. L'autre commentateur-pessimiste et critique. Démonstration vivante de l'échec. Et accusateur. Il fait penser aux conférenciers ou aux catéchiseurs qui, s'adressant aux rares présents, passent la majeure partie de leur temps de parole à foudroyer les absents et à noyer les présents sous les invectives aux absents. Qui à eux seuls ne devraient pas être adressées.

Et « voyons voyons, dit la voix du chef de gare ressuscité à côté de Lagrenée, admettons qu'ils soient partis à trois heures juste. Ce qui n'est sûrement pas le cas. En tenant compte du fait que la tête a pris un rythme plutôt lent... »

Antoine Lagrenée se dissout doucement dans la foule arrière. Le chef de gare le fascinerait si la manifestation ne commençait à grossir et à muer. Il fait un crochet volontaire à travers le trottoir toujours en baguenaudage dans sa bulle imperméable de jour de congé. Il se retrouve devant un cinéma qui, outre *Les Tringleuses* déjà rencontrées, donne *Les Vierges des messes noires*. Refend avec difficulté la bordure vivante de manifestation, et arrive à quelques mètres de Cramponne. Qui n'a pas bougé.

Elle regarde passer l'hôpital Broussais, les associations du « non aux expulsions », les ouvriers des Monnaies et Médailles, et un groupe compact et solennel qui sans interruption et sur le ton croque-mort chante « Chômage, misère, impôts... C'est Giscard, répondit l'écho... »

Cramponne nage dans son eau. Elle n'applaudit pas. Elle a les deux mains dans ses poches et un sourire tranquille. On dirait qu'elle a toujours habité dans une manifestation. Elle a pour voisin une sorte d'ectoplasme à cache-nez qui diffuse une mauvaise humeur extrême. Il ronchonne dans sa barbe absente. Toujours les mêmes mots : « Si seulement ça servait à quelque chose ! » Et il applaudit quand même par moments. L'air navré. Comme pour faire comprendre que même si le spectacle est moche, ce n'est pas une raison pour ne pas applaudir les acteurs, les pauvres. Ils se donnent tellement de mal !

Cramponne connaît ce genre de personnages. Elle connaît tout. Ce sont les accusateurs perpétuels de la société, les bonimenteurs du malheur, eux-mêmes malheureux. Dont la seule consolation est de souligner chaque malheur visible et d'en faire la pièce à conviction de leur état.

Elle ne se dit rien de tout cela. Mais elle en a la connaissance, et chaque mot lui paraît naturel. Elle se met à rire seulement au moment où le malheureux ectoplasme s'indigne à coups de « Regardez-moi ça ! Non mais regardez-moi ça !... » Parce qu'un groupe d'hommes porte gaiement un écriteau peint à la main et grand comme le clown du Cirque d'Hiver accroché au poteau voisin de Cramponne. L'écriteau

44

proclame : « Vive nous ! » Ce « Vive nous » met l'ectoplasme en transes. On ne sait pas s'il y voit un manque d'esprit communautaire ou une atteinte aux slogans généraux. En tout cas il invective.

Du reste les manifestations suscitent toujours la sortie de terre sur leurs bords de gens qui parlent tout seuls et qui trouvent là l'occasion de faire marcher leur petite mécanique intérieure de pensées généralement refoulées. Ils existent à plusieurs exemplaires. Malingaud et Broque, dans leurs pérégrinations en zigzag, en ont déjà rencontré deux ou trois de chaque espèce. Des chefs de gare. Des ectoplasmes. Des corsaires. Sans compter l'ivrogne qui traite toujours Fernand de pourriture de pourriture. Et qui traverse la foule comme un désert peuplé de Fernands à pourfendre.

A ce moment tout le quartier, tous les boulevards sont déjà ébranlés. Un embouteillage inextricable sévit alentour. Les radios recommandent sans interruption d'éviter les abords de la manifestation.

Tout près de là pourtant, à vol d'oiseau, les jolis enfants du jardin des Tuileries poussent en rond leurs bateaux à voiles — ou leurs petits engins téléguidés — sur les bassins, comme dans les peintures. Tout est calme. Et les voitures innombrables se tassent en ronflant le long des flancs des statues de Maillol qui lèvent leurs fortes jambes dans l'herbe.

Sur les boulevards tout est tonnerre et explosion, passion et couleurs, grouillements et cris. Et rien ne se passe à quelques centaines de mètres dans Paris et sur les bords. Sur les boulevards on dirait que le monde va changer. Et tourné le premier ou le deuxième coin de rue, par-delà les cars de police et les embouteillages, la ville vit sa journée de congé, tranquille comme Baptiste.

Cramponne et Lagrenée se trouvent maintenant rapprochés. Mais ne peuvent encore se voir. Le sourire de Cramponne balaie tout ce qui passe, les Jeunesses ouvrières chrétiennes et « mieux vaut payer des retraités que des chômeurs » et « chômage misère impôts, c'est Giscard répondit l'écho ». Toutes les sortes de têtes, toutes les sortes de costumes et d'âge, toutes les sortes de chevelures, les hommes brillants et les hommes ternes, un tapis d'hommes, de mouvements, de cris, sur lequel émergent trois sortes de périscopes. Les enfants parce qu'ils sont assis à cheval sur le cou des hommes-à-l'enfant très nombreux qui avancent en tenant un petit pied dans chaque main. Les photographes brandissant sur la houle des bras armés de noir. Et les cinéastes juchés sur des voitures de la télé. Et qui attrapent des kilomètres de foule. Dont ils passeront le même soir toujours le même morceau, disent les gens. Comportant une interview rapide, en marche, de chacun des dirigeants de syndicats. Qui dira que ça va mal. Et voilà pourquoi. Et nous ferons ce qu'il faut. Après quoi le speaker dira que selon l'estimation des initiateurs de la manifestation il y avait cinq cent mille personnes. Et que selon la Préfecture de police il y en avait une quinzaine de mille.

L'hélicoptère de la Préfecture, le « mouchard », navigue dans le bleu du ciel de ville. Ca amuse les gens. Ils rient de la foule énorme dont, selon eux, l'hélicoptère doit rager de survoler le serpent. Ils imaginent à côté du pilote un bureaucrate désespéré par l'ampleur de la foule et qui compte : « Trois cent mille six cent trente-sept, trois cent mille six cent trente-huit. » Ou bien ils disent qu'ils doivent s'arracher les cheveux là-haut. Et ils voient sept ou huit cravatés au cheveu calamistré, image de marque de l'actuel gouvernement, effondrés dans des fauteuils d'hélicoptère et grinçant les dents de Lecanuet sous le casque de Chirac entre deux mentons de Poniatowski. Ou bien ils se marrent en disant qu'ils cherchent de là-haut le bon endroit de la queue où accrocher les casseurs. Ou bien ils rient simplement à la présence céleste et habituelle de l'espion qui, quelles que soient ses fonctions, se déplace avec la grâce inhérente à l'hélicoptère.

Cette fois, juste après le Syndicat du bois et de la transformation des plastiques — tous les métiers sont en marche — un groupe passe justement en psalmodiant : Facho-o, facho-o, facho !... C'est Ponia répondit l'écho. » Et quelques doigts se lèvent, à la façon du doigt de saint Jean-Baptiste, pour désigner l'hélicoptère du ministère de l'Intérieur. Les gens rient. Lagrenée trouve qu'ils rient même beaucoup. Pour les trouvailles. Les bons mots, les chansons. Les coups bien assenés. Les formules bien trouvées. Le rire signale la contestation qui fait mouche.

Une ligne de vendeurs de fleurs, œillets rouges de la révolution portugaise et premier muguet de mai, passe lentement entre le trottoir et la manifestation. On entend « au profit de » « au profit de ». L'Espagne, le Brésil, l'Argentine, l'Afrique, tous les mouvements contre. Une femme qui vend des brins de muguet pour « le soutien aux Chiliens » passe devant Cramponne. Provoque aussitôt la réapparition en elle de la grand-mère Arsène.

Cramponne a soudain la certitude que la grand-mère Arsène a vendu du muguet ce matin au marché de La Seyne. S'il y a un marché le

1er mai. Il ne pousse pas de muguet dans son jardin. Mais elle a dû se débrouiller pour en trouver. Ou alors elle est allée vendre celui que ses petits-fils ou petits-neveux ou ses fils ou brus lui ont apporté. Après l'avoir planté dans des pots, avec ou sans racine. Ou habillé de ce papier gaufré qu'elle ramasse à l'aube dans les poubelles du Mammouth au carrefour des Playes. Les grandes ordures, qui sont enlevées par les favorisés, passent sous le nez des petites gens, dit-elle.

Sinon que peut-elle bien vendre en ce moment ? Si c'était l'automne, elle vendrait des kakis. Fusée de rire intérieur de Cramponne.

Elle voit la grand-mère Arsène. Son petit chapeau rond de toile couleur de sable, genre chapeau d'explorateur de bandes dessinées. Les mèches gris fer frisées qu'elle appelle « les vrilles de sa vigne », grouillent sous les bords. « J'ai toujours frisé naturellement », dit-elle. Encore que ses enfants la soupçonnent de pallier le raidissement de l'âge des vrilles à l'aide de papillotes en papier d'un autre temps. Dont ils remarquent parfois la présence dans la poubelle.

Cramponne la voit assise sur son pliant à côté de son étalage. Entre Célestin, le gros marchand de fromages. Et Stéphanie qui vend des plants sur des tréteaux en amphithéâtre. Ça sent mauvais à gauche et bon à droite, dit la grand-mère. Les petits plants serrés, bien enveloppés avec leur terre, ont le vert tendre des plantes nouvelles-nées, et parfument. Des plants d'oseille, de basilic, de céleri, de salade frisée, de blettes, de longues bottes de plants d'artichauts et d'autres.

La grand-mère Arsène s'est débrouillée pour acheter une patente de petit forain. Pas chère.

Ça lui permet de vendre n'importe quoi. Que la nature et le jardin lui fournissent. Elle y trouve une source d'occupations. Et de petits profits. Elle dit qu'il faut équilibrer les ressources. Et les besoins. Il ne faut pas se contenter de ce qu'on a. Plus on 'a de besoins, plus la vie vaut la peine d'être vécue. C'est pourquoi elle a résolu le problème des kakis. Sans compter qu'ils viennent à point pour les impôts locatifs. Les impôts locatifs en augmentation verticale sont la seule hantise morose de la grand-mère Arsène.

Les gens qui apprécient le goût spécial du kaki se comptent sur les doigts à La Seyne. En tout cas parmi les autochtones avec ou sans ascendance italienne. Visconti, dans la région de-ci de-là, c'est un garagiste. Grimaldi un charcutier. Léopardi un pêcheur. Il y a même un Borgia. Qui fabrique des santons de Provence.

Mais la grand-mère Arsène a trouvé le moyen de tirer profit même des kakis méprisés. Son imagination sait résoudre les problèmes.

Elle a remarqué qu'au marché de La Seyne, certaines gens se pâment devant les choses, dit-elle, les plus naturelles. Par exemple ils achètent des poivrons jaunes, verts, rouges, violacés en gorge de pigeon. Uniquement pour leur couleur. Et ils en font des corbeilles pour le plaisir de l'œil. Il est vrai qu'il n'y a rien de plus joli qu'un poivron. Ni de meilleur. Mais la plupart ne savent même pas s'en servir. Quand ils deviennent mous, ils les jettent au lieu de les mettre au four à l'espagnole, ou dans la ratatouille ou la salade. Ou la soupe. Au prix où ils sont. Mais ça les regarde.

Désespérée de ne rien tirer de ses kakis ou presque, alors que son arbre en fournit en abondance, la grand-mère Arsène avait déjà essayé d'en faire de la confiture. Avec une recette de journal. Mais sans même compter le sucre que ça mange, le résultat en tartine a fait, dit-elle, l'unanimité de la grimace auprès de toute la famille. Ce n'est pas une chose pour nous autres du Midi, dit-elle. C'est tout juste bon pour les Esquimaux.

Elle a fini par connaître à fond le comportement des acheteurs de poivrons. Elle les classe en deux catégories. Les habitants des résidences secondaires du genre vieux mas ou vieux moulin retapé ou refait. Ce sont les frénétiques de tommettes pas neuves, de carreaux anciens pour leurs éviers qu'ils vous montrent avec des fiertés dans la voix, de murs blanchis à la chaux, de meubles de coin provençaux rouges avec des filets, comme on n'en trouve plus. De tissus provençaux, de lampes, de commodes à chasubles éjectées des cathédrales et de vraies jarres provençales hors de prix. (Elle a vendu mille deux cents francs sa dernière, le cœur fendu. La jarre aussi.)

Ceux-là sont de bons clients, fanatiques de barbecue aux herbes de Provence, de soupe au pistou ou de soupes de poisson. Elle va encore en cuisiner ici ou là de temps en temps, ça lui donne des points de vue passionnants sur ces messieurs-dames. Qui la paient le bon prix, petits cadeaux en sus. Qui la montrent à leurs amis comme un pur produit du pays et l'appellent grand-mère Arsène long comme le bras. Ça lui fournit aussi de belles histoires pour les dimanches. Ceux de ce genre-là sont gogos de tout ce qui à leurs yeux représente la nature authentique, la campagne qui sent bon, le feu de bois autant que possible d'olivier. Et mettent un cep de vigne bien tortillé sur la desserte comme si c'était une statue de marbre. Le mot « authentique », attrapé par la grand-mère Arsène et projeté le dimanche sur la famille, est entré respectueusement pour les uns, ironiquement pour les autres, dans le vocabulaire.

Ceux de la deuxième catégorie habitent là toute l'année. Ils ont les mêmes goûts, tommettes, olivier, barbecue. Anciens ministres ou truands de Marseille satisfaits, officiers de marine au rancart ou retraités de toutes les professions, à petites ou grandes maisons. Seulement eux, à force de vivre là hiver comme été, connaissent tout dans les coins. Ce n'est pas du côté du retour à la terre qu'on les a, mais du côté de l'attendrissement. Ils prennent à choisir le poisson un plaisir à la fois connaisseur et de familiarité avec l'habitant. Ils reconnaissent le faux du vrai. Jouissent des mêmes choses en toute connaissance de cause. Ils dépensent moins facilement. Ils font du théâtre en ouvrant les ouïes du poisson et utilisent un langage spécial de marché. Et ils sont plus futés, dit la grand-mère Arsène. Les marchands font gaffe quand ils les voient et leur tirent du premier choix de derrière les fagots. Ou leur font signe de l'œil : non pas ce poisson-là, je vais vous en trouver un autre...

Mais s'ils voient chez quelqu'un quelque chose qui ressemble à de l'intelligence des choses, ils se font avoir comme les autres. La seule différence c'est qu'ils hochent la tête en se regardant d'un air de connivence, l'air de dire : « Cette grand-mère Arsène, c'est un personnage. »

Elle a donc, une fois pigé ce qu'elle appelle le truc des poivrons, demandé à Célestin, le gros marchand de fromages, de lui filer tout ce qu'il mettait à la poubelle de boîtes à œufs inutilisables pour lui.

A la place des œufs, chacun dans le trou ad

hoc et en tassant un peu parce que les œufs de kaki sont plus gros et plus ronds que les œufs de poules, elle a placé six fruits bien beaux. Dans toutes les fentes elle a piqué des petits brins d'olivier à olives — qu'elle attrape en douce dans la campagne pour ne pas déflorer les siens, dit-elle — mêlés à des petites branches d'arbousier — elle en a — dont les fruits mûrissent à la saison des kakis. Et que personne n'aime à manger, ça gratte la langue. Elle s'est reculée pour juger de l'effet du premier présentoir — elle appelle ça des présentoirs — avec un œil critique.

Elle a trouvé l'ensemble vraiment bien, une fois le plastique de la boîte bien dissimulé. La haine de la matière plastique, tous les artistiques la professent en commun. Ils n'en connaissent pas les avantages pour le travailleur, dit la grand-mère Arsène. Ça ne casse pas. Ça se nettoie comme rien. En bouteilles ça se jette carrément. Ça s'use pas trop si on le nettoie. Mais pour les artistiques, le plastique c'est la mort de la beauté.

Elle aurait eu des petits paniers de campagne, des corbillons, elle aurait vendu ça trois fois son prix. Mais elle n'a aucun vannier dans sa parentèle. Et le corbillon coûte cher.

Elle a donc caché, dissimulé, habillé le plastique. Comme un diable sous la soutane, dit-elle. Et c'était gagné. Le gris-vert de l'olivier, l'orange du kaki, le vert profond du feuillage de l'arbousier avec un petit fruit rouge, les fous de poivrons artistiques allaient sûrement se répandre.

Ils feraient un sort à ses présentoirs, elle en était sûre. Comme à la confiture de figues. Une de ses spécialités. Elle a quatre figuiers. Et sa confiture s'enlève plus vite que Jeanne-Marie, dit-elle. La voisine volage qui ne se contente jamais d'un extra au lit avec le facteur ou tout autre. Il lui faut, dit la grand-mère, quarante-huit heures bien comptées. Ensuite elle revient. Quand elle revient, elle prend sa tournée comme un homme, sans faire d'histoires. Et quinze jours après elle remet ça. Pourtant c'est un ménage qui marche, ajoute toujours la grand-mère. C'est peut-être pas un exemple à suivre. Mais y en a que ça pourrait aider à comprendre les besoins d'une femme, au lieu de la convaincre à coups de revolver. Que là personne peut revenir en arrière.

Les ruses de la grand-mère Arsène ont transformé le kaki parasite en source de profits. Petits profits, mais ils le sont tous. Après avoir calculé le prix sans intérêt que lui donnerait de ses kakis le seul grossiste qui les exporte à Paris, et le prix des présentoirs selon le prix des kakis au marché, augmenté du prix de la contribution artistique, elle a compris, dit-elle, qu'elle avait triomphé du kaki. Mais en mettant tous les atouts habituels de son côté.

Disons que cette année le kilo de kakis se vendra dans les deux francs cinquante. Trois francs en mettant tout au mieux. Deux francs le plus souvent. Il suffit de regarder du côté du marché agricole pour voir tous les kakis faire tapisserie. Elle a mis à six francs le présentoir de six fruits. C'est donné si on pense qu'en cette saison, un pied de basilic vaut, tenez-vous bien, six francs ! Un seul ! Mais dans ces années que la grand-mère Arsène baptise l'une après l'autre l' « année sainte et austère ». Même en admettant qu'on coupe les feuilles de basilic pour la soupe ou les spaghettis et qu'on plante les pieds, ça met le bon goût très cher !

La grand-mère Arsène sait d'instinct qu'au marché les gens achètent volontiers le produit naturel — ou qu'ils croient l'être — aux bonnes vieilles, aux paysans rabougris. Qui sentent la campagne, mains tannées, tordues, rides de vent et de soleil.

Pour aller au marché, elle met un vieux tablier en coton comme il n'en existe plus, orné de dessins provençaux sur fond bleu sombre. Une loque sublime. Elle le soigne comme un nouveau-né. Il aurait trouvé acquéreur depuis longtemps sans son état de décrépitude. Mais il lui rend d'infinis services de présentation. Sinon elle l'aurait vendu comme elle vend tout.

Elle a même vendu mille francs pièce — et depuis elle se mord les doigts de ne pas avoir demandé davantage — tout ce qui lui restait dans le genre recherché par les « artistiques » : ses deux couvre-pieds provençaux à fleurs roses, molletonnés, piquetés, et qui ne servaient plus que de motel à araignées. Dit-elle. Elle possède suffisamment de couvertures de l'armée américaine, entrées dans la maison à la Libération, il vaut mieux, dit sa famille, ne pas savoir comment. Elle dit d'elles que c'est chaud, ça va dans la machine. Et si Popov couche dessus ça ne fait de mal à personne.

Popov est le nom de tous les chiens qu'elle a successivement à son service et à sa dévotion et réciproquement. Et qui meurent régulièrement tous les douze ans, après avoir mangé dans toutes les poubelles du quartier de quoi mourir cent fois pour un chien ordinaire.

En ce moment elle vit avec le troisième Popov depuis la Libération. Il a trois ans. Il porte toujours le nom du premier, baptisé en souvenir d'un nom de commandant de bateau venu prendre livraison d'un cargo soviétique aux chantiers de La Seyne. Qu'elle avait lu dans le journal local. Popov. Le nom lui avait plu.

Elle va chercher tous les Popov à la S.P.A. Pas trop gros. Le dernier était borgne. L'actuel Popov ressemble à un sanglier miniature, noir, poilu, avec des pattes courtes et une croupe de danseuse. Du reste il a de la race. Il ressemble à un scottish-terrier. C'en est même probablement un. Abandonné par des vandales, dit la grand-mère. Il fait l'admiration des gens. En plus il a peu d'appétit. Il garde approximativement. Et, dit-elle, il a plus de caractère à lui tout seul que tous les autres Popov. C'est ce qu'elle cherche en tout. Chez les chiens comme chez les hommes. Du caractère.

Elle se présente donc au marché sur son pliant, ses présentoirs bien étalés devant elle sur une accumulation de cageots en marches d'escalier. Elle apporte ça dans sa petite charrette. Elle dans les brancards, et Popov tournant de la croupe à côté. Elle étale ce qui se vend dans le moment. Des petits paquets de fenouil (qu'elle cueille dans une propriété abandonnée où il foisonne, à Tamaris). Un franc pièce. Du thym, du romarin. Dont elle fait provision dans les collines derrière Sanary, avec ses petits-enfants, le dimanche. C'est fou de penser, dit-elle, à tous ces produits qu'on vend au marché quand il n'y a qu'à se baisser pour les ramasser. Elle a aussi du laurier de ses deux lauriers-sauce. Et désormais les kakis.

Et voilà que les présentoirs à kakis se vendent bien. Dommage que les kakis viennent à maturité en automne. En été, avec les vacanciers abhorrés, ça rapporterait des fortunes. Les gens aiment. Je leur vends le plaisir des yeux, dit-elle. Puisqu'ils sont prêts à le payer.

Un marin, Fulvio Santini, le fils des voisins brocanteurs, lui a raconté que le mot kaki était japonais, un jour de désespoir dans la recherche de l'utilisation des kakis où il l'avait entendue dire une fois de plus que seuls les Esquimaux pouvaient aimer ça.

Il disait que les Japonais les faisaient sécher et les mangeaient comme des figues. Et que c'était dégueulasse selon lui. Ils mangent aussi les algues, qui sont pleines de vitamines ou d'on ne sait quelles substances. Ils en font des plats et des gâteaux. Encore plus dégueulasses. Ils mangent ça comme nous les frites. Y a des quantités d'usines là-bas qui tournent avec ça.

Ça, les algues, la grand-mère n'y avait jamais songé. Elle ne s'en servait que pour son toit. Une bonne couche de varech en rouleaux entre deux couches de papier kraft, ça remplace la laine de verre et c'est moins cher. Contre le chaud et le froid et donc isothermique, dit-elle, avec sa facilité déconcertante à employer tous les mots qu'elle attrape. Il n'empêche que de temps en temps, dans le grenier-chambre, on reçoit un paquet d'algues sur la tête, quand il y a de grosses pluies et que le papier kraft crève.

Tout cela — et cent mille autres choses encore et y compris les aventures extraordinaires du chien Popov — tient dans le mot kaki évoqué par Cramponne à propos du muguet. Avec en surimpression permanente le kaki du jardin. Que Cramponne voit en elle-même et comme s'il était planté au milieu de la banderole du Syndicat national des journalistes, ou des « Vacances aux enfants des travailleurs licenciés ».

Il n'y a pas de plus bel arbre au monde — et peut-être peut-on en dire autant de tous les arbres — à la fin d'octobre, en novembre, quand les fruits s'orangent, que le kaki.

Dans les feuilles longues et arrondies du bout, rayées d'arêtes de nervures apparentes de loin, les fruits se bourrent de couleur. Ils brillent comme des lampions. Dès qu'ils commencent à mûrir, les feuilles roussissent. Ce caractère véritablement féerique du kaki dure peu, mais aucun orangé d'automne ne lui est comparable. Les feuilles lancent d'abord dans le vert des reflets de cuivre. Puis le cuivre s'étend. Elles prennent la couleur des cheveux auburn si souvent choisie par les femmes chez le coiffeur. Elles se chargent d'un feu plus brûlant et plus chatoyant que celui de tous les feuillages de forêt réunis. Les fruits là-dessus flamboient comme des bijoux.

Et quand les feuilles tombent, quand il reste seulement les branches noires avec leur charge de boules orange et quelques-unes au pied dans l'herbe fortifiée par les pluies de la saison et fulgurante du vert spécial d'automne, il n'existe pas de spectacle naturel plus exaltant.

Alors régnant seuls, comme aucun fruit de printemps n'en a le privilège, les kakis accrochés à l'arbre sans feuilles éclairent le jardin. Rien qu'eux, sur les branches noires et nues. L'écorce de l'arbre en novembre ressemble à une peau de lézard géant, avec des écailles d'une belle couleur de serpent.

Dommage, dit la grand-mère, que le goût des fruits soit si pourri. C'est comme les gens. Ils sont tous bien gentils. Mais vaut mieux pas ouvrir pour regarder dedans.

Si Malingaud pouvait attraper les pensées, il s'intéresserait fort au camélia de Lagrenée, poussant à côté du kaki de Cramponne. Si on les ajoutait, dirait-il, ces arbres et leurs gens, à toutes les fuites de pensées dans cette foule, un nouveau monde non organisé flotterait autour de l'autre, avec des vérités confuses et percutantes dedans. Sous l'ombre ou le soleil des irradiants paysages de mémoire.

Malingaud et son inséparable Broque, ou plutôt son Ombre, ne cessent de se tirer mutuellement ici ou là. Ils veulent tout voir et chacun croit voir l'essentiel. A un moment ils se trouvent au coude à coude avec un poivrot accroché à un arbre et qui, dans la frénésie d'enthousiasme que déclenche en lui le climat populaire, pleure d'émotion, embouche sa bouteille vide comme une fanfare, dégueule, applaudit, lève sa casquette, et chante.

Ce n'est pas un clochard. Il y a peu de clochards dans les manifestations. Les clochards sont sauvages. Ils préfèrent rester chez eux en paix, derrière les barrières dressées entre la société et eux par le monde imperméable de la cloche. Chez eux, couchés sur les bouches de chaleur des restaurants ou des imprimeries ou sous ce qui leur reste de ponts sans automobiles au bord de la Seine, ou dans leur hôtel trois étoiles : le banc de métro.

Mais la manifestation fait sortir de terre des poivrots en quantité. Qui viennent solitairement manifester sur les trottoirs. Beaucoup de vieux poivrots revendicatifs. Conservés par l'alcool dans le temps permanent de leur jeunesse, ils réchauffent là leur éternel espoir du grand soir. Apparemment ils sont cuits. C'est leur âme qui reste en arrière. Ils sont même les seuls à employer encore cette expression : le « grand soir ». Ils nagent dans la fraternité de l'égalité de la liberté de l'humanité régénérée. Ils sont heureux.

Celui-là, tout gluant de vomissures sentantes qui font écarter les passants, tire des environs de 1925, et du fond de son âme en attendrissement, des bribes de chansons qu'il se met de temps en temps à braire.

Par exemple quelque chose de ce genre : « Tiens, voilà Gégène, v'là Gégène qui s'amène, pour nous payer un p'tit Export-Cassis. » Il y a un type dans la foule qui dit « L'Export-Cassis, ça nous ramène loin. »

Ou bien :

C'est un p'tit mec doré sur tranche
Pour lui c'est toujours dimanche,
Dans son p'tit costard à carreaux,
I's' pavane comme un gros ballot...

Ou quelque chose comme ça. Mais de temps en temps, quand le cri de la manifestation se fait plus violent, quand un groupe passe avec emportement, quand la foule applaudit, quand il y a une montée, il lève le poing, il se tient aussi raide qu'il peut, et les yeux sur le boulevard, il chante avec des sanglots dans la voix et des dégueulis de sonorité :

Refuse de peupler la terre,
Avèque ta fécondité,
Et décrète la grève des mères...

Les gens disent que « ça aussi, ça vient de loin ». Et même que ça revient dans l'actualité. La manifestation passe dans son mouvement emporté. Les poivrots ne la concernent pas. Ils ne sont que pour les trottoirs.

Malingaud, la tête rentrée dans la bosse et trottinant, met en batterie des yeux et des oreilles surmultipliés. Mais sa surexcitation, son plaisir, son intérêt ne sont pas ce qu'il appelle branchés. Spectateur prodigieusement intéressé, il réagit en dehors de sa fonction, dirait Broque.

Broque le voit absorbé. Il lui dit : « Tu te remplis ? » Malingaud répond : « Non non. Quelle idée !... Je regarde. »

Il ne se « remplit » pas. L'expression est familière à ces deux hommes, comme à Cramponne, comme à Barilero le Diable et à d'autres. Elle concerne exclusivement les travaux de Malingaud. Dont un roman intitulé *La Lie* est sorti en librairie, comme on dit, trois mois plus tôt.

Malingaud ne se réfère à ce titre, qui dit bien ce qu'il dit, que pour une réflexion rapide à propos du poivrot aux chansons. Qui n'entrerait pas dans *La Lie*. Se dit-il. Dont le thème est un pourrissement plus subtil des idées et des hommes. Un livre féroce. Pas tout à fait assez pour la férocité du monde actuel, dit Malingaud. Mais suffisamment pour être vrai.

Malingaud, depuis la sortie de *La Lie*, vit dans un état de vacances de l'esprit. Sa méthode de travail, ou plutôt sa manière naturelle d'écrire, se concrétise avec l'âge. (Il a quarante-cinq ans, comme Broque et Lagrenée ou à peu près.) Il n'a pris que très récemment conscience de cette méthode. Qui est plutôt une manière de vivre.

Car le livre écrit, publié, reçu bien ou mal, il se normalise. Il a même l'impression qu'il se remet à exister, à penser. Tellement le livre en cours l'a tenu enfermé dans son propre univers de réalité inventée.

Toute cette manifestation par exemple, et tout ce qui grouille autour de lui le passionne sans l'accrocher. Alors qu'il a vécu en y participant des manifestations violentes en liaison avec les guerres du temps, dont il ne savait plus lui-même s'il y participait pour y participer, ou pour les faire entrer vivantes dans ses livres. Les deux allaient de pair.

Il se dit bien de temps en temps : « Tiens, ça dommage, j'aurais pu le mettre dans *La Lie*. » Ou bien : « Ça c'est vraiment un truc pour *La Lie*. » Un visage. Un personnage. Un mot. Quand ce n'est pas lui qui le dit, c'est Broque. Mais Broque répète, reflète, accentue ou déforme. En somme remplit à la perfection, et en toute connaissance de cause, son rôle d'Ombre. Il ne perroquette pas. Mais il répercute.

Ainsi toute quête active s'est interrompue pour Malingaud.

Au contraire, pendant le « remplissage », tout rentre, tout lui explose aux yeux et aux oreilles, tout prend un sens à saisir, à creuser. Il se tient tendu, ouvert, aux aguets, à l'écoute, réceptacle et broyeur d'idées et de mots. Chaque inscription au mur, chaque phrase écoutée, chaque bribe de conversation, les livres, la radio, les journaux, le cinéma, la télévision, les jardins ou les foules, tout se présente à lui comme un champ vivant où d'instinct il cueille ou arrache ce qu'il lui faut. Au jour le jour. Et qui lui semble d'une fertilité, d'une grouillance, d'une multiplicité d'idées un milliard de fois plus gigantesque et plus déterminante qu'en temps de non-roman. Il vit alors en passion de ce qui l'entoure. Ou qu'il va chercher. Il devient usine ou Gargantua, vampire ou pelleteuse géante.

Tout ce qui, et de n'importe quelle manière, concourt à désigner la qualité ou la bassesse du monde d'aujourd'hui. Tout ce qui est marqué, chargé, les faits et les mots, les types d'hommes créés par l'actualité, les nouveautés des guerres et des matières, les bombardements de la propagande de tout, les furies automobiles ou intellectuelles, les modes et les renouvellements quotidiens du parisianisme comme les batailles ouvrières, les cultures et les promotionneurs de la culture, tout lui est matière à prendre, et éventuellement à incorporer à sa manière. Critique, dérisionnaire, enthousiaste. Qui est celle de tous les romanciers occupés instinctivement ou non à faire entrer en littérature le sublime du ciel comme le quotidien le plus quotidien.

Il devient boulimique de l'enregistrement des mots. Les mots de classe, de métier, de rue. Les mots irremplaçables sortant des bouches spécialisées des gamins, des musiciens, des cheminots, des lycéens, des théâtreux, des filles. Et les mots jaillissant des rencontres de hasard, les beaux mots à nourrir l'écriture et la vérité, marqués par le temps et qui passent ou demeurent. Mais désignent.

Il se métamorphose en antenne, en magnétophone, en caméra. Avec un choix instinctif de ce qui convient à sa création. Instinctif, mais si clairement désigné à l'attention que tous ses amis et connaissances rabattent vers lui des informations, lui offrent des mots et des histoires, des images de théâtres ou d'usines, de salons ou de rues en disant par exemple : « J'ai quelque chose pour *La Lie.* » Et ils ne se trompent jamais, quel que soit le livre en cours. Puisque ce qu'ils apportent porte témoignage sur le monde d'aujourd'hui.

Cette quête active, passionnée, dure pendant tout le temps qu'il écrit le roman. Où viennent s'encastrer jusqu'aux mots qu'une radio lointaine ou un voisin de café semblent lui fournir à dessein. Et qui apparaissent faits pour entrer dans *La Lie.* Ou tout autre. Il reste violemment en prise avec le monde pendant tout le temps qu'il écrit son livre. Jusqu'au mot fin.

Et tout cela étroitement lié à la colonne vertébrale de ses livres. Qui est la guerre. D'une façon ou de l'autre, et avec tout le reste, dit Broque. Et tout cela formant le fond, le climat, la substance générale sur laquelle vont venir se planter les personnages et les intrigues à partir du moment où il commence le livre. Sans autre idée préconçue que l'idée générale. La direction. La volonté d'exprimer. Sans autre plan ou préparation que ce fourmillement du monde autour d'idées maîtresses qui sont ses hantises. Sans autre décision ou prémonition de qui seront ses bonshommes ou à quoi ils seront occupés.

Mais à partir du moment où ils se mettent à exister, vivant cette existence de personnages plus inconnus que des inconnus et plus intimes que les intimes. Plus présents, plus vivants, plus déterminés après chaque séance de travail. Plus secrets dans leur avenir invisible. Et plus réels en son être que la réalité elle-même. A partir de ce moment le monde qu'il porte le lancine et s'encastre dans l'autre au point qu'il ne démêle plus leur inextricable accouplement.

Il se « remplit ». Ensuite il entre en roman. Et vit, en la découvrant au jour le jour, l'aventure de son livre. Puis il s'arrête et sa petite mécanique se remet en route, dit Broque. Une fois le livre écrit, il redevient habitable. Dès qu'il finit d'écrire, dit Barilero, il se remet à penser.

Car dès que le livre est à l'imprimerie, Malingaud détache son train de la locomotive générale. Il entend sans choisir ce qu'il prend, il voit sans piquer de l'œil sa proie, il regarde passer sans chasse. Tranquille ou passionné, mais sans autre activité que celle de la vie à vivre.

Il est rare, très rare qu'il mette alors de côté quelque remarque ou événement destiné à un roman futur. A l'exception des voyages où il attrape et retient, en les notant avec minutie, toutes sortes de gens, de cathédrales, d'événements ou de foules que leur existence à l'extérieur des frontières rend précipitables en permanence dans des romans d'actualité. Où la présence de la mémoire peut à son gré faire intervenir l'événement dans une simple allusion de pensée. A l'exception d'événements majeurs auxquels il assiste et dont il garde à tout hasard la substance, il devient voyageur tranquille des idées.

Il lit. Relit. Se bourre de films et de théâtre. Mais surtout de films. Qui sont pour lui la pénétration première dans des mondes. Passe des heures dans les librairies. Les expositions. Retourne dans tous les musées. Une promenade de vie. Avec une certaine joie de la liberté de ses réflexions. Non harcelantes. Avec des commandos inoffensifs dans les rues et les intellectualités. Il hante les meetings, les réunions socio-littéraires ou politico-littéraires. Ou politiques. Ou solidaires.

Il vit ces jours dans un bonheur de voir le tout-venant, le meilleur et le pire des hommes et des rues se présenter à lui sans tentation de s'en emparer au passage pour le fourrer, mort ou vif, dans sa réserve littéraire. Il jouit de la volupté de la détente. Y compris physique : ses périodes d'écriture sont si intenses qu'il en sort sur les genoux. Alors sa mécanique se nourrit du plaisir de se laisser vivre. Tous rouages endormis. Le feu éteint.

Le bondissement des idées s'arrête pile. Elles se couchent, se détendent, s'endorment, s'étirent sur des matelas de pensées. Elles jouent même. En conséquence le monde n'exalte, ne mord que ses capacités normales d'individu.

Jusqu'au jour où, à la faveur d'une remise en marche conditionnée par une idée maîtresse en gestation, l'esprit de recherche s'anime, les idées se lèvent, le monde fournit à satiété. L'usine est ouverte. Il se remet à vivre au plus haut degré selon le jugement qu'il porte sur lui-même. Et à se « remplir ».

« Comment veux-tu écrire ça ? » dit-il sombrement à Broque en lui montrant la manifestation. Car elle passe, elle passe, elle devient hallucinante de diversité et de cris, de couleurs, d'hommes, elle grandit, elle s'installe, elle envahit tout. Il ne reste plus qu'elle.

Broque ne répond rien. La phrase lui est coutumière. « Comment veux-tu écrire ça ? » A propos de toute foule. De tout paysage. De tout visage. De tout. A en croire Malingaud, l'écriture ne rencontre que l'impossible.

Broque répond rarement. Mais il hoche beaucoup. Il hoche, il mentionne, il mandibule autour de sa pipe. Il secoue. Il enroule autour de son index les poils de sa barbe roussâtre et bien taillée. Touffue. Par contre son crâne nu reflète l'univers.

Ombre chaude et enveloppante, il tient auprès de Malingaud un rôle immense. Dont ni l'un ni l'autre ne soupçonne l'importance. Ils sont l'un pour l'autre une cuirasse contre la férocité du monde dans lequel ils guerroient.

Par les subtilités d'une amitié raccommodeuse de tuiles. Prompte à diviser par deux les coups à encaisser. Toujours prête à ouvrir une oreille passionnée. A chercher le bon côté des maléfices. A transformer les petits acquis en victoires. Les réussites en bonheur. A se faire l'écho, l'épaule, la béquille, le haut-parleur, le matelas et la camisole de force. Le ciment armé contre la solitude. Ou l'échec.

Une amitié dont on peut rêver. Cartes sur table. Et avec toutes les qualités de silence ou de frénésie dans les discussions nécessaires. Sans les précautions de l'amour qui préserve et cache. Sans son orgueil. Sans son déguisement des situations. Sans les rancœurs des sacrifices mal compris. Ou les férocités des explosions communes. Sans intervention des traîtrises sublimes et corporelles et de leurs irruptions absurdes ou inopinées, inefficaces ou miraculeuses. L'amour ne connaît pas l'abandon total. L'amitié s'en nourrit. Je ne mets pas en opposition leurs pouvoirs. Dieu m'en garde ! Mais gloire à celui qui cumule. Il vit et meurt dans la plénitude. Et la violence.

Sans doute y a-t-il chez Malingaud une sorte d'égoïsme de la création. Qui lui fait la part belle. Et chez Broque une certaine admiration inconditionnelle. Qui le porte parfois à se sous-estimer. Sinon pourquoi le nommerait-on de ce beau nom d'Ombre ?

Une ombre d'ailleurs singulièrement favorisée par le destin. Ou par son caractère. Il a toujours une femme à sa dévotion. Avec laquelle il vit. Peu à la vérité. Disons avec laquelle il habite. Quand elle s'en va il la remplace avec une célérité et une lucidité qui demeurent pour Malingaud le seul mystère de Broque.

Toutes sont grandes et confortables. Intelligentes et un peu en marge. Elles ont toujours des yeux étonnants. Ou des cheveux. Ou une couleur. Elles sont à tour de rôle la mère de Broque et son Egérie. Avant tout son garde-fou. Car il est inapte aux choses de la vie quotidienne. Elles portent toujours des noms particuliers. Celle du moment s'appelle Nadège.

Elle pèse son poids. Elle a des yeux de chat. Elle croit à la métempsycose et fume des cigarillos. Elle a une tête de porcelaine et des cheveux en casque. Elle a de l'assurance et de la tranquillité. Elle lit les poètes. Elle dit des choses comme : « Donnez-moi un livre de poésies et je n'ai besoin de rien d'autre. » Broque soupire. Malingaud aime beaucoup Nadège. Il les aime généralement toutes. Il est navré de leur départ. Il dit qu'elles déclarent forfait par usure domestique. Malingaud n'a pas de femme. Pas d'amie. Pas de permanence.

Pas de foyer. Pas d'habitudes. Il prend ce qui vient. Dit Broque. Il se croise avec quelqu'un. Une fois ou dix fois. Et malgré son apparence fâcheusement éloignée de tout ce qui porte secours à l'amour dans la présentation, il exerce sur le sexe opposé une fascination. Spirituelle, dit Broque. En vérité il aime passionnément les femmes et les femmes aiment les hommes qui aiment les femmes, dit Barilero. En ce moment le nom des rencontres de Malingaud est Paule. Superbe créature, a dit Barilero dans son langage. La belle et la bête, dit Malingaud. Les hommes le regardent toujours avec curiosité. En se demandant, c'est l'expression, « ce que les femmes peuvent lui trouver ». Ils se montrent amers. Et imaginatifs. Sauf Broque.

Broque s'intéresse à la manifestation. Mais ne cesse de se demander ce qu'ils sont venus y faire. Il hoche qu'on a vu ça partout. Et en même temps il est content. Avec ce scepticisme inévitable des contents de tout. Qui n'a d'égal en profondeur que celui des tristes.

Les contents n'éprouvent aucun besoin de croire à quelque chose parce qu'ils trouvent leur aise en tout. Ils sont sceptiques par le confort sédentaire de leur pensée. Qui n'appelle pas le changement et se satisfait du monde comme il est, quel qu'il soit. Les tristes naturellement refusent de croire à tout ce qui pourrait amener le pire par le changement. Ils sont sceptiques parce que leur pessimisme catastrophie d'avance les situations toujours et déjà perdues selon eux.

« Comment veux-tu écrire ça ? » répète Malingaud. Broque hoche et répond tranquillement : « Eh bien, ne l'écris pas ! » Malingaud reprend un point d'observation dans l'avancée de la foule en grommelant quelque chose comme « Brok et Chnok ».

Les habitués, enfantins ou non, de la télévision du mercredi après-midi, jour de vacances et de retombée en enfance de l'appareil fatidique, au sens vieillardisant du mot, connaissent Brok et Chnok. Ces deux personnages marionnettes plutôt inoffensifs. Par comparaison. A côté des imaginations débiles de ceux qui s'adressent aux enfants très adultes d'aujourd'hui comme les infirmières bêtifiantes aux malades désarmés.

Brok et Chnok, raccourcis de Martiens en promenade sur une soucoupe, et d'un beau vert grenouille, disposent d'un scénario et de dialogues qui ne casseraient pas trois pattes à un canard téléguidé. Mais ils ont des voix plaisamment inventées. On les a un jour emmenés à Orly. Ils s'entretenaient avec les hôtesses de l'air. Les voyageurs en restaient verts. Les marionnettes modernes continuaient à l'être. J'ai une faiblesse pour ces pauvres bêtes. Comme dirait la grand-mère Arsène.

Broque assume son homonymie chaque fois qu'il rencontre des mères et des enfants. Ce qui lui arrive constamment. Il est pion au lycée Saint-Jules depuis vingt ans. Tout en écrivant, au rythme d'une dizaine de lignes par jour qui lui donnent un travail extrême et qu'il mène à la perfection de sa recherche, dit-il modestement, une thèse de doctorat sur « L'image écrite et le comportement du lecteur de romans envers le personnage dont il est le créateur inconscient ». Repos. (Malingaud, lui, peut écrire cinquante pages par jour. Et en garder dix lignes. Ou rien. Ou tout.)

Barilero dit que Broque travaille avec plusieurs grammaires et quatre sortes de dictionnaires, sans oublier le dictionnaire des synonymes et celui des analogies, le Grévisse, le Benveniste, évidemment le Chomsky et cela va de soi le Martinet, et tout récemment Roland Barthes bien sûr et *L'Empire des signes*. Et j'en passe, dit Barilero, et des meilleures de l'instrumentation de rigueur. Il ajoute que Broque a déjà tué deux patrons de thèse sous lui. Il prétend aussi, après avoir un jour surpris Broque au fond d'une gorge profonde entre deux falaises de livres à la Bibliothèque nationale, qu'il écrit sa thèse en mots croisés.

Broque hoche. Malingaud s'accroche à la manifestation de toute sa tête.

Elle lui arrive maintenant comme une exposition d'épines dans la vie des gens. Banderoles ou cris, peu importe. Par exemple le chœur écrit-parlé dit que les travailleurs sont rejetés de plus en plus loin de Paris. Que la journée de travail de la femme est trop grande. Qu'il vaut mieux des retraités que des chômeurs. La hantise individuelle et collective du chômage ne cesse de passer. Et les grévistes. Bien ou mal exprimée, l'addition de toutes les expressions fait le fond.

Par exemple cette fille à tee-shirt jaune portant l'inscription C.G.T. dirige le chœur avec son haut-parleur. Elle crie à reculons : « Licenciements ? » Le chœur hurlant : « Non !... » Elle crie : « Chômage ? » Le chœur hurlant : « Non !... » Elle crie : « Garantie de l'emploi ? » Le chœur hurlant : « Oui !... » Elle a le bras levé, les cheveux au vent, la poitrine en poupe. Elle passe.

Olivetti en grève. Les travailleurs du papier en bicornes de journal : « Giscard, pourri, t'auras pas l'imprimerie. » Les travailleurs du verre de Longjumeau. Banderole sur banderole. Cri sur cri. Travail. Emploi. Chômage. Travail. Salaire. Travail. Emploi. Salaire. Salaire. Salaire.

Depuis le temps qu'ils défilent chaque

1ᵉʳ mai ! se dit Broque. Il se sentirait découragé, s'il en avait le tempérament. Tous les ans, tous les ans. Les banderoles, les cris, les slogans. Sisyphe, Sisyphe. On va le voir passer avec son rocher. Travail. Emploi. Salaire. Chômage.

Un corsaire à côté de lui, sans le nez, mais tout aussi funèbre que l'autre, applaudit comme on applaudirait un enterrement. Tout en disant : « Mais oui, mais oui, criez toujours, ça vous soulagera ! » Voilà que j'ai trouvé une Ombre, hoche Broque.

Malingaud cherche à attraper quelque chose. Est-ce le sens réel des hommes en manifestation ? Qui expriment des vérités vitales à travers les plus ordinaires ou les plus percutants des slogans ? Le sens du travail dans l'éternelle nécessité de changer son caractère ?

A travers ce mélange de tout, de Télécommunication et de centres de tri, d'informatique et de syndicats de police, de prud'homie réclamant une véritable réforme, de refus de l'austérité, de Paris-Télécom, et Lip vaincra, et dissolution du Conseil de l'Ordre, et « pour une télévision de création », et non à la médecine du profit, Malingaud entre en réflexion sévère sur l'expression commune, organisée ou non, des idées, et sur la vie des hommes.

Vaste propos, se dit-il en ricanant. Vaste sujet. Beau projet. Beau plan. Bien du plaisir. Il ricane en regardant Broque. Mais il commence à suivre sa propre manifestation intérieure d'idées. Dans le sillon de l'autre.

En amont, du côté de Cramponne, il se passe quelque chose d'inhabituel. Les applaudissements explosent, cataractent. Les mains affirment et précipitent le rythme de leur frappement. La violence du mouvement se charge d'un élan insolite. Violence tragique, marquée

70

d'étrange douceur. Dont les gens font rarement étalage.

Lagrenée est debout, pétrifié au milieu de cet orage de délire et de sentiments. Cramponne applaudit. Comme si cette fois il lui était impossible de faire autrement. Ils sont à côté l'un de l'autre.

La foule désigne clairement l'arrivée sur son théâtre de rue d'une scène à la fois majeure et en marge.

Ce sont des handicapés physiques, comme on les appelle. En troupe. En Goya. En martyres présentés. En humanité affirmée. Des hommes, des femmes, des enfants poussés, tirés, couchés, marchant, tronçonnés, aveugles ou accidentés de la naissance ou de la vie, tordus, effilés, découpés, enveloppés, béquillés, bandagés. Tels que la nature les a ratés ou mal finis, ou marqués. Ou tels que la vie les a métamorphosés. Avec au visage — y compris de ceux qui ici et là poussent, mènent, roulent, soutiennent — une expression complexe. Mélange de fierté et d'agressivité, de passivité et d'effort, de courage et de tragédie de se montrer, une sorte de « nous sommes là comme nous sommes ». Un défilé à tordre l'âme des hommes en haie. Sur lesquels déferlent à la fois une façon de bonheur de leur normalité, et une imprécise culpabilité.

Les gens ont la face tordue, clouée, figée. Les lèvres laissent passer des exclamations inaudibles. Les gorges se coincent. Les yeux ont quelque chose d'humide. Les fronts se plissent en une expression mitigée d'horreur et de compréhension à son paroxysme. Tout le monde s'humanise, se chaleure, se fend, se tend. Et en même temps se recroqueville, se rétrécit, se protège, s'amenuise, se cache, s'offre. Les mains continuent à applaudir, avec cette frénésie presque hystérique qui s'empare des spectateurs à certains moments de correspondance absolue avec la manifestation.

Mais ce qui a cloué Lagrenée, ce qui a rendu sa fascination presque intolérable, c'est le premier des handicapés.

Il venait tranquille de regarder une jeune horde presque dansante, tapant du pied, brandissant des brins de muguet et criant l'un de ces slogans qui font soupirer Broque et derrière lesquels Malingaud part à la recherche des hommes en manifestation de société. « La relance c'est du bidon ! Giscard-Fourcade n'ont rien changé ! C'est tous ensemble qu'il faut lutter ! » etc. Et ce fameux « non à l'austérité » qui réjouit Malingaud. Il trouve que cette « austérité » est une trouvaille. Et son refus une merveille. Tout ce peuple qui défile en blasphémant l'austère austérité l'enchante.

Ils passent donc en criant et martelant. Et derrière eux s'ouvre un grand vide, un trou d'hommes.

A la fin de ce grand trou, marche seul le premier des handicapés. Dont l'image va s'incruster profondément en Lagrenée. Et en bien d'autres. Le premier des handicapés claudiquera dans leurs têtes, de temps en temps. Jusqu'à leur mort.

C'est un homme seul qui marche. Qui a tous ses membres. Toute sa tête. Il tient la hampe d'un drapeau. Il est l'avant-garde, le signe de ceux qui vont suivre. Leur symbole. Leur marque. Leur héraut. Il est le sinistre du destin et la rage de vivre. Le comble de l'horreur et de l'admiration. L'extrême cruauté et l'extrême résistance à la cruauté. L'ignoble torsion et la victoire sur l'ignoble torsion.

Son corps dessine sur la chaussée une arabesque sans cesse démantelée par la mise en exergue à la faveur des soubresauts d'un angle aigu qui est un genou, un coude, une épaule. Il marche par lancées et arrivées contrôlées et incontrôlées de membres croisés, écartés, inégaux. Il ressemble à une faucheuse, à une sauterelle, à une mante religieuse. Et en même temps à un homme plus homme qu'aucun autre par son terrible soubresaut irrépressible. Par le drame de l'exhibition qu'il est en train de jouer agressivement. Par la frénésie d'applaudissements qu'il déclenche. Et qui ne déplacent pas d'un millimètre son regard planté droit devant lui.

Il soulève des exclamations d'épouvante et des cris d'enthousiasme et de fierté. Il est à lui seul, dans son avancée, un symbole du monde, de la vie, de l'injustice, du courage, de la vengeance, de l'amitié, de tout. Il manifeste la volonté conjuguée des handicapés et de la manifestation de faire avec cette journée un faisceau général de revendications des hommes. Les handicapés sont passés dans les gens comme un coup de couteau.

« Terrible ! » dit Lagrenée. « Terrible ! » dit Cramponne. Le sens de leurs mots n'a rien de commun. Celui de Lagrenée souligne la blessure. Celui de Cramponne l'enthousiasme. Le mot dans sa signification d'aujourd'hui. Terrible, le comble de l'admiration. Terrible, l'homme, le film, la moto, la musique, la femme, la soirée. Terrible en superlatif de bien, de beau, de formidable, d'inouï. Terrible.

Lagrenée sourit. Pour sa fille Aglaé, revenue de tout, avide de tout, et qui à vingt ans parle du monde comme d'une porcherie, tout est « débile ». A l'exception d'un certain nombre de choses « terribles » qui vont du camélia à Alvyn Lee, le chanteur pop. Dont le chant sensuel et délirant signale à Lagrenée quand il rentre chez lui la présence d'Aglaé. Terrible.

Il trouve une tristesse d'époque au choix de ce mot de frayeur pour désigner l'enthousiasme. Mais c'est la vie.

Désormais Cramponne et Lagrenée réflexionnent à haute voix ce qui se succédait jusque-là en langage du silence dans leur tête. Sans se prêter davantage attention.

Lagrenée la reconnaît. La grande fille des marches du métro. Surtout le fameux tee-shirt aux bouches baisantes. Que Broque a baptisé la « grosse bise ». Le mot « bise » le sort naturellement de ses gonds. Mais il finit par être le principal utilisateur par dérision des mots qu'il réprouve.

Cramponne ne surprend que la qualité d'intensité du regard de Lagrenée sur la manifestation. Il fonce de l'œil dans cette lancée. Qui crée dans sa tranquillité un vertige.

Il coule dans le sens du courant. Revient en arrière. Et coule. Et revient en arrière. Il entre dans la jungle de la vie d'hommes dont il n'a pas la connaissance.

« Les travailleurs immigrés », lit tout haut Lagrenée. « Terrible », dit Cramponne. Les mains en flammes solidaires se lèvent par-dessus les têtes pour applaudir. « Français, immigrés, mêmes patrons, mêmes combats. »

Des damiers humains défilent. Les manifestants ont composé au départ leur palette de signification. Avec utilisation de masse des blonds. Les bruns sont moins convaincants. Passent les Méditerranéens aux peaux d'ambre ou de café. Encadrés de cheveux de couleurs. Les Noirs avec au milieu deux grandes négresses, l'une cheveux de panthère, l'autre multitude de nattes grosses comme des serpents-minute et plaquées sur le crâne. Avec un rouquin au milieu. Et ça continue. Les blonds, les rouquins, les pâles, les cuivrés, les clairs, les foncés.

« Ils annoncent la couleur », dit sur un ton mitigé un loustic de manifestation. Qui vient de se poser à côté d'un nouvel ectoplasme contestataire. Ectoplasme congestionné. Qui dit que ça ne sert à rien. Que la France est le seul pays civilisé qui expulse les émigrés politiques dans leur pays d'origine et les remet aux mains de leurs polices et bourreaux. C'est ça qu'on fait au pays des Droits de l'Homme. T'es Marocain ? Va te faire condamner à Casa. T'es Irakien ? Va te faire prendre à Bagdad. T'es Iranien ? Va te faire disparaître chez le Shah. Ils peuvent bien défiler ! Tant qu'on aura pas fait quelque chose contre ça !...

Personne ne répond. Mais les mots sont entrés. Ils sortiront demain, à table ou à l'usine. Comme tous les mots de rue. Vrais ou faux. Ceux-là sont vrais d'ailleurs.

« Solidarité mes frères. » Crie la Jeunesse ouvrière chrétienne. « Prions mes frères. » Dit le loustic. « Giscard au chômage, le pouvoir aux travailleurs ! » « Giscard il va pointer pour toucher sa retraite des cadres en or. » Dit le loustic. « Un lingot par jour. »

Ça déferle, ça déferle. Ça chante aussi. En canon. En chœur brisé par la distance. Ça détonne, ça décale, les mots se présentent en débandade. Les haut-parleurs et les musiques de cuivre ou de tambour en sont à « fera le genre humain » quand à quatre mètres ils commencent « debout les forçats de la faim » étalés sur « union action » et cent autres dans le lointain.

La tête qui tremble. Oreilles en éruption. « Faut couper le son », dit le loustic. Ça déferle, ça déferle. Le loustic s'en va plus loin. Faire rire. C'est sa fonction. C'est le rigolo des films sociaux. Les mots lui coulent des lèvres par nature en blagues. Il ne se rend pas compte, heureusement pour son plaisir, que le public de manifestation adhère à elle. Que toute nuance à peine ennemie lui écorche la peau. Le cœur, le cœur, la vie en bandoulière. Et que ce fleuve d'hommes a le privilège exceptionnel de mettre le mal d'un côté, le bien de l'autre. Les innocents et les coupables. Ce qui « avance » et ce qui foire. Dit Malingaud.

Puisqu'ils sont tous là, syndicats en rivalité et partis de gauche en unité oppositionnelle, dans la même manifestation contre. Leurs slogans diffèrent. Leur comportement aussi. Mais le fleuve les charrie ensemble dans le Bien contre le Mal. Même si chacun voit le mal nécessaire dans l'autre. Auquel il s'unifie. Pour le Bien.

Malingaud connaît tout ça nuance par nuance. Mais il se plaît à dégoiser à Broque sa petite cogitation à propos du Bien et du Mal. Dans cet univers où ils magmatent. Dit-il. Ici le Mal majeur, le Mal irréfutable, le capitalisme avec ses légions tous calibres et toutes options est la cible. Le Bien se serre les coudes. Broque hoche. En tout cas, dit Malingaud, ici est l'innocence. Vierge de toute exploitation. En gros.

Broque hoche et répond qu'il fait un temps de prairie à manger des pâquerettes. Que la campagne doit sentir la terre enceinte. Et que Barilero prend sûrement son 1er mai de Diable dans son hamac entre les deux cèdres de son jardin. Au-delà du bien et du mal. Sur ses verdures de résidence secondaire.

Tous deux vivent une seconde vert pomme. Au milieu de laquelle Barilero se balance, pendu entre deux troncs. Avec une table de jardin à côté de lui. Moitié livres et moitié whisky. Trois doigts de whisky sur trois gros glaçons. Il fait sonner les glaçons contre le verre, comme il aime. Din cloc. C'est le bruitage de son bien-être. Et il lit, ou plutôt il grignote, le livre dont demain il va voler à Marseille ou à Lille publiciter la sortie.

Le Diable Barilero prend ses aises. Se dépollutionne. Se réduit la tension nerveuse. Lâche tout. Il dit qu'à côté du hamac, le lit lui-même n'existe pas. Qu'on se trouve là en relâchement absolu. Tout pend. Rien ne soutient. Le corps pèse et vole. Les muscles dorment. Les nerfs se déroulent. La décontraction s'accomplit. Il y a dans le hamac, dit-il, la quintessence de la relaxation. Et l'un des bienfaits suprêmes de la résidence secondaire.

Puisqu'on ne dit plus maison de campagne. Hélas ! dit Broque. Qui se contrefout des campagnes et autres verdurations de l'homme des villes. Lui il habite un studio. Puisqu'on ne dit plus une pièce. A kitchenette incorporée. Puisqu'on ne dit plus cuisine dans un placard. Où il a son coin-bureau à thèse. Et Nadège son coin-boudoir. Où elle odalisque et méditationne. Broque hait la campagne. Elle le ratatine. Il se morfond dans les tranquillités. Il lui arrive une fois par an de hanter le jardin de Barilero. Dont il supporte mal la femme France. Qui le lui rend. Malingaud prétend que Broque a servi de modèle à Devos pour son homme intoxiqué par l'air de la campagne. Et qui respire un pot d'échappement pour récupérer.

Si Barilero imaginait la furie de foule et de poussière, de vacarme et de bousculade où Malingaud et Broque sont encastrés comme une bouée dans la tempête, il consternerait, dit Malingaud. Il pousserait une ricane désespérée par l'amitié. Le Bien et le Mal !... Appelons ça

77

plutôt les bons sentiments dans la pourriture générale des droites et des gauches. Et de tout le reste. Dirait-il.

Quant à Malingaud, il habite naturellement l'hôtel. Comme je l'envie ! L'hôtel, lieu céleste ! Luxe ou minabilité, l'hôtel ! Qui assume en tout le soin des choses matérielles. L'hôtel ! Ce paradis de la liberté sans occupation de choses. Décidément Malingaud a toutes les chances. Une Ombre amie. Des femmes attachées mais non permanentes. Et une chambre d'hôtel. Tous les atouts dans son jeu. S'il n'écrit pas un chef-d'œuvre, il ne pourra s'en prendre qu'à lui-même exclusivement. Le pauvre n'aura pas même l'alibi des tracas de l'environnement... Il habite l'hôtel d'Artois, rue des Plantes, dans le XIVe. A quatre pas de chez Broque naturellement. Qui habite rue Liancourt un immeuble croulant.

Broque se dessèche. Boire ! Boire ! Ils reculent. Ils fendent. Ils font la guerre d'épaules et de coudes. Pour trouver un comptoir. En quatre pas ils sont sur les quais du port. Horde. Poussée. Bousculade. Cohorte. Dans les deux sens. La foule en un mot. L'autre foule. Elle-même serrée, étranglée, aplatie entre les petits marchands à étalages et les cafés.

En plus de tout, en plein milieu de la piétonnerie, une braderie monstre et ses tables croulantes et étroites hèle le client. Hèle bonnes affaires et occasions. Hèle chandails et slips en dentelle. Hèle écharpes et vestes, napperons et coussins. Hèle prix imbattables et tout pour rien. C'est donné, c'est donné ! Profitez profitez !

Des chemises à douze francs, des jupes à trente francs. Les femmes se désarticulent le cou. Qu'est-ce que ça peut valoir, à ce prix-là ?... Une fois lavé, qu'est-ce qui reste ?...

Mines de dénigrement. Le bon marché coûte cher... Mais malgré tout la tentation. Et la curiosité. Qui sait ?...

Mais les filles, debout en plein milieu de la cohue entrecroisée, enfilent des jupes sur leurs jupes, ou des pantalons dessous. Font des pirouettes d'essayage, le cou en torsion, en plein dans les gens. S'aplatissent des soutiens-gorge pointus sur leurs chandails. Se troussent. Se drapent. S'enveloppent. Mines et questions, deux par deux, trois par trois. Tu trouves que ça me va comment ?... Levant la jambe pour l'enfoncer dans une jambe de toile. Retroussant et faisant le geste secoueur de serrer la taille pour crocher les agrafes.

C'est trop grand. C'est toujours trop grand. Faut que ça serre, que ça dessine. Les garçons s'enfilent dans des chemises courtes pincées à la taille. Qui les minettent ou les moyennâgent. Toutes sortes d'yeux gourmands venus de la foule en passage caressent ici et là, cherchant à surprendre un brin d'intimité. Une belle brune aux seins en canon s'introduit dans une robe violette. Qui traîne. Pendant une seconde, avant qu'elle n'envoie la jupe et les bras en l'air pour en sortir, on voit se dessiner sur la foule bigar-rée un bel évêque hermaphrodite, d'un seul pan violet superbe, aux seins gonflés. Puis l'évêque redevient fille et se dissout dans le rang.

Ces essayages publics en foule, enjambeurs, désinvoltes, ces manches qui battent des ailes, ces genoux qui montent, ces mannequins popu-laires aux grâce spontanées enivrent Malin-gaud. Y compris les essayages de mémères. Dit-il. Qui plaquent des chemises ou des blou-sons sur la poitrine du costume du dimanche du mari. Gêné.

Il tourne la tête pour voir ce qui fait éclater en bravos et en ricanes les dos du trottoir. Et il aperçoit, balancée loin en l'air, une marionnette géante à tête de Giscard marcher vers l'Opéra avec sa lèvre et ses mèches ratissées, glissant sur la foule comme un roi de carnaval. La couronne de sa souveraineté sur la tête.

Derrière eux un cinéma affiche dans ses trois salles *Yoon la terreur du Ta Kang, Coffy la panthère noire de Harlem* et *Le Gaucher Homo*. Le cinéma voisin compétitionne avec *Les Vierges des messes noires* et *Les Tringleuses*. Qui décidément prolifèrent.

Broque et Malingaud emportent d'assaut une petite place à un comptoir. Bière. Enfer. Le barman surmultiplié jovial efficace aux cent bras dit sans arrêt « vous impatientez pas, y en aura pour tout le monde ». Et il appelle Broque « mon petit gars ». Ce qui lui va droit à la calvitie. Dit Malingaud. Tout le boulevard est représenté là assis debout en raccourci. On dirait qu'il a délégué un spécimen de chaque espèce déambulante pour tenir un congrès. Sans oublier les délégués de la manifestation. Qui renversent le cou, déglutissent à toute pompe pour courir rattraper leur groupe. On voit des zigzags de pommes d'Adam qui montent descendent à une vitesse supersonique. Il y en a un qui porte un écriteau « Libérez Simeoni ». Et l'autre « Unissez-vous contre les expulsions ». Ils sont hypertendus, habités, chargés de fonction. Acteurs dans les coulisses. Reposent le verre. Comptent les pièces. Et caltent. Importants et autoritaires comme des cameramen de télévision poussant le public d'un « jeu » sous les yeux admirateurs des participants.

Le café a des gestes de film muet. Le sol colle, maculé, mégoté. Les appels, les « garçon garçon par ici », les claquements de mains tapent dans les oreilles. Les garçons fournissent en damnés de la terre. La moitié l'œil tordu, furieux, toujours en train de cracher qu'ils ne peuvent pas se couper en dix, se couper en dix, se couper en dix. L'autre moitié la blague à la bouche, ça vient ça vient, je peux pas aller plus vite que les violons, plus vite que les violons, plus vite que les violons.

Din cloc, dit Broque. Et pendant une seconde Barilero fait irruption dans son trou de silence et le vert de son air qui balance le hamac. Rideau.

Broque et Malingaud refendent. Se faufilent. Cognent de l'épaule. Sont de nouveau sur la rive du fleuve d'hommes. Malingaud s'y renfonce. Broque en a plein les pieds. Mais il trouve tout de même le moyen de regarder Malingaud avec satisfaction. L'Ombre comprend. L'Ombre partage. L'Ombre admire la passion de Malingaud à regarder. Malingaud se fond dans la manifestation. Broque se fond dans Malingaud en train de se fondre.

Le seul arrachement de Malingaud est de temps en temps un coup de tête pour contrôler par-dessus sa bosse que la foule n'a pas englouti Broque. Broque reçoit le coup d'œil, et hoche. Ils bénéficient réciproquement du confort d'être deux. Dont Cramponne et Lagrenée sont en train de faire l'expérience. Malingaud aspire les manifestants. Ils marchent en victoire. Ils sont gagnants. Epaulés. Calmes dans le pas. Violents dans les mots. Ils triomphent par la simple force du rassemblement. Et pourtant ils savent. Et inlassablement, inlassablement. Ils savent tout ou presque. Et pourtant ils vont. Ils sont l'anti-procession. Ils marchent en gloire. Et pourtant ils savent.

Lagrenée ne raisonne pas, il enregistre, lit les mots, écoute, regarde comme si sa vie, sa sécurité, sa personne dépendaient de l'activité qu'il met à ne rien laisser passer sans l'enregistrer. Déchiffre les inscriptions. Examine les gens. Répertorie les voix, les sons, les cris, les sigles. Note les oppositions dans les cris, les mots d'ordre. Signale d'un mot ce qui saille. Cramponne en fait autant. Rien ne leur échappe.

C.F.D.T. Union, action, autogestion. Comité de chômeurs de Montrouge. « Soldat sous l'uniforme tu restes un travailleur. » En cadence : « La hiérarchie, c'est comme les étagères. Plus c'est haut et moins ça sert. » « Pas de socialisme sans révolution. » Un enfant tout en vert suce son pouce sur la tête de son père. « Non aux oranges d'Outspan. » « Soldat sous l'uniforme tu restes un assassin. » Des jeunes gens se tiennent par la taille, on dirait qu'ils vont danser la sardane. « La hiérarchie, c'est comme les étagères... »

A l'horizon du boulevard Sébastopol, Lagrenée, à la faveur d'un vide qui lui rend quelques instants de liberté, voit en se haussant un Paris fabuleux dérouler des somptuosités de légende. Et attire l'attention de Cramponne en pointant la main. Fantastique trouée. La foule banderolée à l'infini forme un torrent multicolore et sauvage au fond du canyon des immeubles. Aussitôt barré par le rapprochement, le grossissement, le gros plan d'une banderole *1ᵉʳ mayo* entraînant des flottements de drapeaux rouge jaune violet. Qui prennent la place des corps et approchent par bonds sur une multitude de jambes.

1ᵉʳ mayo, dit Lagrenée. « Les Espagnols les Espagnols », dit Cramponne. Une mère poule leur grouille dans les jambes. Elle a poussé sa progéniture au premier rang. Et la tuyaute sur le cortège en langage susurré. Les petits en lainages et bonnets sont moroses. S'amusent pas. Un peu effrayés. Il y en a un que la laine

irrite sur la nuque et qui n'arrête pas de dire :
« Maman, ça me gratte. » Et elle répond
gaiement, surexcitée, toute contente de jouer sa
scène mère poule devant le monde : « Ça te
grattouille ou ça te chatouille ? » En regardant
les gens d'un air de connivence. Mais le sourire
coûte cher. Les gens sont ailleurs. Lagrenée et
Cramponne croisent un œil rieur. Et replongent.

Les Espagnols les Espagnols. Dans la bordure, en fusillade d'applaudissements par ici
ou par là, on reconnaît les spectateurs espagnols. A leur façon bouleversée de recevoir
l'Espagne. Avec des mots et des cris en
accompagnement parlé, en soulignement de
mots à la flamenco. *Catalunya.* « Liberté !
Amnistie ! » Une tête énorme en photographie
par-dessus les cris. *Libertad para Camacho y
sus compañeros.* « Liberté pour Lobato. »
Rouge. Jaune. Violet. « Ça te gratouille ou ça
te chatouille ? » Liberté. Liberté. Liberté.
Amnistie. Amnistie. Amnistie.

El pueblo, unido, jamas sera vencido. « A
bas la monarchie, nous voulons l'amnistie. »
Une photo d'enfant portée à bout de bras. « Le
plus jeune prisonnier espagnol. » Mots : « Il a
dix ans. » La bordure : applaudissements aux
larmes. Les Espagnols chantent. L'Espagne
républicaine en travers de l'avenue. La guerre
d'Espagne dans la rue. Les ouvriers espagnols.
Les employées de maison espagnoles montent
sur la scène. « Nous ne voulons être esclaves ni
de l'heure ni des patrons. Nous voulons la
même semaine que les autres travailleurs. »

Cramponne sourit. *España, mañana, sera
republicana.* Lagrenée se demande pourquoi
Cramponne a eu ce sourire au passage des
employées de maison (puisqu'on ne dit plus les
bonnes, dirait Broque) espagnoles. Ils continuent à échanger des onomatopées. A se mon-

trer une tête ou un drapeau du doigt. Rien d'autre ne se croise. Rien ne se passe. Sinon qu'une sorte de présence de l'un pour l'autre commence en chacun à se préciser.

Ce moment de la « connaissance », que l'avenir enrichira de toutes les mythologies amoureuses, quitte à le décrire plus tard à coups de couteau, comme il passe inaperçu, à petites touches légères que le hasard dessine ! Il fait beau. L'air sent la poussière, et le muguet à la boutonnière d'un voisin. Le peuple qui passe vit pleinement ce moment de vie arborée. Tout s'exprime. Tout a un sens. Toute parole ou cri lève une émotion partagée. Tout est propice à l'insidieuse connaissance. Et tout naît traîtreusement dans la tranquillité.

Ils ne prêtent attention à rien de particulier de leur voisinage. Ni l'un ni l'autre ne cherche une rencontre. Se suffisent à eux-mêmes. La chasse à l'homme ou femme par comportement de sexe est étrangère à leurs habitudes. Comme l'appareil armé de la séduction en batterie devant tout voisinage pourvu de ces qualités de beauté, de pétillement ou de curiosité qui fait lever les appétits. Chacun à sa manière professe la liberté. Et vit selon le mépris inconscient ou lucide des mots ou gestes convenus. Ils sont donc hélas ! en position de vulnérabilité.

Hélas ? Pourquoi hélas ? Loin de moi l'idée de lire dans l'avenir. Qui a tous les droits de s'épanouir ou se crisper. La rencontre de Cramponne et de Lagrenée sera marquée pour eux d'une question infiniment plus adaptée aux signes du destin que n'importe quelle recherche de détails prémonitoires. Une question qui se chargera de mystère. Une obsession. Un refrain de mots bizarres. Leur blason. Leur signe de reconnaissance. Leur devise. Qui sera : « Mais qu'est-il arrivé au *Hindenburg* ? Qu'est-il arrivé au *Hindenburg* ? » Ils ne se doutent pas que ces mots au fronton de l'immeuble à leur gauche joueront un rôle dans leur légende.

Ils communiquent. Ils politessent. Ils accompagnent un mot d'un écho. Ils croisent des yeux de répercussion des choses. Ils connivencent dans l'émotion. Ou dans la moquerie d'un gros père. Qui fait manifester sa panse en se pavanant sous la hampe de son drapeau. Ou de la grosse aux cuisses dévêtues jusqu'au cou, qui gueule son cri avec une bouche comme un trou. Et une conviction dont le physique attendrit. Ils moquent. Ils se touchent de l'œil l'émotion des gens. Qui tout autour se volcanise à la vue des marcheurs portant en exergue toutes les malformations de la société et des pays à leur égard. Cachées d'habitude sous la peau de leurs visages, dans le silence des foules non solidaires. L'émotion ravage la foule. Et parfois eux. Il arrive même qu'ils la sentent grandir de leur échange.

L'émotion, dirait Malingaud, est une valeur frelatée. Sous l'oppression des mots, l'émotion n'a pas droit de cité. C'est le discours sur l'émotion qui compte. Et il ajouterait comme à l'ordinaire : « Nous vivons le règne des Professeurs. »

L'émotion. La foule ne sait plus comment passer d'une émotion à l'autre. Tellement on lui en fournit. Cramponne et Lagrenée la ressentent à la fois en eux, et dans son expansion générale. Ils se l'augmentent en se la désignant de l'œil.

Entre autres le passage du Brésil. Passage du Brésil ! Géographie spéciale de la foule. Ses pays sont situés. L'Argentine qui passe est celle des prisons, des disparitions dans l'ombre policière. Le Chili celui de l'exil ou de la clandestinité. Ce sont les guérillas qui portent les noms des pays, les tortures, les bagnes, les opinions à bâillons. Tous les pays de la manifestation sont du même côté de la bataille. De la liberté. Du sang. Et de la mort.

Arrive donc le Brésil, avec ses drapeaux noirs rayés. Cruauté policière, chasse aux hommes, clandestinité, quête de liberté, courages et espoirs, tortures et prisons. Le mot : Brésil.

Une banderole surtout, tout le long du passage, retourne le sang des gens. Ni revendication ni accusation. Simple phrase. Qui partout ailleurs ne serait pas même remarquée.

Violem viare al paës.

« Nous voulons vivre au pays. »

Pris du retard. Un trou entre les Portugais et eux. Ils courent. Les drapeaux noirs rayés soulèvent leurs ailes. Se tiennent droits en l'air sur fond d'immeubles. Les Brésiliens se resserrent en courant. La course les emmène plus fort. Leur cri prend de l'ampleur en même temps. Ou semble. Ils déferlent droit devant eux, hommes, femmes et drapeaux, criant au rythme bondissant de la course : « Nous voulons vivre au pays. Nous voulons vivre au pays. »

Les gens du trottoir du boulevard portent la sensibilité à fleur de visage. Ils ont le cœur cassé. La tête fraternelle. Même ceux qui, en temps ordinaire, ont le racisme ancré, l'égoïsme incarné, la peau de fer avec ou sans paravents de mots, baignent dans la force du cri. Qui matérialise la tragédie des hommes exilés. Et ils répercutent.

Cramponne et Lagrenée se regardent une seconde de mille sensations à propos de la phrase brésilienne. Cette seconde compte. Lagrenée sort du coude à coude anonyme pour devenir, sur le flanc gauche de Cramponne, une présence désormais chargée. Lagrenée vient d'intégrer Cramponne à son feu de bois.

Il suffirait qu'à ce moment il se remette en marche. (Mît, dirait Broque.) Que quelqu'un s'interpose (sât). Qu'ils se perdent de vue (dissent). Tout serait dit. Broque aime l'imparfait du subjonctif. Qui fait discours d'Académie française. Et aussi le passé simple. « Vous naquîtes, monsieur, dans une modeste famille dont il ne faudrait pas que nous limitassions par ces mots le haut niveau de culture. » Il adore. Ce genre de discours. Moi aussi. J'adore l'imparfait du subjonctif à crinolines. Je ne l'utilise pas. Mais je respecte ses volants de dentelle au bout des mots.

Il suffirait à cet instant d'une pichenette dans la foule. Pour que Cramponne et Lagrenée, point final. Mais le chef de gare boit une menthe à l'eau au bistrot du boulevard Bonne-Nouvelle. Le barman, véritable guillotine à décapiter les bières de leur mousse, dit que s'il était payé aux pièces, ça l'arrangerait. Et le chef de gare s'interroge, l'après-midi avançant, sur l'heure d'ébranlement des derniers groupes. Je me demande ce qui lui arriverait s'il perdait sa montre.

Cramponne voit Lagrenée. Constate qu'il a quelques centimètres de plus qu'elle. Et une Tête.

Cette habitude de diviser les gens en ceux qui ont une Tête et ceux qui n'en ont pas vient aussi de Malingaud. Beauté, laideur, sont passées dans le rétro. Que Broque nomme goût de la désuétude. Mais il a tort. Quand un mot vient sous la plume, ce n'est pas parce qu'il est dans le vent. Mais parce qu'il exprime mieux.

Malingaud affirme que l'essentiel dans l'homme est une Tête. Qui marque. Qui existe.

Qui ne se fond pas dans le tas de Têtes. Le reste n'a pas d'importance. Et de citer la panse de Balzac. Mais quelle tête ! Barilero dirait qu'il prêche pour son saint. Et que sa bosse lui fournit cette histoire de tête. Qui dissimule le corps imparfait.

Mais Malingaud a cette grâce, y compris dans l'intimité du miroir, de vivre en assumance absolue de son corps. Pourtant difficile.

Déjeté-bossu. Bedonnant-grassouillet. Petits plis. Peau d'huile. Poils partout dans le genre chat noir de gouttière qui a trop rôdé la nuit. Broque a beau dire que même la silhouette de Malingaud a une Tête, on a du mal à le suivre. Il ne faut jamais se fier à Broque en ce qui concerne Malingaud. Dont la seule façon inconsciente ou vécue, vraie ou fausse, de réagir à son corps est d'avoir toujours mal quelque part. Du plus loin qu'il se souvienne, il n'a jamais passé une heure sans ressentir un mal ou une incommodité. Du ventre, du bras, des dents, des oreilles, du foie, de la gorge. De tout. La grand-mère Arsène dirait de lui qu'il a toujours un os du cul qui fait crac.

Malingaud trouve bien sûr que Broque a une Tête tellement tête qu'il y en a assez pour faire deux têtes. Quant à Barilero il porte tête. Même s'il manque à cette tête quelque chose d'indéfinissable. Les cornes de son emploi de Diable, dit Broque. Ou peut-être plus de stabilité du regard et des traits, dit Malingaud. Il faudrait le redessiner. Au burin. Barilero a l'œil noir. Ses cheveux sont en tête de loup. Epais crêpus. Il a la lèvre gourmande. Le corps bien développé. Il diffuse une sympathie universelle. Il s'habille avec une élégance de désinvolture. Hors son hamac, il grouille de vitalité, déborde d'idées, assume les occupations de quatre hommes. Et les distractions de six. Il sait tout ce qui se sait. Il voit tout ce qui se voit. Lâche du venin. Et aime ses amis.

Quant à France Barilero — bête noire de Broque qui n'aime que qui l'aime — elle ne manque pas de Tête. Dit-il. C'est même tout juste ce qu'elle a en trop.

France Barilero a des jupes de daim. Elle porte de grandes bottes à talons échasses. Elle a du charme. Et de l'efficacité. Elle agite, elle bruite, elle dirige. Elle a du dévouement. Elle nage dans la profusion d'activité. Elle est responsable des « relations humaines » dans une entreprise de confection. Elle est partout. Et sur les genoux. Elle est intelligente. Elle ne met pas ses enfants dans les jambes des gens. Ils sont à croquer. On ne répète pas leurs bons mots devant eux. Seulement derrière. France Barilero fonctionne sur un courant de haut voltage. Broque la préférerait débranchée. Elle l'appelle le Zombie. Il l'appelle la Pile. Si elle le voyait dans la manifestation — où elle trouverait normale la présence de Malingaud, lui il se renseigne, c'est différent — elle dirait que vraiment, il ne lui manquait que ça.

Lagrenée se voit donc attribuer par Cramponne une Tête. Noire à pattes blanches. Si je peux me permettre cette expression de robe de chien. Grand type. Dégingandé. Regarde tout sans détourner les yeux. Comme s'il était aveugle et regardant à la fois. Ce type-là n'est à la recherche de rien. Rien d'un chercheur de boulevard. Ni militant de quelque chose. Ni flâneur. Simplement l'air d'être là et ailleurs.

Tout dans ce regard de Cramponne. Quelle chose fabuleuse et intelligente qu'un regard ! Sans enfilade de mots dans l'esprit. Hop ! Et tout est pensé, pesé, assimilé en langage-regard, le temps du din cloc des glaçons dans le verre de Barilero. Le temps d'un hochement de Brok et Chnok. Pardon, Broque.

Si on pouvait écrire ainsi, din cloc, et là-dedans l'épaisseur d'une thèse de philosophie, augmentée de la thèse annexe, quel raccourci ! Ni le cinéma ni le théâtre ne pourraient rivaliser. La route de l'écrivain serait facilitée. Lui dont le métier est de tisser à la main avec des mots. Pour exprimer les pensées sans et avec. Mots. Mieux vaut les mots.

Antoine Lagrenée et Cramponne se ressentent. Cette présence perçue accompagne l'environnement, disons l'entourage, ô Broque ! Ces mots exaspérants vous tirent la manche à chaque instant.

Un troupeau de ballons rouges suit la manifestation à trois mètres en l'air. Au bout d'invisibles fils de nylon. Dans la solidarité avec les postiers espagnols. Banderole orange des postaux. Cri des centres de tri. Depuis la grande grève des postiers, les postiers ont monté plusieurs échelons dans l'échelle sociale interne des manifestations. L'ectoplasme voisin a beau grincer à propos des postiers, tous à Force Ouvrière ou presque, c'est un gang, c'est une institution. Comme ils sont toujours du mauvais côté, il suffit qu'ils se mettent une fois du bon pour qu'on les acclame !

« Vive les postiers ! »

Le *Hindenburg*. Liberté pour Lobato. Le clown. Le soleil. Les balcons. Le feu de bois de Lagrenée déambule. Cramponne incluse. Ils regardent à quatre yeux. Chaque répercussion d'un passage, chaque question posée, suraiguë leur intérêt.

Fanfares sur charivari, un bruit de pieds prend le pas sur le bruitage général. Les étudiants, les étudiants. Toute la manifestation rajeunit d'un seul coup au visage. Au son des voix. Bondissement de banderoles et d'écriteaux qui montent et descendent sur les têtes comme des chevaux de bois. Les étudiants les étudiants. La femme aux enfants « ça te grattouille ou ça te chatouille » dit qu'elle préfère les emmener, allez allez, on va goûter. Le mot étudiant l'inquiète. Elle commence à pousser les petits devant elle avec un regard complice qui demande le passage aux gens. Tout en continuant son babil qui détonne et que France Barilero anathémiserait. « Venez, allons, venez les petits, on va aller chercher des bons petits pain-pains au chocolat. Ou alors des chaussons aux po-pommes ?... » Lagrenée remarque que seule Cramponne cède à la femme aux enfants le regard d'attendrissement admiratif qu'elle sollicite. Et dont elle a l'air irradiée. Mais deux jeunes hommes échangent des propos secs. Reproduits à peu de chose près tous les cent mètres des boulevards. L'un que c'est les gauchistes qui mettent la merde. L'autre que la dernière fois c'était le service d'ordre de la C.G.T. qui avait mis la merde en tapant sur les gauchistes. Qui ne demandaient qu'à manifester. L'un que les gauchistes mettent partout le merdier, il comprend le service d'ordre. L'autre que, selon toi, le service d'ordre C.G.T. et la police, qu'ils fassent le même travail, ça te satisfait ? L'autre que selon toi, que les gauchistes mettent le merdier dans les organisations ouvrières, ça te satisfait ? Selon toi. Selon toi. Tout le monde met le merdier, dit un corsaire. Ça grognasse, ça bougonne, ça claque, ça donne de la voix. Cramponne rit. Le premier groupe d'étudiants danse et scande :

« A bas Haby. Y a de l'abus. On est à bout. On viendra à bout d'Haby. »

La foule est ravie. « Fac ouverte aux étrangers. » « Abrogation de l'arrêté Soisson. » En courant. Endiablés. Censier en grève. Gais furieux. Deux filles à cheval sur des épaules comme en Mai 68. Jolis centaures. Drapeaux rouges. Drapeaux noirs. Lèvent le poing. « Ni compromis ni négociations, c'est la voie des patrons. » « Contre l'école de classe. » Pieds scandés. « Non à la sélection sociale. » Et « Dehors dehors le régime à Giscard. Qui tue les paysans. Matraque les étudiants. Expulse les émigrés. » Applaudissements. Plaisir. « U.N.E.F. trahison ! » L'U.N.E.F. vient derrière. Elle crie « négociations ». Crie « école de classe ». Crie « non à la sélection sociale ». Crie « L'Université aux fils de travailleurs ! » Réclame « le S.M.I.C. horaire pour les stages ». Trimbale une gigantesque banderole transparente : « Négociations. Liberté de la presse dans les casernes. Négociations négociations ! » Par-devant « U.N.E.F. trahison, ni compromis ni négociations ». Par-derrière « négociations négociations ».

La foule, sauf initiés, ne fait pas de différence entre communistes, gauchistes ou le diable. Ce sont les étudiants, on les applaudit. Tout se passe à l'intérieur.

Sauf un autre corsaire désespéré, une femme celui-là, qui dit que tout ça ne sert à rien. On leur paie des études pour qu'ils fassent des grèves. Ils cassent tout. Ils salissent tout, mettent tout en pièces. Quand c'est pas les étudiants qui sont en grève, c'est les professeurs. Le 1ᵉʳ mai c'est pour les travailleurs c'est pas pour eux. Les uns disent que le fait est. Les autres que sans les étudiants... Les uns haussent les épaules. Les autres applaudissent ostensiblement. Tous les étudiants passent dans le même fleuve. Un jeune homme torse nu tient un drapeau rouge d'une main, pousse sa moto de l'autre. Un enfant secoue sa crécelle sur la tête d'un étudiant. Ils ont beaucoup d'enfants sur leurs épaules.

Contre le bord, tout seul, en veste de mouton et cheveux moutonnants, un grand tout entier voué à sa fonction souffle des coups de sifflet dans une flûte de roseau pour rythmer les « Haby, y a de l'abus. On est à bout »... « C'est chouette », dit Cramponne.

Lagrenée ne l'entend pas. Il vient de voir passer en coup de vent, en trombe et criant quelque chose, dans un groupe indéterminé, son fils Stanislas. Emporté dans une course dansante. Laramona — celle qu'il appelle son amie très intime — à son côté. On le remarque à sa taille démesurée, à ses cheveux d'un blond presque blanc. Sa tête nage sur les autres. Lagrenée le voit surgir et disparaître presque en même temps. Laissant en lui son habituel sillage. Cher-amer.

Stanislas. Toujours surexcité. Des paroles plein la bouche. Marchant de long en large du fauteuil de Julie à la chaise de Lagrenée. Touchant sans les voir des objets qu'il prend et qu'il repose. Intéressé et désintéressé par ce qu'il fait. Toujours à la recherche de davantage. Dans le travail et dans la vie. Il a vingt-cinq ans. Il lui faudrait dix existences. Pour assouvir sa passion générale de tout ce qui se passe à l'intérieur du monde. Du théâtre. De la politique. Du cinéma. Des volcans. Des cafés-théâtres. Des revendications des commerçants et de la musique électronique. Du Mozambique et de Gennevilliers.

Il groupe en lui mille intérêts. Il lit tout. Il va dans les meetings et les manifestations. Participe aux guerres internes contre l'enfermement que déclenche à l'intérieur des gens le monde en gestation de liberté. Toute spécialisation les enferme. Ils veulent tout. Du monde

93

des idées, du monde des formes, du monde ouvrier ou universitaire. Goulus de tout. Toujours en train de se brûler à quelque chose ou à quelqu'un. Toujours surpris de découvrir la lie du monde dans ses brillances. Inaptes au bonheur, dit Julie. Inaptes à tout, comme tout le monde, dit Aglaé. Inaptes à s'enfermer, dit Lagrenée.

Refuser de s'enfermer dans une seule vie. Un seul métier. Une carrière toute tracée, comme on dit. Justement. Le contraire. Julie dit « Qui trop embrasse mal étreint ». « On n'embrasse jamais trop », dit Stanislas. On ne vit pas dans un tel monde, si inventif et si horrible, si bourré de trouvailles à vivre ou à tuer, si créatif dans le pandémonium des idées, si percuté, victorieux, écrasé, triomphant, opprimé, bête à crever, génial à stupéfier pour rester collé au confort d'un microcosme personnel.

Stanislas a soutenu une thèse de troisième cycle. Brillamment. Sur la « diffusion des photo-électrons dans la magnétosphère ». Joli titre, dit Julie. En ajoutant que c'est tout ce qu'on peut en dire dans son cas. Après quoi il est parti dans le Michigan, au laboratoire de géophysique spatiale d'Ann Arbor, avec une bourse d'un an. Au bout de quatre mois il rentre sans crier gare. Un scandale !... Explique qu'il en a marre. Marre. De la physique. Du stage. De tout. La science galope. Il faut fouetter ses chevaux, suivre le train, tout est dépassé avant même d'être assimilé. Pas doué pour le grand steeple.

Le service militaire s'est aussitôt mis à lui pendre au nez. Pendant qu'il gagnait sa vie à donner des leçons de maths et de physique. Au moins le reste du temps il vivait.

Mais plus de sursis. En avant l'armée. Et pas moyen de se faire réformer, comme au bon vieux temps de Mai 68 et d'après. Où les étudiants et les chercheurs faisaient tellement peur qu'on les réformait pour un bouton sur le nez.

Il a demandé la coopération. Tant qu'à faire de partir, autant connaître des expériences et des pays. Que ça serve. N'importe où. Le Canada ! Ce qu'on voudra.

Il vient de recevoir son affectation : l'Iran. Catastrophe. A assumer pour deux ans. Il va partir enseigner la physique au lycée français de Téhéran. Au cœur du monde policier du pétrole et de l'absolutisme. Où il apprendra quoi, verra quoi, utilisera quoi ? Il attend de voir. Il fait comme si. Julie a du vague persan dans l'âme et des miniatures persanes. Elle prodigue les descriptions pittoresques, depuis le Château des Assassins jusqu'à Ispahan, les jardins de Chiraz, et les poètes persans, tu verras les tombes d'Hafez et de Saadi !... J'en ai de la chance ! dit Stanislas. Ni lui ni ses amis ne jouissent de cette bonne âme touristique d'autrefois. Où le pittoresque, pour être misérable, n'en gardait pas moins sa superbe. Le pittoresque et le folklore sur fond de police et de misère, ils s'en contrefoutent.

En attendant son départ, il cherche à vivre au centuple et remplit à ras bord des malles de souvenirs à emporter. Il écrit même un livre avec son amie Laramona. Qui enchante Julie. Ascendance espagnole et chimiste guitariste. Elle travaille dans une usine de peinture. Et milite dans des organisations anti-pollution. Stanislas est en train d'apprendre à jouer de la flûte. En plus du reste.

Il adore raconter, parler, expliquer. Il écoute peu. Mais s'exprime frénétiquement. Dissimulant sous les mots les questions qu'il se pose. Il rôde la nuit sur les places à funambules. Il adore le théâtre. Il adore les cafés. Il adore tout ce qui agite les idées. Même, quand il a le temps, il adore manger. Des disputes sauvages l'opposent à sa jeune sœur Aglaé. Dont le désenchantement grisaille tout.

Lagrenée l'a vu passer et disparaître comme une de ses pensées. Il n'a pas reçu sa visite depuis une quinzaine de jours. Stanislas ignore le téléphone. Il vient, il parle, il s'en va. Durant tout le temps qu'il reste, il séduit Lagrenée. Dont les affinités avec Stanilas se concrétisent par leur fraternité dans la conversation. Lagrenée écoutant. Naturellement. Stanislas participe là où lui se fascine. Agit là où il s'intensifie dans la contemplation de l'action. Ils tiennent l'un à l'autre par des affinités extrêmement profondes. Et indéfinissables. Pourtant ce n'est pas sur l'incitation de Stanislas que Lagrenée se trouve sur les boulevards. Il a d'autres motivations, disons motifs pour plaire à Broque. Qui n'ont rien à voir avec ses enfants.

Le passage de Stanislas lui donne une tristesse-joie, un plaisir-chagrin. Dont il est coutumier. Curieux, de voir surgir et disparaître dans la foule cet étranger chair de sa chair. Il faudra qu'il lui raconte l'aventure de ce regard. Cette pensée en lui est la seule formulée. Tout le reste était impliqué dans le mot Stanislas. Au goût chaud et amer.

« Les gosses. » Dit Cramponne. Ils baignent dans les voix perchées des lycéens. Qui galopent, rient, révolutionnent, chantent, déboulent, dansent, apostrophent. Avec beaucoup d'ordre. Et cette ivresse agressive des très jeunes en action. Le loustic un peu plus bas est en train de dire qu'ils réclament du Coca-Cola dans leurs biberons. Et les gens rient cette fois. A tort ou à raison. Les jeunes se manipulent comme on veut, disent-ils. C'est dangereux de prendre cette responsabilité. De les survolter.

Ou bien au contraire il n'est jamais trop tôt pour comprendre. Ou pour bien faire. Disent les autres.

Un lycéen, brandissant un parapluie fermé comme un *machetero* sa machette, crie à Cramponne en arrivant à sa hauteur : « Allez ! dans la rue les grand-mères ! » Ils rient. Lagrenée commence à sentir sa mélancolie redevenir habitable. Ce voisinage le molletonne. Quelque chose de neuf émane de Cramponne.

Ils ont maintenant le nez sur les manifestants. Le service d'ordre a relâché les rangs. Une ligne de filles en rouge, chacune avec une grande lettre sur une pancarte, barre la chaussée, formant le mot « Humanité ». Elles crient : « Fermez, la télé. Lisez, *L'Humanité.* »

A chaque trou qui s'élargit trop, le fleuve devient tourbillon derrière, charrie des photographes de tout poil et des chercheurs, des filles en bonnets phrygiens, les Tissus, Flains-Chausson, un orchestre, un mélange de S.N.C.F. et de Conservatoire d'art dramatique, de Folies-Bergère et de Commissariat à l'énergie atomique, de syndicat de police et de syndicat de comédiens, de bonnets rouges, de tabliers C.G.T. et de poings levés, de sigles connus ou inconnus, et Rhône-Poulenc, et les infirmières, et le téléphone volant de Vélizy et les enseignants. Et un groupe énorme et ovationné chantant sur un air connu : « Giscard, si tu continues, la classe ouvrière, te bottera les fesses, Giscard, si tu continues, la classe ouvrière, te bottera le cul. »

Une ruée de costumes, de robes rétro ou mini, de filles en Peaux-Rouges, de cavaliers de la mort de cuir clouté, de guerriers portant leur casque moto sous le bras, de jupes traînantes et de foulards noués, barbes et cheveux. Et des mères poussant des poussettes, qui arpentent en criant des mots, avec parfois devant leurs genoux un gosse qui dort, tête renversée, dans le chahut universel.

Cramponne et Lagrenée sont bousculés, rejetés, submergés, frôlés de coudes, les cris leur explosent au visage, on les hèle en passant, on les convie, avec nous avec nous ! Tous les spécimens d'humanité kaléidoscopent. C'est la grande marée. Il n'y a que la tour du Rex et le *Hindenburg* qui restent solides en l'air à leur place d'immobilité un peu plus loin.

Cramponne dit qu'on en est saoulés. Lagrenée qu'on finit par ne plus rien voir. Elle dit que ce n'est pas encore la moitié. Il répond qu'à la nuit ce ne sera pas encore fini.

Elle a une voix grave, et une façon traînante de prononcer les mots. Lagrenée remarque la voix. Et la brillance des bottes.

Les bottes. Les chaussures. Une passion de Cramponne. Passion de surface, dit-elle. Elle aime cirer. Elle met du cirage jusque dans les rainures avec le manche d'un vieux pinceau sous un chiffon imprégné. Elle laisse sécher toute la nuit. Le matin elle enfile. Tel que. Dit-elle. Elle met son pied sur la table. Elle prend le chiffon de laine. Et droite gauche, droite gauche, devant dessus, elle astique jusqu'à ce que le cuir étincelle et rayonne.

C'est comme ça que le sapeur Camember faisait les bottes du colonel. Dit Broque. Et les bottines de la colonelle. Vous savez, la fameuse histoire où le colonel dit que le sapeur lui rend une paire dépareillée. Une botte, une bottine. Et où le sapeur Camember répond, demande pardon mon colonel, mais la paire qui reste est aussi dépareillée que l'autre... Broque a toujours des réminiscences attendries.

En marchant sur des cuirs cirés, Cramponne dit qu'elle a le pied plus léger. Et que dans l'ordre d'importance des vêtements, la chaussure a le numéro un. Elle a la manie de numéroter les importances. Ça aide. Elle est précisément en train de dire que dans l'ordre d'importance des choses à faire, la première est de s'asseoir. Et la deuxième, de boire. La pause, la pause ! On a la bouche pleine de poussière.

Elle dit ces mots de sa voix calme. Et en même temps tourne le dos à la manifestation. Une main dans la poche. L'épaule en avant. Pour fendre. L'autre main sur le sac. Machinalement. On vit en vigilance.

Lagrenée se retourne du même mouvement. Ils fusionnent sans s'en rendre compte à partir d'un des rares points communs de leur caractère. Que la grand-mère Arsène appellerait, en ce qui concerne Cramponne, ne pas chercher midi à quatorze heures. Prendre les choses comme elles sont. Dirait Malingaud. Les choses étant ce qu'elles sont. Ajouterait Broque. Ce que tu crois qu'elles sont. Dirait Barilero. Qui ajouterait que Satan conduit le bal. Ils ont tant moqué ses scepticismes avec ce « Satan conduit le bal » proféré de la voix caverneuse des prophètes, qu'ils ont réalisé le transfert. Barilero a fait de la phrase en question une de ses ritournelles. Il s'en sert jusqu'auprès des libraires ou des journalistes rétifs à ses séductions. Il leur prouve que leurs refus sont téléguidés. Et que Satan conduit le bal. Un Satan qui change de personnalité selon les nécessités.

Je voudrais bien savoir comment Broque dirait transfert. Sans s'en servir.

Cramponne n'a pas la moindre volonté claire ou obscure d'entraîner Lagrenée dans son sillage. Un peu à la façon du Chaperon rouge des trottoirs, qui a réussi à lever un marchand de légumes de Beaugency en attente de conclusion de ses marchés, et bêtement fourvoyé au bord

de la manifestation. Le déplaisir du grossiste a servi le plaisir. Ils sont couchés. Plus de Chaperon rouge sur le boulevard. Elle travaille.

La vie a vacciné Cramponne contre bien des maladies de société. Malingaud lui a donné le goût de l'imprévu des hommes. Une rencontre de hasard n'est pour elle qu'une solitude buvant avec la sienne. S'il ne la suivait pas, elle n'y penserait plus. Il la suit. Elle se laisse emboîter le pas par lui avec agrément.

Je n'écris pas qu'elle pense cela. Tout est contenu dans son caractère. Du reste elle ne pense rien. Elle fend.

Lagrenée réagit de la même manière. Il marche sans arrière-pensée. Mais il se dira ce soir-là que dès l'instant où Cramponne s'est tournée vers lui, il l'a englobée dans sa fascination générale de la manifestation. Elle est même au premier plan du feu de bois.

Un seul avertissement. Une seule prémonition. Dirait Julie. Qui croit à toutes les transmissions de pensée et avertissements silencieux. En expliquant que naturellement elle n'y croit pas. Mais que par moments on serait tenté d'y croire. Car pourquoi la pensée ne serait-elle pas palpable un jour ? Palpable. C'est son mot. Si on avait dit à Voltaire qu'un jour, assis dans son fauteuil, un homme comme lui — ou tout autre — verrait de la terre un homme poser le pied sur la lune, l'aurait-il cru ? Impossible. Il l'aurait plutôt mis dans *La Princesse de Babylone*. Dit Julie.

L'avertissement donné à Lagrenée, ni queue ni tête. Une réminiscence. Qui arrive droit dans sa tête. Sans raison. Comme toutes.

Il a pensé : « Une journée de velours. » Journée de velours. Ces mots qu'il a entendus, murmurés par le jeune homme au torse nu sous

100

sa veste violette à paillettes, lui traversent la tête. D'où reviennent-ils ? Journée de velours. C'est tout.

Il suit Cramponne. Qui marche à grandes enjambées de ses vieilles bottes encore étincelantes sous la poussière. Evoluant difficilement, avec des secousses et des contorsions, entre les grands Africains accroupis sur leurs nattes et la déambulation du boulevard, contenue par la haie de la manifestation. Pendant que de l'autre côté le fleuve fonce. Dont on ne voit que les drapeaux et banderoles en l'air, dans le charivari additionné de toutes les foules.

Ils essaient un premier café. Ils refluent. Au deuxième, « Marx lui-même ne réussirait pas à boire ». Dit une fille épuisée. Les Jeunesses Communistes inaugurent une affiche géante. Un Karl Marx aux lunettes de moto sur le front, cheveux et barbe blancs dans le jaune vif, manteau écharpé d'arc-en-ciel, faisant du stop, pouce levé, pour la fête des Jeunesses Communistes et de leur journal *L'Avant-garde*. Une affiche pop-Marx. Qui fait fureur. La fille épuisée a un Marx-pop au revers. Malingaud dit que c'est une grande première, on n'aurait jamais vu ça y a cinq ans ! Broque hoche en ricanant. Marx-pop, pourquoi pas *Matérialisme et empiriocriticisme* en bandes dessinées ? Avec Astérix en prolétaire ? « De toute façon, dit-il, depuis que j'ai vu tout un numéro du *Courrier de l'U.N.E.S.C.O.* en bandes dessinées, plus rien ne m'étonne. Tu n'as pas vu ? Le numéro pour faire connaître les réalisations de l'organisation ? Avec les temples d'Abou-Simbel, les grottes de Touen-Houang, toute l'œuvre scientifique, antipolluante, tout ce que tu voudras en bandes dessinées à bulles ? C'était d'une tristesse !... » Il trouve inquiétant de voir Malingaud mettre de l'argent dans le tronc pour se payer un Marx-pop. Qu'il trouve fumeux. On est récupérés, dit Broque.

Cramponne et Lagrenée, refoulés au troisième café, passent. Au comptoir de celui-là, invisible dans le tohu-bohu, Stanislas boit. Il a fait la connaissance d'un soldat.

Les soldats en uniforme dans la manifestation portent des masques. Pour la sécurité de l'emploi, dit le soldat en riant. Du reste la foule les plébiscite. Ils marchent masqués, réclamant tantôt un syndicat de soldats, tantôt des comités, ou la réforme de l'armée, sa libéralisation, les droits politiques et le reste. Tout cela bourré de nuances et d'oppositions politiques. Dont la foule ne fait pas le détail. Elle applaudit le soldat masqué. Le sens du masque lui suffit. « Il concrétise l'oppression du pouvoir », dit le soldat. Qui est ferronnier. Fascination de Stanislas. Qui en présence d'un ouvrier concret, qui plus est soldat masqué de la manifestation, agrandit son champ de connaissances. Ils échangent leurs noms. Discutent service et coopération. Le soldat s'appelle Paul Lorrain.

Cramponne et Lagrenée trouvent enfin place au fond d'un de ces cafés mi-ouverts mi-fermés. Qui deviennent tout entiers terrasses l'été. Protégé ou croyant l'être par ses murs de verre d'hiver, il a une présentation bizarre. Avec ses tables entassées de gens assis sur la chaussée en pleine furie de foule et enfermées en carré. Un vrai aquarium à poissons-têtes. Un peu moins maculé que les autres peut-être. Les manifestants sont pressés. Ils choisissent de préférence les cafés à fleur de foule et à vastes comptoirs.

Cramponne se laisse tomber avec un soupir de volupté sur la banquette. Entre deux miroirs qui doublent tout. Elle a au-dessus de sa tête le portrait d'un potiron dans un cadre. L'artiste n'a pas lésiné sur la couleur. Ce potiron trouve là son unique occasion d'entrer dans les mémoires. Lagrenée tire une chaise et s'assied en face d'elle. Ils commandent et obtiennent à force d'obstination des bières. Et se laissent aller.

Le naturel de leur comportement surprendrait Malingaud lui-même. De Cramponne, rien ne l'étonne. Mais qu'elle ait mis le doigt dans ces dizaines ou centaines de milliers de gens sur le seul homme peut-être susceptible de se comporter envers elle comme elle se comporte envers lui. Sans arrière-pensée. Profondément intéressé par l'inconnu de son personnage. Mais sans questions, ni choses et d'autres. Ils habitent un silence de repos, peuplé de la férocité des bruits du jour et du va-et-vient du café. Tous deux assis de côté, la tête vers le comptoir. Derrière lequel un autre miroir, énorme, leur donne à voir les visages des buveurs. Quand leurs regards se croisent, ils sourient. D'aise. Ou de sympathie. Ou de bien-être. Ce silence les isole. N'importe quel mot à ce moment précis les précipiterait du haut de cette habitation de silence où ils sont enfermés aussi hermétiquement dans le chahut universel qu'un navigateur solitaire dans la mer. Le silence les enveloppe. Et les rapproche. Chose étrange, il suffit de s'éloigner de la manifestation en prenant pied dans ce fond de café si proche d'elle, pour que les paroles des buveurs debout prennent le pas sur l'immense bruit du dehors.

Il semble à Cramponne qu'elle plane. La fatigue. Et le bruit. Qu'elle voit le monde de loin. Montée sur des échasses. Dans ce moment de si parfaite tranquillité au cœur de chahuts géants. Qui seraient insupportables à la plupart des gens.

« Ça gueule dehors », disent les buveurs du comptoir du fond. Ça pour gueuler, ça gueule. Une gueulante à l'architecture aussi compliquée de tuyaux et d'escaliers que celle du Centre Beaubourg. Dit Broque.

Mais il suffit que Cramponne et Lagrenée se taisent pour tenir le bruit à distance. Ils — quelle belle expression ! — gardent le silence. Ils le gardent. Ils se laissent aller.

Si à cette seconde Lagrenée avait le pouvoir d'ouvrir une porte dans la tête de Cramponne et d'entrer de plain-pied dans ses pensées, il percuterait une apparition. Un personnage d'une taille démesurée. Immobile. Un prophète ? Un messie ? Il mesure plusieurs mètres et son regard a un pouvoir. Pour Cramponne il existe, il vit, il est situé. Il a pris la dimension des légendes.

Imaginez sur une place une double rangée de platanes. Sous leur ombre, un marché d'été, des tresses d'ail, des tomates, pêches, abricots, melons, pastèques, glaïeuls et fleurs-soleils, pigeons en cages individuelles, œufs des fermes, fromages de chèvre et femmes bâtées entre leurs sacs à provisions symétriques. L'air véhicule une puissante odeur de tous les fruits. Dominée par le parfum sensuel des pêches jaunes. Les puissants troncs des platanes à trois branches, tout sculptés, burinés, tachés, bosselés, tordus du bas, fendus, divisent le marché en tranches.

Cramponne nage dans cette vision de sa petite enfance. A Aubagne. Avec la grand-mère Arsène. Qui voulait embrasser son frère aîné mourant là dans une rue étranglée de la vieille ville. Entre la place à la belle fontaine en bas et le clocher en haut.

La grand-mère Arsène refuse de fréquenter les enterrements. Qu'elle trouve scandaleux. Un vrai cinéma. Par contre il faut, dit-elle, saluer les morts avant. C'est eux le plus important.

Elle a fait sa longue station auprès du lit. Où un gisant d'os et de grisaille pointait sur elle du fond de deux petites cuvettes de plomb, les yeux supervivants de la mort aux trousses. Noirs. Seuls. Toute la vie entassée dedans, à déborder. Plus la souffrance. Il en sortait des mots chuchotés. Où l'entrouvrement de la bouche avait peu de part. Les mots disaient : « Il était temps que tu viennes... Il était temps que tu viennes... »

Sa grosse femme carrée, toute machuquée de larmes, répétait : « Tu vas t'en tirer. Tu vas t'en tirer encore cette fois. Tu t'en es toujours tiré jusqu'à maintenant. Alors pourquoi tu crois que tu vas pas t'en tirer encore cette fois ? »

La grand-mère Arsène expliquait qu'elle était venue à Aubagne avec le car. Une belle promenade, ça tourne tout le temps. Chercher des abricots à confiture. Qu'on lui avait mis de côté à condition qu'elle se débrouille pour les emmener. Chez la belle-mère de Léandre. Son fils aîné. Les abricots, c'était vrai. La grand-mère cumulait. Elles avaient eu un retour à se casser les bras. Pour haler les abricots.

Le gisant braquait ses yeux de lumière noire, douleur en action, sur les histoires d'abricots. Plus tard Cramponne s'interrogerait à propos de cette rencontre entre les abricots et la mort. Le grand gisant gris. Et la danse macabre des abricots près de son lit.

La grand-mère Arsène s'activait à répondre aux questions de la grosse carrée à propos des performances ou calamités de la famille. Le travail. Les bébés nés ou à naître. Les maladies.

Les opérations. Les mariages. Les décès. Les divorces. Les difficultés. Tout tombait dans les trous des yeux. Et s'y perdait corps et biens. La grosse, une fois le tour familial accompli, avait posé la question habituelle. « Et cette pauvre Cramponne ? »

La grand-mère faisait la réponse habituelle. Que Cramponne lavait déjà la vaisselle et le petit linge. Qu'elle n'était jamais malade, jamais fatiguée. Qu'elles s'arrangeaient très bien toutes les deux. Qu'elles s'entendaient pour tout. « Elle tient plus de moi, disait la grand-mère Arsène, que de ma pauvre Yvonne, qui tournait à tous les vents. Elle aura du caractère. » Et elle ajoutait, comme elle a toujours fait : « Cramponne et moi, on ne s'ennuie jamais ensemble. Ma petite Cramponne, c'est mon plaisir. »

Cramponne s'appuyait à ses genoux, silencieuse. Sage, disait la grosse carrée. Au-dessus du lit, un petit Christ à la tête soumise enfonçait ses pieds dans des rameaux frais de buis. Sur le mur, une photographie représentait, coloriée, le père et la mère de la grand-mère Arsène et du carreleur, têtes rapprochées, penchées, accolées, œil fondu. La grand-mère avait la même dans sa chambre à La Seyne. Elle en guimpe de dentelle à collet monté. Lui en soldat. Jeunes, l'air vieux de l'époque. Il était mort aux premiers jours de la guerre de 1914.

Les yeux du gisant exprimaient, exprimaient. Tous les mots voletaient autour. Chaque instant agrandissait la distance entre le lieu où il se tenait et sa présence au milieu de cette scène.

De temps en temps une espèce de cri de chien qui tousse sortait de l'incolore de sa bouche. Un raclement. Effrayant. La grosse carrée disait : « C'est rien. C'est la souffrance. »

Ou bien « Le pauvre homme, il a tellement souffert qu'il vaudrait mieux être une bête. »

Brusquement l'homme de pierre avait braqué ses deux phares noirs du fond de leur trou sur Cramponne. Et il avait dit : « Mourir comme ça, ils connaissaient pas leur bonheur. » Et il y avait eu dans la chambre un silence où la douleur prenait le pas sur tout.

Il parlait des parents de Cramponne. Tués dans un accident de voiture quand elle avait deux ans. Dispersés dans le sable et les algues et la ferraille sur la plage Dorée à Bandol, au bas de la falaise. Dont ils avaient crevé le parapet. Un grand vol écrasé dans la nuit. Personne n'a jamais su pourquoi. Personne ne le saura jamais.

Et moins que personne l'exploitant de bois du Luberon, qui les a aveuglés avec ses phares là où la route fait un virage si sec. Il avait oublié de les baisser. Il ne s'est aperçu de rien. La grand-mère Arsène a toujours accusé son gendre. Qui a tué sa fille, dit-elle. L'homme du Luberon est mort le mois dernier. Assassin innocent.

Le peloton des hommes est tellement compliqué qu'on pourrait vivre dans du ciment armé, on ne serait pas plus ignorant des choses, dit la grand-mère Arsène. Mais pas à propos de l'homme du Luberon. Qui pourtant constitue une preuve de l'excellence de ses comparaisons.

Le gisant avait dit merci. Et au revoir. « Embrasse ton grand-oncle. » Joues de cendre.

Dans l'escalier la grosse carrée pleurait toutes ses larmes. La grand-mère Arsène ne se rendait pas compte qu'avec ses adieux aux morts avant la mort, elle en soulignait l'imminence.

Pour Cramponne, le grand gisant d'Aubagne

était devenu la mort elle-même. Et la mort avait une toux de chien.

Et puis les rues vivantes, populaires. Piquées des képis blancs des légionnaires. Un bon sandwich à l'omelette acheté au petit marchand de la grande place. Du pain presque aussi long que les sandwiches de marins à Toulon. Un sac de marrons chauds. Des cafés partout. L'église loin en l'air, piquée en chapeau sur les maisons grimpantes. La place avec son lampadaire à boules et ses marchands de coquillages. Et le monument aux morts de la guerre de 14-18. (On a ajouté ensuite les autres, guerre après guerre.) Avec un grand ange aux ailes ouvertes, survolant deux poilus raides de dévouement à la patrie dont l'ange tient la couronne de laurier. Un coq de pierre chante à leurs pieds, le gosier gonflé de gloire.

Cramponne faisait son premier voyage. Elle ne savait pas que le grand mort était couché en elle pour toujours. Elle sautillait de plaisir en écorçant les marrons et jouissait des ailes de son premier ange.

Soudain, au milieu des légumes et des fruits, sous les platanes, la petite Cramponne voit apparaître un homme qui ne ressemble à personne. Immense. Maigre. Droit. Tout habillé de gris. Chapeau gris. Par moments il fait quelques petits pas. Et reste ensuite longtemps planté à la même place. En silence. Il dépasse toutes les têtes. Cramponne a renversé la sienne. Elle le voit comme un géant. Dans la main droite, il tient une espèce de houlette. Bien plus haute que lui. Toute traversée de haut en bas de petits suspensoirs. Qui lui donnent l'air d'un perchoir pour trente ou quarante oiseaux. Sur lesquels sont pendus de longs fils. Jusqu'à terre.

L'enfant Cramponne, clouée au milieu de

l'allée du marché, regarde ce qu'elle croit être un berger. Pourquoi un berger ? Il lui semble monté sur des échasses. Il plane sur les choses. Plus tard il hantera sa mémoire comme un saint d'église. Raide de pierre. Un évêque avec sa crosse. Un prophète en apparition. Prêt à bénir ou anathémiser. On dirait qu'il va crier des paroles venues d'ailleurs. Comme le fou de Tamaris. Qui marche le long de la mer et des parcs à moules en annonçant la fin du monde tous les dimanches. Le reste du temps il est gardien de nuit. On le recommande. Car sauf le dimanche et le samedi soir, où il boit, il est de toute confiance.

La grand-mère Arsène tire la main de Cramponne. Dont elle ne comprend pas la stupeur extasiée. « Mais c'est le marchand de lacets ! Tu ne vois pas les lacets ? En bas on met les petits, pour les chaussures d'enfants. Après, les lacets de chaussures basses. Après c'est pour les chaussures montantes. Plus haut, les lacets de bottes, pour les chasseurs. Et tout en haut tout en haut, tu vois ces grands lacets blancs à cheval ? Qui tombent jusqu'à terre ? Eh bien, c'est les lacets de corsets. T'as bien vu dans la grande rue la marchande de corsets tout à l'heure ? Y en avait des beaux en satin. Qui coûtent quelque chose ! » « Aujourd'hui on en fait toujours, dit la grand-mère Arsène qui aime raconter cette histoire de Cramponne éperdue d'admiration devant le marchand de lacets. Y en a encore beaucoup qui en mettent, faut pas croire. Des grosses. Tiens, la bouchère ambulante. Eh bien, elle a un corset serré à l'étouffer, t'as pas vu ? Ses bourrelets ? Et les femmes de la campagne, elles en mettent. » La grand-mère Arsène n'aime pas les paysannes. Dont elle pourrait en partie se réclamer. Elle dit que les paysannes le dimanche compriment toutes leurs viandes bien serrées dans leur corset jusqu'à plus pouvoir respirer. Y a rien de pire que la graisse. Et vaut mieux la laisser quand elle y est. Ça se rebobichonne sur le dessus du corset, ça fait des boudins gros comme la cuisse. Vaut mieux être sec.

Mais marchand de lacets ou pas, corset et viandes comprimées ou pas, rien ne peut blesser l'émerveillement de Cramponne. Dont la sensation de silence, de hauteur, de mystère, de solitude, de grandeur a été si parfaite, sans qu'elle sache l'exprimer, qu'elle a gardé intacte en elle l'image du marchand de lacets, berger-prophète. Tel qu'elle l'a vu ce jour-là. Tel qu'on peut le voir encore aujourd'hui.

Image préservée, enrichie par les années, qui ont décoré le marchand de lacets de mille attributs subtils, et lui ont conféré des traits irradiants et une taille de géant. Le grand prophète d'Aubagne a créé un monde pour Cramponne seule. Elle le voit apparaître en coup de vent chaque fois qu'elle s'envole par-dessus les gens. Aussi souvent qu'une situation, quelle qu'elle soit, crée en elle une sorte de chapelle de calme, de bien-être. Un moment magique. Un planage. Un coin de hauteur où se laisser porter dans les zones incorruptibles des pensées en vagabondage.

Le marchand de lacets vient de surgir dans le silence de Cramponne et de Lagrenée au fond du café tonitruant. Avec son accompagnement en sourdine d'abricots, de sandwiches à l'omelette. Et de mort toussant sa toux de chien.

Personne ne connaît le grand marchand de lacets-prophète d'Aubagne. Sinon les gens du marché. Qui n'y prêtent pas plus d'attention qu'aux Nord-Africains qui vendent pour pas cher des pieds de lampe remplis de glycérine. Qu'ils agitent sous le nez des gens pour éparpiller dedans les paillettes volantes. Horribles lampes magiques. C'est comme ça qu'on faisait de la neige sur la tour Eiffel, dirait Broque. Quand on était gosses. Seulement maintenant on a perfectionné la chose.

Broque est cahoté. Mais solide au poste. Il devine qu'il est en train de se passer quelque chose à l'intérieur de Malingaud. Et respecte. En hochant avec une certaine inquiétude.

Il se passe beaucoup de choses à l'intérieur de Malingaud. Il encaisse les images. Il enregistre. Il a même sorti son carnet. Comme s'il était en voyage. Son attention surexcitée lui met le mors aux dents.

Le passage effréné qui se renouvelle en se rassemblant lui apparaît comme un résumé à la fois précis et monstrueusement pelotonné, enchevêtré de tout ce qui fait mouvoir les hommes insatisfaits. Un monde dans le monde complet. Le mécontentement, le besoin, le choix d'action, l'action. Du syndicat à la guérilla. De la morosité à une simple présence dans la manifestation. Qui transforme le mécontentement en aspiration. Et sans faire le détail. Tous ceux qui cohabitent bien ou mal dans ce courant.

Comment nommer ce monde ? Qui incorpore comme aujourd'hui les ouvriers, les professeurs, les mass media, les cheminots, les étudiants, les métallurgistes, les soldats, les médecins, les boueux, tout le reste, et les émigrés de tous les pays ? Qui réunit les révolutionnaires de toutes obédiences et les mécontents. Les idéalistes. Les solitaires. Les petits espoirs et les volontés grandioses. Les réalités et les irréalités. Le rêve d'un logement et l'espoir d'un bouleversement de société, chacun à sa manière. Les lucides et les fervents. Les revendicateurs et les militants. Les diversités politiques. Les nuances. Les dessus et les dessous.

Les mots d'ordre et les spontanéités. Toutes les idées du côté gauche du milieu. Avec à l'intérieur de ces idées, le blanc et le noir, le pour et le contre, les ferveurs et les contradictions, les choix de la raison et les options du cœur et les coups de couteau ininterrompus des vérités sur les rêves et des réalités sur les espérances. Une remise en question de tout. Sinon de la direction générale. Avec un mélange de haine et de solidarité, ce choc d'opinions adverses à l'intérieur des mêmes, ces chemins communs coupés d'échauffourées d'idées à tous les carrefours.

« Tu as vu ? Les Arméniens ? » dit Broque. Ils crient : « Justice ! Justice pour le peuple arménien ! »

« J'ai vu, j'ai vu ! » dit Malingaud. La remarque colle à son propos comme si elle en sortait. Tout en lui étant extérieure. La manifestation du 1ᵉʳ mai englobe même contradictoirement les vieux nationalismes vaincus d'avance. Le mélange ! Par exemple les communistes en mal de goulags, d'injustice, d'antisémitisme et de dépolitisation des pays socialistes. Qui existent et ne le sont pas. Et vient flotter, surgissant dans le flot, la nostalgie arménienne. Appuyée sur le reste. Qu'elle contredit et ne contredit pas.

Tout un monde. Qui contient à la fois toutes les exigences, petites ou extrêmes, de la vie, de la liberté. Et de la démocratie. Nouvelle-née des volontés premières et des avatars autoritaires du socialisme dans les pays.

Comment nommer ce monde ? Malingaud cherche le mot. Ne trouve pas. Il lui faudrait, pour son usage personnel, un mot. Qui le dispense des discours. Il se plonge dans une violente et disparate recherche de mots. Pendant que la manifestation projette des vagues

d'hommes et de cris. Il cherche. Le monde...
Le monde... Le contre-monde... Le monde des...
Le monde du... Rien ne vient. Rien ne va.

Le voilà prisonnier de cette obstination
harcelante. Le mot, le mot ! Il lui faut tout de
suite un mot pour son monde. Sinon il inven-
tera un mot. Un mot qui dise le monde insatisfait du monde. Et aussi le monde qui aspire
à transformer le monde. Sans se prendre les
pieds dans les filets de tous les contre-mondes
à l'intérieur de ce monde. Un mot ! Un mot !
Un mot !

Pourquoi pas une couleur ? dit Broque. A qui
il vient de transmettre son obsession. Brok et
Chnok. Toujours à côté. Toujours éteigneur de
chandelles. Qui veut bien qu'on change le
monde. A tort ou à raison, dit-il. Puisqu'on a
beau le changer, c'est toujours le même...

Malingaud ricane. Une couleur ! Génial ! Toutes les couleurs de l'arc-en-ciel. Le monde vert ?
Ça fait écologique. Le monde violet ? Ça fait
ecclésiastique. Le monde rouge ? Ça fait anti.
Le monde jaune ? Ça fait briseur de grèves.
Orange ? Ça fait publicité. Bleu ? Ça fait opérette.

Reste le monde indigo ! dit Broque.

Le monde indigo ? Mais pourquoi le monde
indigo ?

Pourquoi pas ? dit Broque.

Malingaud se met à rire. Au milieu de la
foule. Qui le prend pour un cinglé. C'est Berlitz
« en lutte depuis un mois et demi » qui passe.
Pas de quoi rire. Et « Giscard, Segard, y en a
marre ». Malingaud pleure de rire. Ça lui fait
aussitôt mal aux yeux. Qui brûlent. N'empêche.
Le monde indigo !

Le monde indigo ! Ce Broque ! Quelle connerie ! Le monde indigo. Eh bien, malgré tout

c'est pas si mal que ça !... Ça ferait un beau titre pour un livre. Le monde indigo !

D'autant plus, dit Broque, que dans indigo il y a indigence. Pourquoi pas indignation ? Dit Malingaud. Ou indicateur ? Oui mais il y a aussi go, dit Broque imperturbable. Go. Ça donne la notion d'action.

Malingaud est écroulé. De rire. Ça lui donne aussitôt un point de côté. Atroce. Ça le traverse en zigzag. Mais peu importe. Le monde indigo lui procure d'inestimables facilités de pensées. Il répète « le monde indigo » au rythme d'une grosse caisse. Qui passe dans un orchestre accompagné de voix. « Salut ! Salut à vous ! Braves soldats du 17ᵉ ! » Le monde indigo. Assez joué, se dit Malingaud. Et il se remet à dévorer. Et à noter. A toute vitesse. Dans son gros carnet. A sa manière habituelle. Les mots et les gens du monde indigo. C'est commode en tout cas. Le monde indigo.

Il note par exemple : « Les retraités mani-festeront le 18 mai. » Pancarte portée par un vieux. Fier superbe. « Ponia fasciste démis-sion. » Photographe chauve. Crâne gris chandail rayé. S.N.P.A.O.C.C. (qu'est-ce que ça peut bien vouloir dire ?). Inscriptions arabes. Et voilà un exemple du monde indigo. « Drapeau bleu blanc rouge, drapeau des versaillais. » Gau-chistes anticommunistes dans le monde indigo. Contre « le socialisme aux couleurs de la France » des communistes. Qui est contre « le socialisme à visage humain » des socia-listes. Le monde indigo contient tout.

Il note. Les sacs des jeunes gens. Les filles courent. Les seins les seins. Bougent. La femme à l'ombrelle mauve sur le trottoir. Les Basques. Drapeau rouge vert bleu. Acclamés. Poings levés. La foule aussi. Même si. (Monde indigo.) Œillet portugais. « Français immigrés même combat. » « Expulsés, exploités, excédés. » Acclamés. « Soutien à la R. irlandaise ! » Fille C.G.T. costume saloon et souliers de bal. Etc.

Tout en notant, il a des ailes. Il éclate, il explose, il vit. Il se tourne vers Broque. Qui tire sur sa pipe. Les Broque fument tous la pipe. La pipe est la désignation de leur fonctionnement. Je suis désolée de ne pas trouver pour Broque un autre mot que fonctionnement. Disons fonction. Comme dirait la radio, vous verrez la différence.

Malingaud crie que cette manifestation, d'une façon ou de l'autre, il la mettra dans un roman. Broque lève les yeux au ciel. Et hoche. Il commençait à s'y attendre.

Dans un roman. Avec tous les problèmes qu'elle condense. Ni supprimables. Ni exprimables. Indispensables. Et redoutables. Dangereux venimeux à tous points de vue. Impossible de tout dire. Impossible de ne pas tout dire. Impossible de toute façon. Essentiellement politiques. Et excitants pour l'écriture. Les nuances des syndicats et leurs oppositions. Les communautés des partis de gauche et leurs oppositions. Les mots, les choses, les stalinismes, les gauchismes, les tièdes, les inconciliables. Dos à dos, les hommes, les journaux. Le monde indigo. Dos à dos tous ensemble.

Un gouffre. Où se perdre. Tant pis. Malingaud colmate. La tension l'emporte. Foncer.

Le monde indigo le reprend en main. Désormais offert comme une extraordinaire matière. A brasser. Il passe, passe, comme une démonstration des manques et des frénésies de Malingaud dans l'action écrivante. Le monde indigo. Je me sers de l'expression par commodité. Broque la retourne sous sa langue. Moitié conquis, moitié désolé. Dans quoi Malingaud va-t-il encore se fourrer ? Avec un mélange de consternation. Et de fierté. Il est contre. Mais l'idée ne manque pas d'un certain panache. Se dit-il. « Le monde indigo... » De toute façon au point où en est Malingaud... Qui lui dit que s'il pouvait se regarder à cette minute dans une glace, il verrait, toutes barbe et calvitie mises à part, la face de la plus déchirée *Mater dolorosa* des peintures.

Malingaud emploie ce qu'il appelle déjà le « titre » avec l'ivresse des parents prononçant le nom de leur nouveau-né. Qu'ils viennent de lui donner. Aussitôt prononcé, le nom et l'enfant ne font plus qu'un.

A ce moment le passage du monde portugais les atteint, œillets rouges levés. Comme si le Portugal venait offrir à toutes les cogitations de Malingaud l'éventail déployé en précipitation dans le temps de toutes les contradictions du monde indigo. Dans la brûlante évolution du monde indigo en général.

Ils passent. Ouvriers émigrés. Déclassés. Méprisés. Problèmes de vie et de mort, de mandats, de serrer la ceinture, de solitude, contraintes, vie divisée, arrachée. L'œillet levé les emporte dans une acclamation forcenée. Ce groupe d'hommes et de femmes brandissant des fleurs rouges dans le soleil devient le Portugal tout entier avec son vieux fascisme enterré. Malingaud n'écrit plus. Il regarde et se laisse porter. Derrière eux, un nouveau poivrot qui se trompe de monde chante « ma Tonkiki, ma Tonkiki ma Tonkinoise » et « mon Nanana mon Nanana mon Nannamite ». Je ne sais pourquoi cette chanson sort en toute occasion de la bouche des poivrots. Il se croit visiblement seul dans la ville. Et disparaît droit devant lui, repoussé par les gens.

Broque affirme qu'il entend des espèces de coups de feu. Assourdis. Dans leur dos. Depuis un moment. Quand les cris diminuent d'intensité. Entre deux groupes. Malingaud lui dit qu'il affabule. C'est des pétarades de juke-box. Je vais voir, dit Broque. Je te retrouve ici. Ne bouge pas surtout. Et toi ne va pas à la guerre, dit Malingaud. Tu vas te faire tuer. Il ajoute tout de même, on ne sait jamais, et que deviendrait l'Homme sans Ombre, et réciproquement : « Fais attention où tu mets les pieds. » Broque part droit dans la direction de ce qu'il appelle les « coups de feu ».

Malingaud ne tarde pas à l'oublier, fasciné par un voisin qui arrive tout au bord en bousculant tout le monde. Et qui fanatique, frénétique, bouleversé, rouge, suant, ému aux larmes, sa veste sur le bras, le col ouvert, la bouche en four, hurle les slogans qui passent en les scandant, les affirme, les assène, se fait voir, se fait entendre, brame, trépigne en mesure. Hors de lui. L'œil mouillé. S'étranglant. Rugissant. Eraillé. En ivresse totale de douloureuse approbation. Marquant le rythme des cris du bras. Un derviche. Un derviche de manifestation. Il y en a toujours un dans chaque. Pour le moment le derviche est en train de marteler « Halte à la - Répression. Halte à la - Répression. » Il soutient la manifestation de tout son poids. Il se porte garant de son bon droit. Il s'épuise. Il se donne. Quand il est sans voix et sur les genoux, il se retire, marche un peu. Et au premier cri qui l'exalte, il se recahote au premier rang avec sa cadence de hurlements et son visage fou d'adhésion.

Généralement le derviche n'est même pas syndiqué. Ni contestataire. Il a peur de tout. Il se tient à carreau. Il pense comme son chef. Il ne se permet de dénigrer que tout seul avec sa femme devant sa télévision. Et puis un jour comme celui-ci, avec peut-être un ou deux verres dopants, il explose, se donne en spec- tacle, se dépense. Avec d'autant plus de vio- lence démonstrative qu'il ne franchit jamais le fossé déterminant entre la haie immobile du trottoir et le boulevard en lancée de fleuve.

Un vieil homme à grosse moustache blanche presse le pas, canne en main, tout contre Malin- gaud. On ne sait pas avec qui il défile. Mais il défile. Le cou dans un gros cache-nez. Sans regarder autre chose que les dos de sa route. Tranquille. Assuré. Disparaît en tenant le rythme avec une certaine difficulté des jambes. Qu'il dissimule. Un père noble de Marivaux qui crierait « Pinochet, assassin ! Pinochet, assas- sin ! »

Sa vue superpose le père de Malingaud au monde indigo. Dans sa maisonnette de Bagno- let. Dans sa rue ventre à terre au milieu d'un pandémonium de tours, chantiers, hôtels, H.L.M. à vingt-cinq étages et bourbiers à Cater- pilars. Un père insupportable à vivre par excès de paroles. On ne se fait écouter qu'en montant à l'assaut. En pourfendant les mots avec des mots. Brandon de toutes les iniquités du monde à réformer. Et brandon de discorde à domi- cile.

Il vit avec sa seconde femme, Vincente. Son tremplin. Son fauteuil. Son capiton à amortir les mots. Une sainte, dit-on. Mais une sainte adorant son bourreau. Pour son bonheur, elle devient un peu sourde. Ou feint. Comme de beaucoup de sourds qui utilisent leur surdité à faire un choix dans les conversations, on dit d'elle qu'elle n'entend que ce qu'elle veut entendre.

Elle porte des grands pantalons noirs avec des grands chandails dessus. Elle cuisine, elle tricote, elle crochète, elle coud, elle nettoie, elle confiture, elle peint des fleurs et des légumes. Elle a le cou dans une minerve. Et elle donne des leçons de grammaire et de calcul aux petits qui n'arrivent pas à suivre les « nouvelles méthodes ». Dit-elle. Tous deux sont instituteurs retraités. Mais le prix de location de la maison, en proie à une ascension sur laquelle le propriétaire compte pour se débarrasser des occupants, les étrangle. Vincente se tourmente. Jules se déploie.

Jules Malingaud partage ses jours en deux. Le matin il bricole. Cloue, colle, pose, refait du neuf avec le vieux, peint. Et surtout se coltine avec sa vieille chaudière à charbon. Et avec sa vieille Peugeot. Qui lui sert une fois par semaine à mener Vincente au supermarché. Sa meilleure trouvaille : un bricolage particulièrement subtil du pot d'échappement à l'aide de fils de fer et de vieux morceaux de carton amianté fourrés dedans.

L'après-midi, il règne sur le monde. Au milieu d'un tas de journaux. Qu'il achète quoi qu'il arrive. Et dont le prix en escalade constitue une de ses inquiétudes. Alors il analyse et réfléchit. L'univers trouve là son pilote, son prophète, son sauveur et son juge.

Ce petit homme grisaillant porte en lui une idée maîtresse qui le géante. C'est un chercheur forcené, dont le but dans la vie se résume en un mot : la guerre. Il appartient à la race de ces rats de bibliothèque, de ces maigrichons cravatés chapeautés, de ces frêles lunettés enfermés dans des pages, et qui savent tout de Rimbaud, expliquent et comprennent l'aventurier-poète dont ils donnent la plus audacieuse des représentations. Toute leur vie vissés par leurs maigres fesses aux fauteuils des bibliothèques. Et pourtant ils savent. Un petit Rimbaud mort-né en eux connaît l'autre.

Jules Malingaud, lui, cherche le maître mot,

la maîtresse idée qui par la puissance de son évidence, obligera l'homme à renoncer au moyen-guerre. Il connaît son problème. Pourfend les pacifismes. Les non-violences. Les discours. Assume toutes les oppositions entre guerre imposée et guerre nécessaire, guerre d'impérialisme ou de colonisation et guerre de libération. Ne tombe dans aucun piège. Sinon le sien.

Qui est de vouloir trouver l'idée, la puissance, le moyen de mettre sous les yeux de l'homme une fois pour toutes la dernière chose au monde que l'homme consentira à regarder : la guerre en soi. Jules Malingaud veut, exige que les hommes cessent d'accepter la destruction physique comme seul moyen de règlement de leurs problèmes. Exploser la tête, couper les jambes, torturer, éparpiller les membres, bousiller le corps, le fendre, le couper, le brûler, le mutiler, bombe contre napalm et lance-flammes contre gaz, torpilles contre obus. Le corps, le corps. Comment l'homme de ce siècle au génie infini peut-il concevoir sans bouger que tout se traite au niveau du sacrifice des corps ? Dit-il.

Il faut trouver le moyen de rendre inacceptable la solution sauvage. Or à ce seul problème on reste aveugle et sourd. Le soulever même crée la dérision. A dessein. Il faut donc trouver le moyen, trouver la phrase, trouver l'idée, trouver la force de propagation et foncer.

Pendant cinq heures tous les après-midi, Jules Malingaud s'attaque à ce qu'il nomme la « raison du plus mort ». Il pourrait écrire dix volumes. Mais lui, à travers ses travaux, ne veut trouver que l'idée-levier. Elle existe. Il en est sûr.

Cette recherche fascine Malingaud. Qui n'éprouve pour son père aucun attendrissement, aucune ironie. Au contraire, il le guette, il l'observe, il l'admire, il l'écoute. Il se prête à la discussion. Il ne peut voir une image de désastre humain dans la guerre sans lever au fond de lui-même ce David de banlieue bricolant sa voiture en creusant des idées universelles.

Malingaud visite son père et Vincente le plus souvent qu'il peut. Malgré sa haine démesurée des banlieues. Des chantiers sans fin. Des « réalisations » où l'architecture s'en donne à cœur joie de bétonner les hommes. Et de les égayer à grands coups de belle vue du haut des vingt-cinq étages en tuyau. Avec au ras du sol des gadgets en tape à l'œil et de la matière plastique pour tobogganner les enfants.

Je ne sais comment expliquer en deux mots le comportement de Jules Malingaud vis-à-vis de l'univers. Disons que c'est un contre-ecto-plasme de manifestation, un contre-corsaire, un anti-Broque, un contre-Barilero. Un frénétique du contre-désappointement. Ou de l'indifférence.

Pourtant Jules Malingaud, si l'on réussit à éponger son flux de paroles, si on assume l'assommoir de sa volubilité, je ne voudrais pas trahir sa personnalité en omettant de dire qu'il est, selon le mot de son fils chaque fois qu'il en est éloigné, un merveilleux personnage. Ouvert. Encyclopédique. Compliqué. Mais dont la parole porte dans son fracassement de mitrailleuse un talisman à voir le monde de plus haut.

A sa dernière visite, Malingaud a trouvé son père en proie à une colère tonitruante contre les « gendarmes ». Tu vois ce que je veux dire ? Ils sont là sur le tas ou dans les salles de rédaction, en train de cracher dans un micro que c'est triste à Saigon, que l'Algérie il faut se la faire, qu'on crève la faim à Hanoi et qu'on fusille comme on se mouche, que le Portugal c'est l'anarchie, que Cuba c'est Moscou, que l'Angola c'est Lucifer, ainsi de suite. Ils sont déçus. Ils espéraient. Et puis voilà. Tous de gauche. Au nom des principes. C'est les marginaux des transformations de société. Qui mettent vingt sur vingt dès qu'un peuple fait la guerre pour son indépendance. Et zéro dès que l'indépendance fait son expérience dans le merdier. Et qui se répandent partout en dénigrant. Du jour au lendemain, il faut que partout, à les entendre, la démocratie et la liberté s'installent comme au royaume du Tendre. Des pays colonisés, des pays massacrés, des siècles à rattraper ! Et tous ces messieurs-bons-offices qui dégoisent leur désappointement. Tu sais ce qu'on devrait ? Tu sais ce qu'on devrait ? Leur couper la tête. En commençant par la langue.

Ce vociférant aux idées si ouvertes qu'elles enveloppent le monde sous un parapluie de mère Gigogne, n'a que ce mot à la bouche : couper têtes. C'est sa contradiction. Il a toujours une guillotine à portée de vocifération dans ses bagages de mots. Ses élèves en faisaient des gorges chaudes. Il les menaçait de « couper tête » au moindre manquement à l'orthographe.

« Toc toc », dit Vincente. En se cognant le front avec l'index. « Toc toc. » C'est sa manière de caractériser la bouillance permanente de « son Jules ». Comme elle dit. Dans le double sens. Quand un homme porte un prénom comme celui-là, on peut se permettre, sans tomber dans le piège des langages pourchassés par Vincente chez les jeunes, de les concurrencer en toute innocence.

Jules Malingaud a dit fièrement : « Ce matin j'ai nettoyé les bougies de la Vieille (c'est sa

voiture naturellement). L'essentiel est de véri-
fier l'écartement des électrodes avec une cale
d'épaisseur. (Il dit avec ravissement les mots
du vocabulaire-voiture.) Tu sais ce que c'est
qu'une cale d'épaisseur ? Non naturellement.
Les gens comme toi ne savent rien. Eh bien,
c'est un petit canif spécial avec des lames dont
l'épaisseur augmente en centièmes de millimètre. Demain matin je ferai ma vidange avec
des huiles compactes. Pour compenser l'usure
des chemises. (Il dit le mot chemises avec un
plaisir spécial.) Tu verrais la Vieille. Elle ronronne ! Elle ronronne !... »

Il est évident que Malingaud ne se rappelle
pas avec exactitude un seul des mots que je
viens d'écrire. Et dont il ignore le sens. Mais
sa mémoire en vadrouille reconstitue le climat
des choses. Du reste il n'a pas cessé pendant
cette visite éclair de faire sentinelle. Tout en
ressentant à l'égard de son père ce respect, cet
amollissement qui ne l'envahissent pour aucun
autre.

Couper têtes. Il revient de loin sans avoir
cessé de guetter au bord du fleuve. Et cherche
Broque. Plus de Broque. Hausse sa bosse. Où
cet abruti est-il allé se fourrer avec ses coups
de feu à la godille ?

Broque est en train de vivre un moment
inouï. On l'aurait collé au trottoir qu'il ne serait
pas figé davantage. Il ne hoche ni ne tire sur sa
pipe. Il est cloué. A tous points de vue.

Il avait raison. Ça tire dur à proximité de la
rue du Faubourg-Montmartre. Stanislas Lagrenée et le soldat démasqué Paul Lorrain se
tiennent derrière Broque dans la foule. Pétri-
fiés eux aussi. Et dénigrants. Pas Broque. Il
regarde dans la jubilation des jubilations de la
ricane. Il ne sait pas qu'à cinquante centimètres
derrière lui se tient ce certain Stanislas Lagre-

née. Dont le père au même moment habite avec cette chère Cramponne — chère en tout cas à Malingaud et à Broque — une bulle de silence dans un café proche. Ce n'est là qu'un échantillon de ces écheveaux d'hommes, si embrouillés. Dont parle la grand-mère Arsène. Des rencontres se font partout. Sans qu'on le sache. D'ailleurs si on le savait, dans la plupart des cas qu'est-ce que ça changerait ? Ça animerait...

Coups de feu. Coups de feu. Cris. De désappointement ou de joie. Petits coups qui pètent sec. Comme s'ils sortaient d'un silencieux mal réglé. Il fallait que Broque ait l'oreille affûtée pour entendre dans le chœur ces fusillades miniatures.

Le hall, la salle, le lieu, comme on voudra, s'ouvre comme une boutique sans vitres sur le boulevard. Une salle de jeux, pleine de flippers. Qui clignotent, claquent, pétillent. Cris de jeunes gens. La manifestation qui passe ne les arrache pas plus à leurs ébats que les vendeurs de jupes à leur petit commerce. Ils jouent.

Devant Broque se tient un jeune homme. Dans la rue. Revolver en gaine. Dans la pose classique du cow-boy aux aguets. Qui va tâcher de dégainer plus vite que l'autre en face. Cinéma total. Jambes écartées. Mains ouvertes à courte distance des cuisses. Œil furieux. Un shérif de western en action.

Le jeune homme : grand frisé que le printemps surprend en veste de mouton. Complètement débile, dit le soldat Paul Lorrain. Regarde, regarde ! dit Stanislas. Broque s'écarquille.

Face au tireur d'élite, tout s'éclaire. Surgit un cow-boy avec tous les attributs. Veste de peau, cuissards de peau, franges de peau, bottes à éperons et talons, chapeau, l'air d'avoir chevauché longtemps dans les collines. A cheval. Superbe cheval pétaradant. Il voit le jeune homme sur le boulevard. Aussitôt il dégaine, il tire. Mais le jeune homme est un vieux de la vieille. Il a dégainé plus vite. Il a tiré. Il a tué. Le cow-boy s'écroule, pissant le sang. Du vrai sang. Le cheval s'abat. C'est effrayant. Exactement comme dans un western. Jusqu'au sable qui se lève en poussière et au sang qui éclabousse tout. Tellement vrai, que Broque a eu un petit sursaut au moment où le cow-boy pointait son arme.

Naturellement c'est en Technicolor. Naturellement le cow-boy est un cow-boy de cinéma. Mais grand écran, moitié aussi grand qu'un écran de cinéma. Il arrive aussitôt un autre cow-boy. Dans un bar cette fois, un saloon, ou ce qu'on voudra. De toute façon pour cinq francs on a le droit de tirer cinq fois. Un franc la cible. Le jeune homme en posture de shérif Burt Lancaster ou de chasseur de primes Terence Hill, manque de pot, se fait avoir, comme un bleu. L'autre dégaine trop vite pour lui. Que va-t-il se passer ? Le cow-boy d'écran fait un beau sourire. Salue. S'en va. Et le troisième apparaît. Celui-là se fait descendre aussi sec. En beauté. Traverse la fenêtre en saignant comme un porc. Les vitres en éclats. Va tomber dans la rue. Liquidé. Ainsi de suite.

Stanislas Lagrenée et Paul Lorrain s'éloignent après s'être regardés, le soldat l'air navré. Comme si les petits jeux de la société de consommation venaient de leur faire une démonstration. Le soldat Lorrain dit : « Bande de petits cons !... » Stanislas répond : « T'as vu l'écriteau ? " Venez contrôler vos réflexes ! Vous avez droit à cinq desperados ! " Desperados... C'est fabuleux !... » Stanislas comme à l'ordinaire se divise entre le constat de l'époque, et une certaine jubilation des roue-ries de la société de con, société de con, société de consommation, dit le soldat. On n'en croit pas ses yeux ! Et le desperado raté qui fait un grand sourire avant de partir !... C'est drôle-ment bien fait !

Broque regarde sourire ou se faire descendre quelques desperados par quelques petits gars. « Celui-là je l'ai bien eu. » « T'as vu comment que je l'ai descendu ? » « Et pourtant il dégaine vite fait, c'est pas du boudin. » Broque refend. Son carnier plein.

Mais Malingaud, une fois constaté d'un coup de tête son retour, lui fait signe de regarder. Quoi ? Broque ne voit rien de spécial. Il dit : « Y a un desperado qui vient de se faire des-cendre. » « Toc toc », dit Malingaud en se frap-pant le front comme Vincente pour son Jules. Merveilleux de voir courir les mots d'un homme à l'autre et se réincarner. Ce moyen de commu-niquer ne sert pas à grand-chose. Mais il fait un petit nœud intéressant.

Il ne se passe rien dans le torrent. Constate Broque. Sinon que ça roule, ça croule, ça déboule, la crue, ça déferle, ça claque, ça enva-hit, ça inonde, ça engloutit. Rang par rang. Groupe par groupe. Ça devient obsédant, tam-bourinant, tous ces visages troués de cris, ces mains, ces drapeaux, ces inscriptions, ce raz de marée. Qui dure.

Le soleil invisible n'envoie plus d'éclats. Le jour se grisonne. Les fenêtres des immeubles font des trous noirs rectangulaires. Il fait froid. Les lumières des cafés s'allument. Mais rien ne s'arrête, rien ne s'immobilise. La bousculade croît. La manifestation aussi. Les cris. Les appels. Les musiques. Les chansons. Ciel gris-bleu.

Et au lieu d'atténuer, d'adoucir, de diminuer

la force du passage, le soir qui s'insinue décuple la vitalité du boulevard et de la manifestation. Ceux qui sont partis tard derrière leurs banderoles ont des tonnes de dynamisme à dépenser. Excédés de piétinement, debout depuis des heures, pleins de bouillonnements refoulés, ils arrivent là tout neufs, de plus en plus vivants et multiples, de plus en plus criant et chantant et courant et fonçant. Des ouvriers en masse. Des usines des usines. Des usines en syndicats, des usines en grève, des usines en occupation, des hommes en travail, des hommes en chômage, des femmes, des femmes, des jeunes gens, des masques, des ballons, des costumes, des drapeaux. Tous les pays encastrés dedans. Et en action. Et halte à la répression. Et ça fonce et ça fonce, ça grouille. Le mouvement en avant. Les usines les usines. Malingaud dedans, qui ne pense plus à rien, qu'à se remplir, se remplir, se laisser envahir par ce torrent d'usines, de bâtiments, de bois, de verre, de peinture, d'électricité, de chemins de fer, d'électronique, de béton, d'acier, d'avions, de cuir, de machines-outils. L'ossature majeure de ce serpent de foule, l'âme de ce monde indigo. Les lointains sont bourrés, le boulevard est bourré, la foule est bourrée. Malingaud ne note plus, ne parle plus. Il se dit simplement que c'est la manifestation du 1er mai. Qui passe. Tout ce chemin. Pour en arriver à cette constatation. A travers mille autres et le monde indigo. « Le monde est simple », dit Cramponne. Qui doit être la seule à le penser.

Il ne s'est pas écoulé plus d'un quart d'heure depuis que Cramponne et Lagrenée se sont assis. Ils commencent à récupérer. Toujours sans se parler. Ils en sont à leur deuxième demi. Mais à la multiplication des regards. Ou sourires de connivence. De petites phrases leur tombent dessus de partout pour faciliter ce croisement d'yeux. Des tables voisines de la leur. Du comptoir. Des gens qui passent avec difficulté entre les tables. Rien ne peut les unir davantage que cette conversation sans mots. L'échange muet. Les expressions. La communauté de réflexions des yeux qui cherchent chez l'autre un écho qu'ils trouvent. Les yeux de Cramponne pétillent et s'esclaffent. Ceux de Lagrenée braquent une chaleur.

Deux élèves de l'Ecole dentaire discutent dans la morosité d'un examen. Où les molaires ont joué un rôle. Majeur. On entend molaires. Molaires. Prémolaires. Sur fond de boulevard-café-manifestation. Molaires. Chacun sa préoccupation. Molaires. Un groupe de jeunes gens n'arrête pas d'envoyer le plus grand, une espèce de ficelle à tête narquoise, mettre des pièces dans le juke-box. Pleins gaz. Certains se bouchent les oreilles. Mais un peu plus un peu moins !... Et pan pan pan et pan pan pan. « Je suis ta sorcière bien-aimée. » Tenez le rythme. Et pan pan pan et pan pan pan. « Je suis née sur la planète d'amour. » Et pan pan pan. « J'ai trouvé un soleil sur cette terre... » Pan pan pan. Rythme ho-que-tant. Ma sorcière bien-aimée. Sylvie Vartan. Pan pan pan. Ça tapote. Ça hoquette. Ça tape du pied. Ils dodelinent tous de la tête. Ce sont des hors-manifestation. Ou des en repos de manifestation. Ils ressemblent à des pendules gais.

Haussant le ton pour s'entendre, un groupe d'hommes au comptoir se bat de la langue à propos de vignettes autos. Cramponne et Lagrenée bénéficient de l'aventure corse de la vignette. Et comment que les Corses ont su s'en tirer ! Ils l'achetaient pas. Les Corses. Alors ils avaient des amendes. Enfin pas tellement,

quand c'est des gendarmes corses. Ils font surtout payer les pinsutus (prononcer pinsoutes),
les étrangers, quoi ! Alors les Corses ils ont
fondé une mutuelle. Pour payer les amendes.
La cotisation à la mutuelle, c'était la moitié du
prix de la vignette. Alors le gouvernement il a
compris. Finalement les Corses ont gagné, on
leur a mis une vignette à moitié prix !... « Je
suis ta sorcière bien-aimée ! » Pan pan pan,
pan pan pan... La planète d'amour... Pan pan
pan, pan pan pan... La molaire, la molaire !...
La vignette, la vignette. « Et pourvu qu'ils
fassent pas péter ma petite maison !... Ils y vont
pas de main morte, les Corses. Ils en mettent
pour une villa de quoi faire sauter l'île. » « Moi
je m'en fous, ma femme est corse. »

Cramponne s'amuse. Lagrenée rit. Leur
silence commun englobe la folie des paroles
greffée sur l'enfer du bruit. Pointé dans le vrai
silence autour de Julie et du camélia. Elle
mourrait ici, pense Lagrenée. Les plateaux des
garçons volant là-dessus. Et il arrive tout le
temps des paires, des trios, des quatuors pressés. Qui tous évaluent le monde dehors. « Cinq
cent mille je te dis ! Tu te rends compte, la
fin est pas encore partie !... » « En tout cas plus
de cent mille. » « Trois cent mille tu verras ! »
« Ils l'ont dans le baba !... » « Ça va pas leur
faire plaisir !... »

Et sur la droite, quatre jeunes ouvriers. Qui
crient à un cinquième : « Par ici la section du
XIIIᵉ ! » Du Parti Communiste. Ils s'asseyent
quasi sur Cramponne, sous le potiron, en disant
« pardon, la place est chère ». Cramponne se
pousse. Ceux-là les ont complètement submergés. Ils voudraient dire un mot qu'il faudrait
crier. Un blond à cheveux très longs, bien que
la mode en passe, ne cesse de s'inquiéter à propos de Jean-Pierre. Qui est à l'hôpital. C'est un

gosse. Il s'est fait prendre comme un bleu. Et ils se mettent tous à se moquer d'un petit qui ne sait pas ce que c'est qu'une meule au corindon. C'est pas sa faute. Il est toujours accroché le nez sur un mur à se tenir à la corde. C'est comme ça les peintres en bâtiments. Ils pendent et ils chantent du Tino Rossi. « C'est tout à fait ça, dit le petit. T'as raison. Sauf qu'en plus on fait les pieds au mur. Alors qu'est-ce que c'est une meule au corindon ? » « T'as jamais vu des étincelles jaunes ? Dans un garage ou n'importe quoi ? Pour ébarber des ferrailles qui ont déjà été soudées avec la soudure à l'arc ? C'est pas dangereux. Mais la soudure à l'arc c'est terrible. Si tu poses seulement les yeux, t'attrapes des yeux comme ça, t'as l'impression d'avoir du sable sous les paupières. Avant, Jean-Pierre travaillait dans un garage. Qui a fait des compressions de personnel. Il est toujours dans la lune, là il a pas fait gaffe. Il a fait de la soudure à l'arc. Hop ! avant qu'on ait le temps de l'arrêter, il avait pris le coup ! Il est amoché. C'est la faute au patron. C'est toujours la faute au patron. Il avait qu'à le mettre en garde... » Ensuite ils parlent d'un grand brun. Qui fait Sciences Po. Et travaille comme ouvreur le soir dans un cinéma. Il dort debout. Il va caler. Il a nagé pendant vingt jours dans *Les Petites Anglaises*. Y a de quoi se flinguer. Comme une des filles adore le film ça barde. Avant qu'ils rejoignent. Et pan ça recommence ! « Je suis ta sorcière bien-aimée ! » Et pan pan pan. Et pan pan pan. La meule au corindon. La vignette corse. La molaire. La sorcière. S'asseyent un monsieur et une dame. Imperméables. Silencieux. Fringués. On se demanderait ce qu'ils viennent faire si le boulevard n'envoyait pas ses émissaires. La dame porte un pendentif avec un camée. « Je suis ta sorcière bien-aimée. » Et pan pan pan. Et pan pan pan. Ils ne bougent pas. Ils ont l'air vaccinés. « Il faudra passer chez Mathilde. » Dit la dame. « Y a tout le temps. » Dit le monsieur. Plus tard : « Je t'assure qu'on devrait quand même passer chez Mathilde. » Lui : « Si tu y tiens absolument, on passera chez Mathilde. » Ils paient, cherchant des pièces, ça va plus vite. Disent que le pourboire est compris. Et vont chez Mathilde.

Dos à dos avec Lagrenée vient de s'abattre en trombe pour ne pas se laisser faucher les chaises, une autre équipe qui porte en macarons : « Je suis communiste pourquoi pas vous ? » Ils encadrent une blondinette pas d'accord. « Je trouve ça d'un con !... Moi je suis sténodactylo pourquoi pas vous ? Je suis chrétien, pourquoi pas vous ? Qu'est-ce que ça veut dire ? » « Moi je trouve ça bien. » « Moi je trouve ça con. Ce qui compte c'est les arguments politiques, c'est pas la propagande. » « Pourtant ça marche. » « Mais qui tu recrutes, qui ? Les mêmes que Changez de tenue changez de Kelton ? On trouve tout à la Samaritaine ? » « Toi t'es toujours d'accord. » « Toi t'es toujours à pignocher. » « Je suis ta sorcière bien-aimée, pan pan pan pan pan pan... » Ils scandent. Ils aiment. Ils caltent. Rattraper le groupe.

Pour finir, Cramponne et Lagrenée, envahis sur la droite, sont plongés dans un monde de fantaisie. Une fille à carreaux jaunes et bleus, à figure de poupée au centre d'une toison cuivrée, essaie de convaincre un grand blond de l'accompagner à l'école du cirque. Le grand blond dévore les paroles et la fille à carreaux. Et il a des hésitations. Sur le reste. Il dit qu'il n'a aucune intention de devenir clown. Moi non plus imbécile !... Ecoute-moi !

Cramponne et Lagrenée perdent le début de la suite à cause du départ en fusée d'une nouvelle édition de « Pan pan pan... Je suis ta sorcière bien-aimée... Pan pan pan... J'ai dû me faire un jean de sable et un tee-shirt d'écume... Pan pan pan et pan pan pan » et hoquetant « Ton patron ne pourra plus t'embêter, je l'ai changé en oiseau mécanique » et pan pan pan au refrain « Je suis née sur la planète d'amour »... La ficelle à tête narquoise s'apprête à remettre ça quand les filles s'interposent. Elles se lèvent pour chercher autre chose. Et trouvent ce qu'elles aiment. Si je comprends bien c'est une femme qui rêve que Tarzan est derrière la porte. Ça sucre. « Tarzan est heureux. Plan plan. Tu t'accroches à ses hanches tellement fort, plan plan, que les veines de tes bras en sont bleues, plan plan... Tarzan est heureux. Plan plan... » Serge Lama.

Cramponne a le fou rire. Lagrenée la suit. La vignette, ça continue. La molaire aussi. Tout le reste a changé. Tarzan est heureux. Plan plan. Ils rient à ne plus rien entendre. Et pourtant sur leur droite la fille à carreaux jaunes et bleus continue entre les Tarzan et les sorcières, à enjôler le grand blond tout à ses paroles et au reste. Elle dit qu'il fera de l'acrobatie. Que ça coûte très peu. Du jonglage, du mime si tu veux. On fait même du fil. Les profs sont formidables. C'est des acrobates professionnels, ils viennent du cirque, ils parlent toutes les langues des pays où ils sont allés en tournée. Ce que je fais moi ? Je fais des équilibres. Je fais des courbettes, des flip-flap. Et des claquettes. Ça il faut acheter les souliers. Fins. Avec des morceaux de fer. Mais c'est chouette. Viens, c'est chouette, tu verras ! Y a même des cours sous chapiteau ! C'est pas loin, c'est avenue Marc-Sangnier, porte de

Vanves ! Aujourd'hui dans le théâtre il faut savoir tout faire ! Et même si tu t'en sers pas, tu verras ce que ça te donne comme aisance ! C'est l'école d'Annie Fratellini. Viens, c'est formidable ! J'ai mal partout mais je fais des flip-flap les doigts dans le nez. « Je suis trop grand », dit le garçon. « Ça c'est vrai, les gens du cirque ils sont tous un peu ras les pâquerettes. Mais toi tu viens pas pour faire du cirque. Tu viens pour apprendre à bouger !... »

Flip-flap. Tarzan est heureux. Plan plan.

Cramponne essuie ses yeux. Lagrenée l'a regardée rire. Elle a un rire sourd éclatant. Comme sa voix. Et des mains fortes. Comme elle. Avec des ongles coupés court. Sans vernis. Très soignés. Drôle de fille. Les deux têtes en baiser se carambolent sur le tee-shirt. Une légèreté fait baigner Lagrenée. Dans le plaisir. De tout. La sorcière bien-aimée. Tarzan derrière la porte. La vignette corse. La molaire fatidique. La meule au corindon. « Je suis communiste pourquoi pas vous ? » La visite à Mathilde. La fille aux flip-flap à l'école des clowns. Le café, les manifestants pressés de repartir dans leur monde. Les garçons survoltés. Le grand rideau mouvant de cris derrière son dos. Tout. Sans oublier le fameux potiron sur le mur. Et la glace qui projette vers lui la manifestation intérieure des assoiffés. Un univers brûlant où son feu de bois crépite. Et où la singularité de leur silence crée une petite maison où ils se lovent. Et vers laquelle les gens s'égrènent. Un par un. Un par un. Chacun avec son monde, se dit Cramponne. Qui pense à Malingaud. Toute la foule d'hommes un par un. Qui disent leur nom.

Quelque chose laisse prévoir que leur temps de pause est passé. Qu'il faut partir. Lagrenée en éprouve une amertume. Il sait qu'il a vécu un moment de grâce. Qu'il n'oubliera pas. Il regarde Cramponne. Elle se recoiffe avec un petit peigne noir. Sans défaire sa barrette. Qu'elle ajuste. Elle arrête son bras, le peigne en l'air. Et lui sourit de toute la bouche. Un sourire chaleureux. Avec des coins de lèvres creux et une fossette bizarre au coin droit du nez. C'est au moment où il répond à ce sourire de tout son sourire, que quelque chose en eux commence à s'enrouler. Aussi tranquillement que leur rencontre a commencé. Le sourire enchante Lagrenée.

C'est le sourire-Joconde de Cramponne. Dirait Barilero. Il est en train de jouer le père parfait avec ses enfants. Il a les bras sur leurs épaules. Ils sont assis par terre sur un tapis d'ours.

Devant eux s'étale sur un carré de contre-plaqué tout un village lapon. Avec des rennes, des motos, des marmites, des costumes brodés, des chiens, des traîneaux, des fourrures, des fusils, des phoques, des pingouins, des poissons, du feu. Les enfants font un puzzle. Extrêmement compliqué. A petits points de broderie. Rapporté à leur père pour eux par un ami norvégien. A chaque pièce qu'ils placent ils poussent des cris. Le phoque ! Le phoque ! Pendant que France prépare un « dîner simple ».

Comme toujours au soir des jours de congé, elle est sur les genoux. Son efficacité l'astreint à une activité ininterrompue. Avec un peu de vague à l'âme. Qui l'atteint depuis quelque temps. Elle a l'impression de se dissoudre dans l'espace des journées. Et de ne plus jamais se rencontrer. Barilero lui crie qu'il est bien. Elle dit : « Parfait. » Et enchaîne. Ils reprendront la route à minuit dans l'espoir d'éviter la ruée.

Du reste Barilero ne joue pas. Il cultive ses

moments de famille avec un plaisir réel. Il se sent vraiment bien. Au repos nécessaire. Tout tourne dans l'huile. Heureux. Tous problèmes de travail écartés. Agréablement disposé à tout pour plaire. Et jouissant de ses prérogatives de père et de mari avec satisfaction. Tout tourne bien, tout tourne rond. Il se berce dans des rêvasseries agrémentées de Lapons. Le phoque ! Le phoque ! Il se sentirait presque dans les fourrures du traîneau, avec un horizon infiniment blanc entre des bois de renne. Il se repose avec conviction et tout entier. Et se reverse un whisky. Léger. Din cloc. Tout tourne bien, tout tourne rond. Et Satan conduit le bal. Se dit-il avec un petit salut intérieur à ses amis. Tchin ! Din cloc.

Je traîne autour de ce sourire entre Cramponne et Lagrenée. Eux aussi. Il y a parfois dans les rencontres de hasard une sensation de presque douleur à les voir sur le point de mourir. On se trouve avec un inconnu. Ou une. Quelque chose se passe. Une cohabitation courte à l'intérieur d'idées communes ou opposées. Deux morceaux de puzzle faits pour s'ajuster. Qui se rapprochent. Se constatent. Et s'en vont chacun de son côté. Combien de fois n'ai-je pas regretté presque avec amertume une rencontre arrêtée par le temps de rigueur d'une soirée chez des gens ? Ou par un train qui s'arrête ? Ou par les cheminements désignés de la vie ? Il faut toujours se restreindre aux conventions d'enfermement que les hommes ont créées. On connaît. Ou on ne connaît pas. Et ce qu'on ne connaît pas, la société vous donne peu de moyens d'y entrer. Ou alors dans les mondes marginaux où les va-devant-soi marchent à la rencontre des mêmes. Mais comme ils finissent par s'enfermer entre eux, autant vaut le monde où nous sommes. Et foncer dans les murs des gens avec un marteau-piqueur. Rien qu'à entendre ça ils commencent déjà à se recroqueviller.

Le naturel de Cramponne et la tranquillité de Lagrenée facilitent leur rapprochement. Sans passé, sans avenir, sans connaissance même de leurs noms, ils commencent à s'assembler. Et sans qu'ils aient à préciser cette pensée, l'éventualité d'une séparation rend leurs mouvements hésitants. A partir de ce moment, quelque chose les noue l'un à l'autre. Il ne faut pas qu'ils se séparent. Cela se sent dans leur façon d'être. Il est évident que leur station au café a assez duré. Qu'il va falloir se lever. Qu'ils repoussent cette éventualité. Qu'ils ne peuvent prolonger cette situation : « Si on y retournait ? » dit Cramponne.

Le « on » donne des ailes à Lagrenée. Qui appelle le garçon. Il paie, sans penser à rien. Cramponne n'intervient pas. Elle connaît les usages de tous les mondes. Avec les gens de son âge, chacun son écot. Avec Broque, Malingaud et Barilero, tout dépend des circonstances de chacun et des siennes. Avec Lagrenée, elle se laisse faire sans la moindre velléité. Ça lui paraît une trop petite chose, cette histoire de payer ou pas payer ou se faire payer, pour entrer dans des considérations imbéciles qui gâcheraient tout. Elle reste immobile d'instinct. Sans l'ombre de ce raisonnement.

Quant à Lagrenée, il n'est sensible qu'au « on » de Cramponne. « On y retourne ? » Ils ne vont donc pas se séparer. Sa fascination s'irise de facettes pétillantes. Il se sent magnifiquement bien. Il regarde le café, en écartant la table pour permettre à Cramponne de sortir, avec un œil circulaire plein de chaleur et d'insistance. Si quelqu'un voyait ce regard sans savoir à quoi il s'adresse — ce café bourré, sale, écumant de bière et de paroles mélangées, de pan pan pan et de cris du dehors et du dedans — il croirait voir un adieu à un frère. Une amitié, une nostalgie, presque un regret, un salut à quelque chose qui a joué son rôle, qui a compté, qui a favorisé un de ces moments que Cramponne appelle des « moments d'or ».

Elle aime l'or. Elle n'en possède pas. Elle n'a même pas l'idée d'en convoiter. Elle porte au poignet une montre de plongée. Dont les aiguilles lumineuses lui disent une petite heure qu'elle aime à voir luire la nuit et à agiter dans l'air de la chambre. Mais elle aime l'or. Et les moments d'or. Que dans sa vie elle compte sur ses doigts. Pour qu'ils soient d'or, il faut qu'ils dépassent de cent coudées, de mille lieues, de mille feux, les bonheurs ou plaisirs de la vie ordinaire. Même s'ils ne durent qu'une seconde. L'apparition du marchand de lacets à Aubagne a peut-être été pour Cramponne le premier de ces moments d'or.

Ils mettent le pied dans le chien et loup du boulevard. Tout a changé, sauf la clameur. La foule marche, marche, se croise, c'est le Juif errant éparpillé. Qui marche, qui marche, qui marche. Ça sent la praline et le marron.

On les plaque contre les immeubles. Ils se trouvent en face d'un homme tout vert en tenue de montagnard tyrolien. Plumes au chapeau. Molletières. Assis à une table de bois, à côté d'une grande roue qui tourne. C'est un restaurant. En pleine Autriche. Il fume une grosse pipe coloriée. Il attire le client. Il manquait au boulevard cet Autrichien d'opérette assis en costume au milieu de la furie. A côté des affiches sur chevalet du musée Grévin.

Ils se tirent par la main vers la chaussée. La vie du soir multiplie ses lumières de tous les côtés. Cafés, restaurants, cinémas, fenêtres, vitrines, tout tranche, tout clignote, tout rutile, avec des trous ouverts et lumineux, des ombres chinoises sur fond de lampadaires aux fenêtres. Ça foisonne de feux de toutes les couleurs d'électricité. Le ciel disparaît. Tout le fleuve est devenu violet-bleu des mers du Sud. Et le torrent grondant hallucine. Il ressemble à cette rivière nommée la Loue qui baigne le jardin de la maison de Courbet à Ornans, au pied des falaises. Qu'il a peintes comme elles sont. Et qui sont devenues un Courbet. Comme il est.

Les maisons endormies au bord. Toute la ville. Les rives. Et une eau vivante, déchaînée, pressée, fonçant encaissée dans cette immobilité et précipitant son cours furieux à travers la ville.

Le torrent d'hommes s'encaisse ici et fonce, fonce. Le même, le même, le même. Il s'engouffre en amont dans un lointain violet tumultueux presque invisible. Dont on ne voit pas la fin. Il s'écoule en aval vers un grossissement de lumières. Il crie plus fort dans le crépuscule.

Mais à peine se sont-ils propulsés au premier rang, au moment où viennent de glisser comme des oiseaux ronds toute une forêt d'ombrelles revendicatives chargées d'inscriptions. A peine se sont-ils immobilisés que le spectacle sur la chaussée soulève autour d'eux un chœur d'ovations, de rires, de cris, de colère, d'approbation, de joie. Sans oublier quelques stupéfactions si pétrifiées qu'on les voit entre elles s'interroger. Une ricane s'installe. Recouverte par une frénésie. Des rires. Emportés par les cris.

Un couple d'une quarantaine d'années, vêtu de sport sport sport, du genre nous-nous-maintenons-en-forme, bien frais, les ouïes bien rouges, dirait la grand-mère Arsène, visiblement et ostensiblement situé quelque part dans le monde indigo, pétille d'indignation. « Non mais pince-moi. » « Ecoute, écoute ça !... On n'en croit pas ses oreilles !... » « Surtout dans une manifestation ouvrière. »

Un déboulé de femmes. Des femmes, des femmes, des femmes. Peu de gars. Tout au moins pour le moment. Des femmes. Surtout des femmes jeunes. Des filles, des tas de filles, des belles, des laides, des grosses, des maigres, des excitées, des calmes. Certaines avec des gosses. Dans des costumes d'époque.

Parmi elles une grande mince. En veste et pantalon vert laitue. Superbe. La crinière blonde soulevée. Elle lance ses cris à droite à gauche, rit, provoque, danse toute seule. Et fait converger les regards. C'est un premier rôle.

Déchaînées. Jetant leurs cris à la face des gens comme des claques. Et en même temps riant. Et en même temps agressives. Et ravies. Et donnant de la voix de toutes leurs forces. Avec un mélange de cris, d'inscriptions, de banderoles, d'écriteaux qui font lever dans la foule tous les rires, sarcasmes, applaudissements mélangés.

Elles demandent des crèches gratuites vingt-quatre heures sur vingt-quatre. Elles crient « sexisme, racisme, y en a marre ». Elles hurlent : « Avortement, contraception, loi bidon. Nous n'avons pas de pilules !... »

Elles crient : « Chômage, famille, patrie, y en a marre ! » Elles indignent les plus vieux en empruntant l'air du Chant des Déportés pour y coller « des paroles du M.L.F. », dit une femme. C'est vrai. Sur « O terre de détresse, où nous devons sans cesse, piocher », elles mettent des paroles à elles. « On ne touche pas à ça. » « Pourquoi donc ? On a le droit de toucher à tout pourvu que ça serve ! » dit l'autre. « Pas à ça, pas à ça ! Pas à ça ! Pas à ça !... »

Elles continuent à déferler. Y en a, y en a !... Toute la foule a rappliqué, même le boulevard. C'est une curiosité et un spectacle de choix. « Pas de révolution si les femmes restent à la maison ! » Certaines portent leur gosse au dos. D'autres à cheval sur la hanche. Il passe toutes sortes de maternités endiablées. Toutes sortes de beautés du diable, déchaînées. Toutes sortes de toutes les sortes de chevelures, de seins, de jambes. Et gai gai gai. Et furieusement. Et toutes ensemble. « Travail, famille, phallus, y en a marre !... »

Les costumes de sport en ont le souffle coupé. Furieux. Fascinés. Leur colère va plus à la foule qu'aux femmes. Aux deux.

La foule se défoule. Elle est enchantée. Elle rit. Elle applaudit. Elle dérisionne. Elle ovationne. Tout le boulevard a rappliqué comme un seul homme. C'est bien le cas de le dire. Tout content. Tout joyeux. Tout ricanant de se voir cloué au pilori. Et jouant dans un certain dandinement satisfait le rôle même qu'on est en train de lui donner. Des viragos, des viragos. Des insatisfaites. Des refoulées. Disent les costumes de sport. La foule s'amuse et dit que ça ne fait de mal à personne. Ça fait même plutôt du bien. Ou alors elle hausse les épaules.

« Viol de nuit, terre des hommes. » Elles s'adressent aux femmes, les convient. « Je suis une femme, pourquoi pas vous ? » « Toutes nées d'une femme. » « C'est des lesbiennes », dit le costume de sport femme. « C'est des gouines. » Dit le boulevard. Un corsaire renâcle : « Qu'elles réclament donc à travail égal salaire égal. Mais non ! Le cul, toujours le cul !... » « Y a une petite rouquine, je me ferais bien violer », dit le boulevard. « Je suis une femme. Pourquoi pas vous ? » « Je leur montre pourquoi ? » dit le loustic. La foule rit à gorge déployée. Hou hou !... Bravo bravo !... « Toutes nées d'une femme ? » « Montrez donc votre queue ! » Qu'est-ce qu'il faut entendre ! dit la foule choquée-riante. « Sans elles, y aurait pas eu l'avortement légal ! » Dit l'une. « La chien-lit ! » Dit l'autre. L'un la classe ouvrière est avec vous !... L'autre la classe ouvrière s'en fout.

La foule animée, divisée. Rires. Et un nouveau derviche applaudi par les femmes hurle à s'arracher la gorge que oui oui oui, en cadence, travail famille phallus y en a marre !... « Coupe-le-toi », dit le loustic. Déchaînement. Folie. Applaudissements et curée.

A la fin elles commencent à crier quelque chose comme « Elections, pièges à cons » ou « piège à la con ». Le costume de sport, soulagé, dit « C'est des gauchistes ». Cramponne rit. Mais la costume se pince le visage, fait une bouche en rond, et dit : « Tu te trompes, tu te trompes, c'est pas élections qu'elles disent. C'est érection. » « Oh ! écoute je t'en prie !... » dit le costume. « Tiens, écoute si je mens !... »

Elles crient : « Erection, piège à con. » Le loustic dit qu'au sens exact, c'est bien le cas de le dire. Elles continuent à crier gaiement agressivement : « Erection, piège à con !... »

Cramponne et Lagrenée, enfoncés dans leur commune station, conversent des yeux. Rieurs. Cramponne a même un petit aller et retour vers la grand-mère Arsène. Qui ne dirait pas « Les pauvres bêtes !... » Comme la foule ou approximativement. Non. Elle dirait : « Si les hommes n'étaient pas comme ils sont, les femmes n'auraient pas besoin de gueuler des bêtises pour se faire entendre. »

Quant à Lagrenée, virée éclair vers le camélia et Julie. Julie ? Avec sa façon naïve et généralement maladroite de « tout comprendre » des « jeunes », de refuser toute allusion aux « querelles de génération » et de croire qu'en revêtant sur-le-champ tous les habits d'idées qui se présentent, elle est « de son temps », elle trouverait une formule pour concilier sa pudeur spontanée et les façons de parler carrées. Elle dirait : « Toute question d'outrance mise à part, ce n'est pas inopérant. »

Ce qui ferait dire à Broque, s'il connaissait Julie : « C'est curieux, depuis quelque temps, la formule positive a disparu. As-tu remarqué ? On ne dit plus : c'est intéressant. Mais : ce n'est pas inintéressant. On ne dit plus : ça sert. On dit : ce n'est pas inopérant. On ne dit plus : il a du talent. Mais : il n'est pas sans talent. C'est une des manies restrictives à la mode dans ce monde hargneux et sinistrosé. Tu ne trouves pas que ce n'est pas sans justesse ? Ce que je viens d'énoncer ? Qui n'est pas sans pertinence ? »

« Viol de nuit. Terre des hommes. » Lagrenée a beau évoquer le couple Julie-camélia, il ne crée pas de lien préoccupant entre Julie et Cramponne. Pas le moindre pincement. Pas la plus fluette appréhension. Non seulement parce qu'il n'a pas coutume de tenir compte de Julie dans ses pensées comme interdiction de quoi que ce soit. (Il est vrai que le cas ne s'est jamais présenté.) Mais parce qu'il vit sa rencontre droit devant lui. Comme il vit tout. Il regarde la manifestation tout en Cramponne. Jamais feu de bois ne lui a procuré des puissances aussi accaparantes de fascination. Il s'abandonne à un univers magnifié. Où tout, y compris le boulevard violet à l'infini, les femmes et leurs cris, les lumières, les grouillances, tout crée la démesure. Et la vie à plein temps.

Il a par la même occasion excursionné en fusée dans l'âme de sa fille Aglaé. Elle a eu un moment de militantisme déchaîné avec les femmes du M.L.F. Qui n'a pas duré. Rien n'accroche de ce qui concerne Aglaé. Bouffée de chaleur de Lagrenée pour Aglaé. Un si petit enfant habité d'une telle lugubrité !

Aglaé a profité du soleil pour aller se bronzer à poil sur le balcon de sa copine surnommée Tac-Tac. Innocentes grelottant au premier soleil sans force de frappe. Elles se font des grogs. La « copine » déborde de chair. Une masse. Peau tendue à craquer. Océan de jovialité. Malgré ses quatre-vingts kilos. Qui la crucifient. Elles développent ensemble leurs théories de morosité. Elles ne savent pas où se mettre. Sans cinéma, sans comédie. Stanislas et Laramona disent qu'elles sont paumées. Julie les voit hypersensibilisées à la lugubrité de la société. Lagrenée les trouve étonnantes. Intéressantes. Rien ne leur plaît. Rien ne les comble. Surtout pas les garçons. Dont Tac-Tac fait une consommation proportionnée aux appétits de sa corpulence. Aglaé se livre à un essai de temps en temps. Non concluant. Tac-Tac rêve d'un monde. Où tout serait tentation, on ne saurait quoi choisir, et tout d'un coup, tac tac, on serait enthousiasmé par quelque chose. Et tac tac, c'est parti, on serait heureux.

Aglaé Lagrenée fabrique des visées plus hautes. Et plus inatteignables. Elle a une belle idée. Qui cause tous ses tourments. Le « suspense ».

Elle voudrait un monde où vivre à chaque minute dans l'attente de la minute qui vient. Merveilleuse. Ou tragique. Mais ardente. Un monde sans tranquillité, sans morne, sans banalité, sans temps mort. Un suspense général de tout. Qui serait la vie. Sans repos. Sans jours de semaine et dimanche. Sans obligations et sans interdits. Mais en proie à des actions si passionnantes que dans un suspense général, la vie menée sans cesse à son plus haut niveau d'intensité ne laisserait germer aucun grain d'ennui.

Si Lagrenée, comme il l'a fait un jour, répond qu'à tout suspense il faut une conclusion qui le motive, Aglaé réplique que le seul reproche à faire aux films à suspense, aux livres à suspense est leur fin. Le suspense de la vie ne devrait avoir que la mort pour dénouement.

Julie dit qu'Aglaé est une enfant. Lagrenée l'accompagne souvent dans ses rêves. Ils délirent ensemble parmi les imaginations d'ardeur à vivre et d'impatience. Jamais comblées. Il trouve que les idées d'Aglaé, pour être puériles, n'en témoignent pas moins d'un goût violent de la vie. Auquel il est sensible.

Stanislas reproche à Julie d'avoir donné à sa dernière-née ce nom stupide d'Aglaé. Qu'elle affectionne. Ce nom dostoïevskien. Naturellement. Qui a orienté ses complexités infantiles. Dit-il. Il montre néanmoins pour Aglaé une sorte d'admiration de la voir rejeter sans cesse un monde auquel lui s'intéresse passionnément. Dans ses biens et ses mals. Celui qui nie est toujours porteur d'une force. Même si elle est négative. Il est dangereux d'accepter. Mieux vaut douter. Nier. Rejeter. S'insurger. Refuser. Jusqu'au jour où quelque chose, et tac tac, se présente.

Stanislas a raison. Il y a dans la petite Aglaé quelque chose. Qui ne me déplaît pas, pour employer les locutions familières du jour. Au contraire. J'aime son idée de suspense. Si seulement la vie nous permettait de la réaliser.

Un suspense qui ne soit pas une attente. Toute question d'amour mise à part. Le suspense d'amour qui crée un suspense de chaque seconde, rares sont ceux qui le vivent en suspense toujours. Sinon ce sont les rois du monde. Mais comme leur suspense ne s'interrompt jamais, ils ne le savent même pas...

Je ne suis pas responsable de ces fuites de pensées. Qui mettent des trous dans la manifestation. Leur seconde de durée fait des pages. Alors qu'il suffit au cinéma de projeter des images d'ailleurs au milieu de la réalité. Mes secondes durent. Mais que personne n'oublie de les baptiser secondes. Sinon je raterais la fin des femmes en colère, dont on entend encore l'« érection, piège à con ». La foule s'en ébaudit encore. Alors apparaît la banderole du Groupe de libération homosexuel.

Sur le podium. Cette fois, j'ai le regret de le dire, la foule entière est pliée en deux. C'est l'explosion. Non parce que certains disent en panneaux « Travail ras le bol, on veut vivre ». Ça encore... Ni même parce qu'ils psalmodient « Avec les femmes, contre le normal. Avec les travailleurs, contre le capital. » Drôle de mot d'ordre !

Mais parce que tout un groupe parmi eux défile à l'envers. Marche à reculons. Se propage à grands pas la face à Sébastopol, le das à l'Opéra. Avançant sur les talons frappés ou sur les pointes pliées du pas malaisé des reculants. Joyeux, hilares, rayonnants, débonnaires. Et criant en même temps : « Vive la marche arrière !... »

La foule hurle. Une moitié ne comprend pas de quoi il s'agit, pose des questions, qu'est-ce qu'ils font, qui c'est, pourquoi ?... Elle nage. Et à tout hasard applaudit. Ils sont tellement gais et contents ces jeunes gens ! Ils rient eux-mêmes d'eux-mêmes. Ils moquent et se prennent au sérieux. Ils sont heureux et libres jusque dans leur théâtre, qui les sert et les expose. La manifestation les inclut. Bon gré mal gré. Ils sont dans sa forteresse. Légalement. Et manifestent de leur spectacle un contentement délirant. Nagent dans la conquête de leur liberté de marche à l'intérieur de la manifestation.

Ce sont surtout des jeunes gens, bien beaux et bien contents, quel dommage ! dit une femme. Les hommes du boulevard, eux, sont pliés en deux dans une ricane exacerbée. « Des pédés ! Des pédés ! » Ils sont horribles. Ils disent sans arrêt que ce sont les enculés qui manifestent. « Et révolutionnaires mon cul ! » dit le loustic. Les ouvriers dénigrent en silence. Tous rient à la reculade. Grimacent. Se taisent. Et écrasent. Le climat de la manifestation leur enlève même la cruauté à laquelle ils sont enclins dans ces domaines d'incompréhension de toutes les libertés. On entend quelques « les pédés, c'est les pédés qui manifestent ». Mais la reculade dure peu. La foule hait surtout, c'est une réaction curieuse, les objecteurs de conscience. Qui suivent. En criant « L'armée nous fout en l'air, bourgeoise ou populaire. » On retrouvera avec un tonnerre d'applaudissements les groupes qui déboulent, qui déboulent, les drapeaux, les *Internationale,* les Halte à la répression, les C.G.T., les C.F.D.T., les communistes, les socialistes, les hôpitaux, les quartiers, les banlieues.

« Qu'est-ce qu'on a eu comme clowns ! » dit quelqu'un. Mais tout en riant, tout en invectivant, tout en ronchonnant ou applaudissant ou injuriant ou même sifflant, le boulevard et sa haie sont ravis du spectacle. Dont ils ne reviennent pas. La manifestation charrie, met en exergue, emmène, enveloppe toutes les idées. Sous tous les costumes. Tout passe, passe, fonce. Tout s'engouffre dans le monde indigo.

« On s'en va ? » dit Lagrenée. C'est lui cette fois qui emploie le « on » d'englobement. Non prémédité. Ça lui est sorti des lèvres. Il regarde aussitôt Cramponne. Tendu. En plein suspense. On dirait à voir son visage que son avenir dépend de la réponse à cette question. C'est peut-être vrai.

Un peu plus loin le chef de gare approche de la fin de son temps de gloire. Il surveille le violet des fonds. La queue arrive. Il va pointer. On entend déjà çà et là dans les petites rues des cornes de voitures. Qui s'impatientent. Quelques flics en képi par leur apparition donnent le signal du retour de la ville à la ville. Sans entrer encore en fonction. Bientôt le funeste moutonnement automobile, qu'on nomme circulation, va reprendre ses droits dans le lit du torrent d'hommes. Et piétiner des roues. La circulation de la ville. Dont la caractéristique consiste à ne pas circuler.

Lagrenée regarde Cramponne. Que va-t-elle faire ? Sera-t-elle un événement ? Ou le souvenir d'un moment ? Elle demeure immobile, clouée. Temps suspendu. Malheureusement — ou heureusement — c'est à ce moment même qu'à quelques mètres de Lagrenée, passe emporté dans le courant son ami Boris Berg. Pendant que lui attend, cœur battant, sans que son cœur d'ailleurs batte autrement qu'à l'ordinaire. Mais l'intensité de l'attente a besoin de ce cœur battant qui la souligne. Il attend. Cœur battant.

Boris Berg passe dans un groupe de l'enseignement privé. Dont il fait partie de par l'école Paul-Emile Carré. Où Lagrenée, quoique agrégé, figure parmi ses confrères. Une école qui n'a pas de contrat d'association avec l'Etat. Le salaire des professeurs y est assez minable. S'il était fliqué, Boris Berg serait mis à pied. La direction ne plaisante pas avec les idées. Mais il y a peu de chances. Boris Berg parle dix-sept langues et en enseigne deux : l'espagnol et l'allemand. Sa veste, couverte de pop-corn, qu'il bouffe à longueur de journée, a une célébrité. Il vit heureux au milieu des retraités, des demi-diplômés, des échoués là. Boris Berg respecte et aime Lagrenée. Qui le lui rend. Un agrégé à l'école Paul-Emile Carré, c'est du caviar dans le cabillaud. Quelque chose comme une retraite prématurée. L'école s'en glorifie. Et s'en méfie. On chuchote des choses. On dit qu'il y a là derrière une histoire. On veut dire de mœurs. Mais l'école est tellement collet monté que ça paraît improbable.

Pas de filles en pantalon, pas de cigarettes, les mains sur le pupitre, pas de fard. Et pour les garçons pas de blue-jeans, des pantalons. Pas de chandails, des vestes. Les élèves passent leur temps à se lever et à s'asseoir. Un bruit de mastication au réfectoire fait scandale. Le directeur a des manches de lustrine. L'économe un corset. Interdiction d'appeler les élèves par leur prénom. Interdiction de jouer à des jeux violents. Interdiction de stationner dans les couloirs. Interdiction aux filles de partir avec les garçons. Ils sont sur des travées séparées. Comme à l'église.

Non. Une histoire de mœurs, le directeur ne l'aurait pas acceptée. Mais le niveau de l'enseignement est bon. Lagrenée a peut-être un casier judiciaire ? Impossible. On a renvoyé un professeur de dessin. Qui était passé en correctionnelle pour coups et blessures quinze ans plus tôt. Alors ?... Mais un agrégé, ça fait bien. On met « des agrégés » sur les prospectus. Que le directeur nomme « prospecti ». On dit que Lagrenée a eu « des histoires ».

Seul Boris Berg connaît la vérité. Il la garde. Ils jouent aux échecs pendant les pauses. Berg raconte ses aventures. Et ses prisons. Lagrenée écoute. L'essentiel est que tous deux aient trouvé dans ce lieu rétro une retraite sûre où couler des jours sinon heureux, du moins assurés. Faiblement mais régulièrement. En se serrant la ceinture. Ni l'un ni l'autre n'est sensible aux conditions matérielles.

Boris Berg manifeste. Il est moins détaché que Lagrenée des contingences sociales ou politiques. Il berce de vieux rêves. En outre il aime se sentir entouré de foule. Il vient goûter du fond de ses retraites cette griserie de la participation que Malingaud ne cesse de ressentir et d'analyser. Boris Berg a soixante-cinq ans.

Né en Russie. A émigré en Allemagne. A fui. S'est retrouvé en Pologne. Expulsé. Grandit de pays en pays. Jeune en France, part pour la guerre d'Espagne. Le nazisme le rejoint. Entre dans la Résistance. Passe au maquis. Du maquis en Allemagne occupée. D'Allemagne occupée en Armée Rouge. D'Armée Rouge en Russie. Disparaît dans un camp. Vit le camp. Staline meurt. On tue Beria. Ressuscite en France. On le soupçonne. On l'emprisonne. Expulsé comme agent de Moscou. Ré-emprisonné à Varsovie. Libéré. Expulsé comme agent américain. Chargé de doutes. De soupçons. Ses amis s'interrogent. Il en rencontre un. Qui le mène en Algérie. La guerre arrive. Il passe au F.L.N. Repris. Emprisonné. On le ré-expulse. Suit un copain. Se retrouve à la Légion. Là je plaiderais coupable si je savais devant qui, dit-il. Il est entré à la Légion comme dans une maison de retraite... Cinq ans. La plupart du temps dans les commandos disciplinaires. En bave. On l'envoie au Tchad. Déserte trois mois avant la fin de son temps. Guérilla. Se retrouve au Mexique. Puis en Amérique. Le voilà de nouveau agent soviétique. Disparaît. Achète un passeport. Rentre en France. De police en police, se retrouve en fin de compte toléré. Cherche vite vite un travail spectaculairement en dehors de tout. Trouve l'institut Paul-Emile Carré (du nom de son fondateur, dont le buste gras et le portrait de même gorgent les murs et les escaliers de la maison). Et vit dans cette enclave insolite — il en foisonne — à Paris.

Si quelqu'un met en doute un semblable curriculum vitae, j'en tiens bien d'autres à sa disposition. Avec des fins plus spectaculaires, voire définitives. Ou moins paisibles. J'en connais qui se sont retrouvés ministres en Océanie. D'autres tenus par des polices ont franchi le pas. Ou se sont suicidés. D'autres remâchent des amertumes si mortelles qu'on se demande comment ils peuvent vivre en leur compagnie. C'est notre temps. Le temps des démesures policières, internationales, et staliniennes.

Il voudrait écrire un livre d'aventures consacré à sa personne. Mais chaque fois qu'il s'y met le cafard le reprend et il se saoule. Un héros de roman de notre temps. Comme il y en a beaucoup. Ni rancunier. Ni idéaliste. Fataliste. Considère le monde comme un de ces chiens apprivoisés qui un beau jour sautent à la gorge de leur maître. Et le tuent.

Lui se sent mordu mais vivant. C'est l'essentiel. Et vit sa profession comme une aventure. On se demande comment il fait. Il aime enseigner. Il a gardé ses sympathies sociales. « Veux-tu me dire en quoi les gens d'aujourd'hui sont coupables ? » dit-il à Lagrenée dont il est à l'institut Paul-Emile Carré le seul feu de bois possible.

Et il marche gaiement. Sa seule misère, les femmes. Il ne les aime que faciles. Sans problèmes. Achetables. Et de préférence bordelisantes ou putains en chambre. Il bat sa coulpe de n'aimer que les professionnelles de l'amour. Elles le lui rendent généralement. Ils ont le même langage. Il explique cette mentalité, funeste par le prix qu'elle lui coûte, par un commun phénomène de rejet de la société. Qui margine les putains comme les apatrides déclassés. Ils regardent le monde de la même façon quand ils sont ensemble. « Et, dit-il joliment, à quelques exceptions près, nous sommes des gens qui n'avons pas d'avenir. » Il a d'autres caractéristiques. Il aime les odeurs. Les femmes dont les aisselles dégagent. Et le reste aussi. « Et ne crois pas, dit-il à Lagrenée, que ce soit un signe de sénilisme. J'ai toujours été comme ça, quand j'étais jeune, j'allais dans les bals, et dès qu'une fille sentait ces odeurs qu'on réprouve, je nageais dans le plaisir. »

Le reste du temps il joue admirablement son rôle à l'institut Paul-Emile Carré. Où sa connaissance des langues l'auréole de culture. Et permet auprès des parents d'élèves de tels superlatifs que le directeur, par une fatalité inexplicable, l'ayant rencontré un jour en état d'ébriété (il avait sûrement essayé de s'écrire) et s'étant fait traiter par lui de cher vieux Tartuffe, n'a jamais fait la moindre allusion à cet incident. Caisse d'abord.

Boris Berg marche d'un pas martial. Le monde broyeur broyé défile sous la chapka qui protège son crâne fragile : on le lui a trois fois cassé, dit-il. Une fois les nazis. Une fois la Légion. Et une fois la motocyclette. Il se propage casqué, en Mobylette, à dix à l'heure. C'est un danger public.

Il est songeur, mélancolique, un peu ému, un peu amer. Dans ces cas-là, l'intérieur de son âme fait un mélange chimique détonant de tous les hommes, tous les pays, tout le bien et le mal des idées, toutes les prisons. Tout roule et marche en même temps que lui. Tout à l'heure il y a tout à parier qu'un Chaperon rouge du boulevard saura le récupérer. Il en connaît pas mal dans le quartier. Pour pas cher. Et surtout pour le plaisir d'une conversation marginale. Où à chaque mot qu'il dira, elle répondra : « A qui le dis-tu !... » Ou bien : « Tu me dis ça à moi !... »

Boris Berg a parlé de la manifestation à Lagrenée. Lui a donné l'idée de venir en spectateur la regarder. Sans que Lagrenée lui confie ce projet. Curiosité. Mais surtout désir, par l'intermédiaire de Boris Berg, qu'il aime, de regarder ce qui, dans une telle manifestation, peut amener un Boris Berg à s'y trouver, avec toute sa vie en croupe.

Boris Berg a disparu quand Cramponne, sans répondre, se retourne et se met en marche. Lagrenée la suit, sans autre pensée que le suraigu du plaisir qui l'entraîne. Ils glissent ensemble devant le café d'Angleterre. De nouveau emprisonnés dans le piétinement-remous des trottoirs. Augmenté des manifestants déjà en dissolution, comme on dit. Ils portent des banderoles roulées. Une excitation fatiguée au visage.

Braderie. Tam tam. Les deux jeunes gens déshérités de la nature tenant fièrement leur bébé en laisse, avec sa couche qui traîne par terre, la fille dans sa chemise d'enfant de chœur les croisent encore une fois. Solides au poste.

152

Spectacle permanent. Vont viennent. La fille toujours rose et fixe dans son arpentage.

Pour finir resurgit le Chaperon rouge des trottoirs. Qui recommence sa quête. Le marchand de légumes s'en est donné à cœur joie. Deux fois. Et généreux du porte-monnaie. Le reste sans autres problèmes que d'exiger d'être appelé Paul. C'est vraiment peu de chose, alors mon Paul, vas-y Paul, oh ! Paul t'es costaud. Bref. Il était aux anges. Si l'on peut dire. Il a passé sa vie à souffrir de son prénom. De l'école à aujourd'hui. Sans songer à la possibilité d'en changer. Il s'appelle Médard. Comme le saint de la pluie qui commence. Les parents qui jouent avec les noms sont bien légers. D'autant plus que le nom influe. Ceux qui donnent le nom constituent l'hérédité. Et non le hasard. Quand ils baptisent, ils se désignent. C'est pourquoi en général le nom convient. Le nom Médard habille le marchand d'agrumes comme un gant. Qu'il aille en paix pleuvoir sur les gens qui le nomment ! Il me plaît de penser qu'un certain Médard quelque part à Beaugency voit Paris comme un Chaperon rouge, et pas chaperon du tout, de la tête aux pieds. Et continue à exister dans la multiplicité de mes personnages. Je n'abandonnerai pas Médard.

Cramponne et Lagrenée marchent dans les petites rues, le long des petits magasins et des petites vitrines de ces quartiers. Bourrés de merguez et de couscous, de choucroute et de saucisses, de cafés marocains, africains, espagnols, auvergnats ou bretons. De porches ouverts sur des cours profondes. De marchands de muguet ou de bananes à la sauvette. Où voisinent les merguez et la choucroute, la fondue bourguignonne et le couscous, la carpe à la juive et le riz cantonais. Cramponne a faim.

Il est sept heures. Ils achètent dans le chien et loup du ciel et la lumière des vitrines, des saucisses de plein air, grasses, rouges, qu'ils croquent debout en pleine fumée. Des frites qu'ils piquent dans un cartonnet. Et des pommes. Ils marchent en mordant.

Ils ne sont plus dans le naturel de l'indifférence. Ni dans le passé haché menu de leur rencontre. Quelque chose est arrivé, arrive, arrivera.

Ils ne savent pas où ils vont. Ni ce qu'ils vont faire. Chacun d'eux est habité par un feu d'artifice d'idées qui se croisent, se secouent, se refusent, s'illuminent. Un bouquet d'idées. Brûlantes.

Ce chemin de petits restaurants, à majorité du tiers monde, et de boutiques spécifiques, entre les immeubles illuminés d'en bas et pauvres d'en haut. Reluisant au sol de nourritures et de boissons. Souvent déjà marqués de la décrépitude. Qui créera l'assainissement. Qui créera l'architecture du morne en tirant les chasses d'eau et les bondes des douches sur les chaleurs de l'humanité rassemblées au petit bonheur la chance. Saura-t-on un jour concilier les deux ? Ce chemin d'odeurs mélangées et de voitures roue sur roue dans les piétons désinvoltes et frôlés, les transporte dans l'inconnu-merveille.

Inconnu-merveille. Seule matière que le monde fournisse à foison. Et que les hommes redoutent plus qu'ils ne s'en servent. La ville se métamorphose sous les pas. Tout s'exprime. Tout prend une signification. Les gestes des hommes se pétrifient pour subsister dans l'imagination des mémoires. Et se légendent.

Une femme ouvre sa fenêtre et appelle Tony ! Tony ! Avec un lampadaire rouge derrière elle. Un commis porte une colonne branlante de cageots. Un Chinois de restaurant respire l'air satiné de la rue dans une robe de satin bleu. Une musique de lancinement sort d'un restaurant marocain.

Leur marche enregistre tout. Sans qu'ils le sachent. Ils sont dans un film. Seul le film sait faire marcher dans la ville comme elle est des gens qui impriment leur marque à ce qui les environne. Et qui se manigance de façon à construire autour d'eux un tout participant à leur climat. Le film sait associer la ville au déroulement des pensées. Les rues et les immeubles dessinent et puissantent le langage de leur silence ou de leurs paravents de conversation. La ville devient état d'âme. L'image est un maître mot.

Ils marchent depuis un quart d'heure quand Cramponne se déclare « rompue ».

Le tohu-bohu de son climat intérieur, et sa fatigue propice, l'ont poussée à dire ces mots. Comme une fusée de secours. Elle marche. Elle ne sait pas. Elle sait. Elle s'interroge. Elle ne se répond pas. L'inconnu de Lagrenée la survolte. L'inconnu de tout l'inconnu qu'elle est en train de construire avec Lagrenée l'enveloppe, la fascine, l'emporte. Toute la vie de Cramponne est une volonté de repousser les habitudes, les avenirs tracés, les vies enfermées. D'opposer son veto à chaque possibilité de figer sa vie. En un sens, elle présente quelque ressemblance avec Aglaé. Sinon qu'elle veut connaître. Et qu'Aglaé méprise tout ce qu'elle croit connaître. Sans l'avoir expérimenté. La vie dure de Cramponne ne l'a jamais poussée, même dans les moments de fatigue ou de découragement, à jeter le gant et à choisir des voies tracées. Sa soif de connaître s'alimente à la fatigue même. La perspective offerte d'une vie aménagée, préfabriquée, immobilisée dans l'avenir lui fait horreur. Personne, sinon peut-être Malingaud, Broque et quelquefois Barilero, ne comprend Cramponne rejetant les facilités, les tapis roulants, les avenirs inévitables. Un amour démesuré permet seul à la grand-mère Arsène non seulement de subir, mais d'approuver un état d'esprit — elle dirait une mentalité — qui la sépare de Cramponne.

Cramponne éprouve envers Lagrenée un intérêt, une curiosité, une attraction décuplée par les silences, les vacarmes et les lieux de leur rencontre. Sa tête, tournée vers elle avec ce regard à la fois insistant et ailleurs, l'intéresse. Lui donne ce goût de l'inconnu dont elle sait, elle, que rien au monde ne l'égale ou ne l'atteint. Elle sent qu'il lui ressemble. Libres d'eux-mêmes, libres de tout dans la ville. Vers ils ne savent quoi et peu leur importe. Au contraire.

Elle se trompe peu, en avançant dans la musique marocaine vite diminuée, disparue. La femme qui crie Tony ! Tony ! sur son lampadaire rouge. Le commis en tour de Pise de cageots. Le Chinois de satin bleu qui sort de sa cuisine pour respirer, et qui respire toutes les cuisines de la rue.

Le feu de bois de Lagrenée crépite, incendie, fulgure. Chose singulière, pour un homme qui a choisi une certaine existence illuminée par la seule intensité de ses feux de bois, il se trouve hors des préoccupations *a priori* inévitables. Le camélia par exemple. Je veux dire Julie. L'inconnu de Cramponne l'emprisonne. Et le libère. Il n'a qu'une volonté infinie de continuer. De continuer quoi ? Peu importe. De marcher dans cette rue. Une femme ouvre sa fenêtre et crie Tony ! Tony ! devant son lampadaire rouge. Le commis plie sous l'accordéon de ses cageots comme un coolie chinois. Le

Chinois dans sa robe d'empereur aspire le bon air des beignets et des frites au lieu de l'odeur des canards laqués et des lichis. Et le lancinement des musiques marocaines, qui traînent longtemps leur sillage amenuisé. Et se perdent.

Toutes ces images comme une musique répétitive. Et la marche de Cramponne mordant dans une pomme. Rien d'autre. Le monde se ferme comme le rocher d'Ali Baba. Sésame, ouvre-toi.

Cramponne a dit qu'elle était « rompue ». Lagrenée regarde le manège des autos tamponneuses. Qui roulent. Ou plutôt se dodelinent. Repartent. Glissent en hoquetant. Il dit : « Voulez-vous m'attendre un instant ? » Il entre dans un café.

Julie est assise. Seule. Rideaux fermés, camélia invisible. Elle souffre de sa hanche. Elle lit. Ou plutôt relit. Mauvais signe, signe de douleur ou de morosité. Quand elle souffre plus de l'âme que de la hanche, dit-elle, avec ou sans raison, elle relit un Dumas. Aujourd'hui elle recommence *La Reine Margot*. Elle est roulée dans sa solitude comme dans son châle vert. Où sont-ils ? Tous ! Comme la vie vous effeuille ! Comme on souffre à rester sur le quai des gares !

Lagrenée dans son feu de bois. Stanislas dans l'exaltation et le dénigrement. Qui va partir pour l'Iran. Aglaé avec Tac-Tac dans le monde en décrépitude. La vie va. La vie va bien. Sans passions sans tourments.

Elle relit *La Reine Margot*. Personne ne comprend les délices qu'elle trouve à relire mot après mot, sans en passer un seul, tous ces mots légers qu'elle connaît avant de les lire. Une de ses coutumes consiste à se demander comment, dès les premières lignes, elle peut se laisser entraîner dans des contrées si connues. Prendre plaisir à un plaisir sans surprises. Cette lecture signale à son entourage une baisse de tonicité de Julie. Ils moquent. Ils s'inquiètent. Ils questionnent.

Le téléphone. Elle le prend furieusement. Avec ce battement de cœur des gens qui croient au pouvoir de l'appareil. A sa magie. Qui en espèrent un imprévu, une nouvelle, une arrivée.

Elle dit : « Où es-tu ?... Ah ! bon. Bien... Bon... D'accord... Tu as ta clé ? A tout à l'heure, mon chéri. Rentre à l'heure que tu veux, je me coucherai tôt. Je suis plongée dans... *B comme barbouze*. C'est insensé. Bonne soirée, mon chéri... »

Elle a même le bon esprit de substituer à *La Reine Margot* l'un de ces livres dont on parle tous en même temps. Et que Stanislas lui a apporté. Le Dumas signalerait ses états d'âme. « Cette chère Julie ! » se dit-elle comme à l'ordinaire. Avec un rire. Elle reste immobile dans son fauteuil. Morne. Eteinte dans son châle vert. Lagrenée rôde dans la ville. « Quel que soit son motif — un quelconque feu de bois, se dit-elle — il flambe mieux que moi !... Ça doit être un feu de pin. Avec des étincelles. Moi je suis un feu de bois d'olivier. Je brûle doucement. Sans crépiter. » Tout cela dans le vague. Mal à l'âme. Avec tout de même la satisfaction — cette chère Julie — de n'avoir élevé aucune objection. Fait aucun appel. Posé aucune question. Laissé le Dumas dans l'ombre. Et même donné implicitement la permission de n'importe quelle heure. En indiquant qu'elle se couchait tôt. Cette chère Julie. Parfaite Julie ! Elle s'enfonce dans son vague à l'âme, entre le roi de Navarre et le duc de Guise. Julie ce soir hait les feux de bois de Lagrenée.

Qui sort du café comme une fusée. Si elle était partie ? Il vit une seconde d'enfer. A la fureur de son soulagement quand il la voit le dos au mur et l'attendant, il évalue sa métamorphose. Et marche vers elle en pleine gloire. A force de regarder les voitures, il finit par voir un taxi. Vide. Il y pousse Cramponne. Qui s'écroule avec un soupir.

Ils sont bien. La ville en marche de taxi les caresse. On dirait qu'ils savent où ils vont. Qu'ils ont un avion à Orly. Ils nagent dans l'irradiant de la liberté. En disponibilité. Dans l'heureuse folie des rencontres premières. Impatientes hélas ! de percer cet inconnu. Auquel elles doivent leur naissance.

Le chauffeur passe la première. C'est un petit gros. Il peste. Contre la manifestation. Et contre le 1er mai. Moi je travaille. « Et si y en a qui sont pas contents, ils ont qu'à me dire comment je vais m'en tirer avec l'augmentation des taxes, l'essence, et les traites de mon pavillon. » Ils avancent à petites roues. Paris est gorgé. La manifestation embouteillera jusqu'au soir. La grogne. La grogne. « On va où ? » dit Lagrenée pendant que le taxi rampe. Ils sont assis exténués, aussi légers que Barilero dans son hamac. Qui, s'il pouvait franchir les espaces, éprouverait à la vue de Cramponne et de Lagrenée une blessure. D'amour-propre. Peut-être aussi d'autre chose. Il n'a cessé d'éprouver pour Cramponne et sa singularité, depuis le premier jour où Malingaud l'a présentée au café du soir, une curiosité qui frise le sentiment. Il se crisperait. Et noircirait ce monde désordonné, ce monde incapable de discernement. Où Satan conduit le bal.

« Chez moi », dit Cramponne. Elle n'a aucune hésitation. Marre des cafés. Horreur des habitations des gens. Dont elle a sa suffisance. Et elle donne l'adresse. Quai des Grands-Augustins. « Vous pouvez vous arrêter au coin sur le quai. » « L'inflation, l'inflation, dit le chauffeur de taxi. Vous savez ce que ça veut dire, vous, l'inflation ? Personne ne le sait. Elle a bon dos. Tout augmente, c'est l'inflation ! Serrez-vous la ceinture, c'est l'inflation ! Je voudrais bien voir sa figure à celle-là !... »

Et ils roulent. Une journée de velours. Mais qu'est-il arrivé au *Hindenburg* ? Qu'est-il arrivé au *Hindenburg* ? Une journée de velours. Qu'est-il arrivé au *Hindenburg* ?

« Qu'est-il arrivé au *Hindenburg* ? » dit Lagrenée. Ils rient. Et vogue la galère.

Et c'en serait fait de la manifestation s'il n'était advenu quelque chose d'inévitable à Broque : il est dedans.

Disons ils sont dedans. Marchent à grands pas. Défilent. Malingaud les mains dans ses poches. Broque les bras en balanciers. Devant eux une rangée de garçons et de filles, tout en jupes archicourtes ou archilongues, pantalons mâles ou femelles, couleurs et cheveux multiformes, multilongueurs, multiteintes. Dansent en marchant. Ils rient et crient, lancent chants et mots d'ordre. Ou mots inventés. « Les impératifs politiques sont heureusement dans la plupart des cas travestis par la créativité des masses laborieuses. » Dit Broque avec gravité.

Côté Broque deux balèzes le veston sur le bras. Sévères. Martèlent les mots. Côté Malingaud un couple d'âge moyen qui défile en jubilation et en fait trop. Derrière, de tout un peu. Conversations diverses. Dont on grappille de temps en temps un mot. « Les manifestations sont comme les enterrements, dit Broque. Ou bien tout dans le chagrin. Ou bien c'est piripi et parapa comme partout. » (Ce piripi et parapa vient d'un ami italien, naturellement.) Malingaud ne répond pas. Il est occupé.

Tout change pour lui. Tout change dans le

flot. En plein milieu, en plein dedans, au cœur
du torrent. Il voit les balcons, les trottoirs, les
haies. Dont il a fait partie. Sent glisser autour
de lui comme un bateau dans un canal, les
grands immeubles. Le ciel bleu-violet changer
de forme. Emporté dans le monde indigo. Dont
il a la chair autour de sa peau. Il ne dit rien,
ne crie pas, frénétiquement absorbant. Ce n'est
pas sa première manifestation. Mais c'est son
premier 1er mai. Il marche. Tout ce qui était
spectacle devient motivation et au diable
Broque, ce mot-là je le garde ! Faute de mieux.
Les gens. Cœur des problèmes. Changer le
monde. Ils agissent et ils rêvent. Ils rêvent et
ils y croient. Ils s'additionnent. Ils sont portés.
Un peu grisés. Ils participent.

Ils sont eux-mêmes et hors d'eux-mêmes.
Agissant sur la foule et portés par elle. Ensemble, coude à coude, décuplés, assurés, dans
la chaleur fraternelle du monde indigo en
démonstration. Criant à travers des mots communs leur vie. Leur solidarité. Ou leur espoir.
Et à ce moment-là l'espoir est énorme, fou,
irréaliste, il crée la cité des hommes frères et
des égalités radieuses. Et même avec les pieds
sur la terre, cette cité vit à ce moment-là.

Une marche emportée, victorieuse du nombre
si elle ne l'est pas du reste, chaque homme ou
femme déployé s'offrant à la rue dans la
conscience de son état ou de sa classe, affiché.
Ancrés les uns aux autres. Amicaux dans la
connaissance ou la non-connaissance. Militants
en action porteurs d'assurances et de contradictions. Ou nourris d'espoirs imprécis. En
pleine vérité. En pleine irréalité. Tout paraît
possible au coude à coude réalisé. Sans qu'un
seul instant les idéologies participantes ne
cessent de se compter, de se féliciter, de se
narguer. La marche en avant soude, et charrie

ses problèmes. Soudés. Avançant en victoire comme s'ils allaient prendre le pouvoir au lieu de s'arrêter à l'Opéra.

Le phénomène d'expansion de la force de contestation métamorphose à tel point les hommes rassemblés par la même action, que certains au bord du trottoir en sont apeurés. Ce sont deux mondes opposés.

Ces nuances sont si tangibles qu'elles escaladent les balcons. Où certains se font applaudir avec une banderole ou un drapeau qu'ils agitent. On reconnaît les curieux. Qui se paient un spectacle gratuit. Les intéressés. Et les opposants de fer de tout poil, par politisme opposé ou a-politisme volontaire. S'il existe. Beaucoup arborent leur gêne. Ou leur hostilité. Comme devant une exhibition déplacée. Ils regardent les manifestants comme des quémandeurs. Des exhibitionnistes. Des histrions. Leur mépris croît à la vue des non-ouvriers reconnaissables à leurs banderoles exclusivement. Ce mélange de professions dans la ressemblance générale des costumes décuple le dégoût des opposants. La vue des professeurs, des médecins, des cadres, des radios et des télévisions ou des chercheurs les convulse. Ils trouvent que ces gens se donnent en spectacle. Exposés. Criant. Sans même la pudeur de leur fonction. Au milieu des vraies misères. Ils voient là un défoulement politique public. Qu'ils trouvent humiliant. Et injuste.

Malingaud marche porté par ceux qui marchent. Tous à quelques mètres au-dessus du sol. Ils s'enlacent les bras. Ils se regardent. Le cri naît à ce moment-là.

Ou bien il vient du lointain porté par l'espace et repris. Ou bien un silence se crée. Bientôt impossible à supporter. Le défilé ne peut pas se taire. Il deviendrait funèbre. Sauf pour les

silences de démonstration, décidés à l'avance.
Grandioses. Comme le jour de la manifestation
pour les Basques fusillés. Qui marchait au cri
de « Franco assassin ». Puis arrivait silencieuse
à la République où veillaient des gardiens de
mort devant des cercueils symboliques habités
par des fusillés vrais et imaginaires. La foule
avait construit un monument funéraire de
contestation silencieuse à l'approche des cercueils. Jusqu'à l'arrivée des casseurs sous pro-
tection de police.

Mais là pas de silence. A peine engagées les
conversations particulières, à peine entend-on
à nouveau le bruit des pas qu'un manifestant,
jeune, homme, femme, vieux, d'une voix faible,
aiguë, sonore ou éraillée se met à lancer le cri.
Seul. Continue un moment. Quelquefois ça
foire, ça s'éteint. Le cri retombe. Ça ne prend
pas. En général il prend. Le lanceur s'époumone,
souffle tout seul, souffle, s'époumone. Jusqu'à
ce que le cri gagne, gagne, enfle, donne le
rythme, marque le pas, se généralise, gagne
tous les rangs, enfle, enfle, tonne, scande. Jusqu'à ce qu'à bout de souffle les crieurs passent
le relais.

C'est à un de ces moments que Malingaud
a franchi le Rubicon. Dira Broque. Malingaud
occupé à tâter la colonne vertébrale de la manifestation. Comme il dit. Et à se gorger d'usines.
D'entreprises. J'aime mieux usines.

Ils avaient près d'eux à ce moment-là, un
nouveau poivrot. Qui chantait « Tyrans descendez au cercueil ». Mais avec le ton. Un vieil
anar à casquette genre bouse de vache. Qui
devait être le seul à prendre les paroles au mot.
« Tyrans descendez au cercueil. » Et un
chômeur ratatiné. En train de couler — il
disait « Je suis en train de couler » — de « virer
à la cloche » — il le disait aux gens. Qui bran-

laient de la tête. Avec compassion. Mais comme il « virait à la cloche », ils le regardaient en même temps, eux populaires, de l'œil bourgeois pour qui « chômeur » comporte une humiliation. Qu'on mettra le temps à balayer. Il connaissait ces nuances, le chômeur-cloche. Instinctivement. Il se ratatinait. Et devenait mauvais. Engueulait les manifestants. « Criez toujours. On crève toujours tout seul. » L'inanité de la manifestation le remplissait d'une amertume haineuse. Envers tout le boulevard.

Le poivrot ne cessait de répéter que l'ouvrier était toujours floué. On l'exploite, on le suce jusqu'à l'os, on lui promet la justice. Et quand on prend le pouvoir, on lui dit : « Maintenant on travaille pour nous. Faut travailler encore plus et encore plus pour produire encore plus et encore plus. C'est sur vos épaules que tout repose. Et vas-y pauvre échine ! Crève-toi !... » Et « tyrans descendez au cercueil ». Il avait dû oublier le reste.

Chômage. Salaires de misères. Syndicats. Retraites. Salaires. S.M.I.C. Travail. Salaires. Malingaud suivait de l'œil les usines. L'air d'avoir tout pouvoir. Solides. La démarche spéciale des ouvriers, sauf le dimanche. Une façon de se tenir. Qu'ils ont sur les chantiers ou dans les ateliers. Qui ne ressemble à aucune autre dans le comportement du corps habitué à un certain effort spécialisé. Les marins ont un pas de balancement. Les cavaliers d'écartement. Les paysans d'enfoncement. Les ouvriers ont vis-à-vis du monde en général l'aisance de qui a prise dessus, matière en main.

Malingaud se perdait de l'œil dans la foule ouvrière. En rêvant — si le mot s'applique — à cette masse gigantesque de travail, de travail, de travail, qui marchait à sa vue. Produire. Produire. Production. Les maisons et les barrages. Les lance-torpilles et les mécanismes miniaturisés. Les conserves et les tissus. Tout. Ouvriers et techniciens. Toute une architecture de vie créatrice indéchiffrable.

Il les voyait. Les uns au-dessus des autres dans les H.L.M. Un par un aux chaînes automobiles. Comme ils jaillissent partout dans les trous des villes avec ces gigantesques machines ou grues qu'ils esclavagent d'un doigt. Tremblant au rythme des marteaux-piqueurs. Avec leurs casques de guerriers, en l'air, sur les maisons désossées. Ou bien devant leur télévision. Avec leurs enfants. Ou dans la furie des campings. Sur les plages avec des sandwiches et des tomates. Il essayait de les faire défiler devant lui, visage par visage, chacun avec un nom. Un métier. Une famille. Un logis. Une tête pleine d'idées. Intelligente ou pas. Comme tous. Vivante ou pas. Des caractères des caractères. Des façons de vêtements. Des personnalités visibles dans la seconde. Qu'on se trompe ou pas qu'importe ?

Tout d'un coup une carte postale atterrit sur sa tête en planant. Un char bourré de monde transporte un essaim de cartes postales volantes. Tout entouré de piétons en action. Un char de carnaval. C'est la « carte postale Iris ». Nuages et pluies de cartes postales sur la foule. Les gens ramassent. « Fermeture d'Hélio-Cachan. » « 200 travailleurs manuels en chômage. » Les femmes distribuent des cartes Hélio-Cachan. Un grand panneau couvert de cartes postales, un collage géant marche à petits pas sur les têtes. « Le travail manuel est dans la rue. » Des femmes et des hommes jouent les premiers rôles. Ils crient à la foule. « Ah ! ils veulent revaloriser le travail manuel ! Ah ! ils font de la retape au travail manuel ! Ils nous foutent des affiches partout, avec un play-boy casqué qui sort de chez le coiffeur !... S'ils veulent du travail manuel, qu'ils le paient ! Fermeture d'Hélio-Cachan. Carte postale vole ! 200 travailleurs manuels au chômage !... »

Broque dit qu'il déteste le mot revalorisé. Il est toujours dans les batailles de mots. Et en bonne Ombre, ramasse néanmoins une ou deux cartes postales. Pour Malingaud. Ça peut toujours servir. Quand il se relève, il dit que ça devait arriver, il était sûr qu'à un moment ou à un autre ils auraient droit aux anciens combattants. De ces deux guerres couplées pour la vie, dit-il.

Une femme dit qu'on ne sait jamais s'il faut rire ou pleurer. Devant ces drapeaux, ces médailles, ces invalides, ces cassés. Ils ne servent même pas de pièces à conviction. Ils se gonflent. Ils drapeautent.

Le poivrot marmotte sans interruption : « Verdun vision d'Histoire » en se tapant sur les cuisses. Il se fait insulter, c'est-à-dire traiter de vieil ivrogne, par un homme peu soucieux de la manifestation. Mais qui enlève son chapeau devant les anciens combattants. C'en est un. La rigole à propos de Verdun, qui fait debout les morts, et salut au drapeau, et baiser de général, et garde à vous, et monument aux morts à poilus en couronnes de laurier, le ras le bol de Verdun, le rétro gaga de Verdun, sur ceux de Verdun, c'est la foudre. Pour eux ce sera toujours Verdun la mort, Verdun l'horreur, Verdun la charcuterie d'hommes. Et la seule consolation : la gloire. Si on la dérisionne, comme tout le monde, ils tonnent. Tout ça c'est la faute d'une part des monuments aux morts, dit Broque, de l'autre du vainqueur de Verdun. Il a pétainisé rétrospectivement les tranchées.

Une autre usine. Broque n'a pas le temps de finir sa phrase que Malingaud est parti, emboîtant le pas à une entreprise de machines-outils d'une banlieue quelconque. Il entre tout droit dans « Halte à la... répression ». Il marche. La rangée devant danse. Les deux balèzes à droite, les deux excités à gauche gueulent à s'en fendre le gosier « Halte à la... répression ». Et quand ils ont fini : « Giscard, y en a marre !... Giscard, y en a marre !... » Et « Chômage misère impôts »...

Broque marche au pas de Malingaud. Les yeux droit devant lui dans le monde indigo. Perdu dans une rêverie interrogative. Malingaud marche gaiement, la bosse en mouvement, sans pensée précise. Il marche. Dans un mélange de solidarité, de volonté, de défi. Il nage à grands pas de son petit corps dans le monde indigo. Il pense au livre qu'il va faire. Il est déjà en train de s'enfoncer dedans. Toute la manifestation y sera. Elle y revivra. Il se remplit. Elle s'engouffre en lui.

Il regarde Broque et lui fait un clin d'œil. Broque hoche. Il a un sourire. Son adhérence à Malingaud est telle qu'il commence à se sentir à l'aise. Il rajeunit. C'est la marche cadencée. Il marche au rythme des « Chômage, misère, impôts, c'est Giscard répondit l'écho ». Dans un instant il va crier « Halte à la... répression ». Il a compris quelque chose, sans rien comprendre, à l'expression de Malingaud. Et il emboîte le pas. Le voilà qui court pour rattraper les jeunes gens qui dansent. Il nage dans les bons sentiments. L'adolescence. L'aventure. Il manifeste !... En tout cas il monte sur la scène et fait de son mieux.

Malingaud laisse le flot le charrier. La solidarité, un avenir, une justice, l'irréalité d'un socialisme pour l'homme tel qu'aucun homme ne peut l'imaginer, sinon opposé à ceux qui existent, ce romantisme de mots et de réalités, cette addition de petites et grandes actions et de points d'interrogation superbes et mortels, il y adhère si fortement qu'il citoyenne. Et tout en marchant vers l'Opéra, commence à se sentir de plus en plus frère de Sisyphe avec son capital d'espérance tous les jours dilapidé-reconstitué. Comme le balèze qui a pris le bras de Broque et qui lance les premiers cris aussitôt répercutés. Malingaud manifeste. Et c'est ainsi qu'il avance vers l'Opéra dans le violet du fleuve et les illuminations de la ville. Avec au fond de lui-même, pour ses frères les Récitants, les Professeurs et les Juges crucificateurs de bons sentiments, un petit salut intérieur. « Salut ! Je vous emmerde ! »

Il n'est pas le moins du monde étonné quand Broque, entre deux enjambées, Broque tout occupé à se regarder lui-même en ricanant quand même se tourne pour lui dire : « Et on les emmerde. » Broque lit dans les pensées. Ou a les mêmes. C'est une Ombre par similitude.

Broque imagine par exemple Ringot en train de se vautrer dans la ricane. L'Humanité, ce pensum. Le stalinisme dilué n'en est pas moins là comme l'eau dans le whisky, ça frappe moins le foie, mais la quantité d'alcool est la même. On a fait des revendicationnaires avec les révolutionnaires. Des démocrates avec les communistes. Des cocardiers avec les internationalistes. Et des humanistes avec les marxistes. Broque emmerde Ringot en passant. Il joue mal son rôle d'Ombre. Malingaud n'aurait pas une seconde l'idée d'emmerder Ringot. « On les emmerde ! » répète Broque. Son voisin lui dit : « C'est pas un mot d'ordre valable. Mais le moins qu'on puisse dire, c'est que c'est une vérité. » « Le malheur c'est qu'ils ont le pouvoir de nous emmerder encore plus avec tous les moyens de le faire », dit l'autre. Le premier est fraiseur dans une entreprise de tubulures d'acier. L'autre cintrier à la Comédie-Française.

Et ils foncent vers leur fin de manifestation. « Encore cent mètres et la manif est terminée », dit une femme. Tristement.

La dissolution, comme on dit, est en train depuis longtemps. La Tête a disparu. On voit le delta grouiller de brillances de toits d'automobiles. Tout se dissout dans la ville par petits groupes ou solitaires. Ils vont redevenir passants, automobilistes, piétons. Ils vont redevenir des gens. Dans la foule impersonnelle de la ville.

Broque traîne la jambe. Mais Malingaud plane entre le monde indigo et le ciel de même. Il vient d'entrer en écriture. Il ne sait rien, sinon que quelque part dans le roman à naître, il faudra entrer en bataille avec la manifestation. Il se sent puissant et libre de tout. « Quelque chose comme Dullin jouant Jupiter dans *Les Mouches* », se dit-il ricanant en secouant sa bosse. Attention, mesdames et messieurs, demain nous allons entrer dans le monde indigo ! « Je me demande où je vais », dit-il à Broque. Broque répond « A l'Opéra ». Et ils marchent.

On entend vers Sébastopol l'avancement d'hippopotames des voitures. Elles ont reconquis la chaussée. Les trottoirs sont bondés. On fait la queue devant le *Hindenburg*.

Mais qu'est-il arrivé au *Hindenburg* ?

Au moment où le torrent de manifestants envoie sur le boulevard ses derniers groupes, Cramponne et Lagrenée sont au port. Dans une petite chambre. Meublée d'une penderie de polyvinyle avec un rideau de même, qui englobe la douche et le reste. Une natte. Un grand fauteuil de skaï noir. Une table de bois blanc. Un mur de livres. Des coussins par terre. Un placard incorporé à serrure de cuivre étincelant. Une fenêtre à tabatière sans rideau : elle donne sur le ciel indigo. Au mur blanc comme le plafond et la porte, un seul personnage sous altuglace. Qui écarte ses bras. Le Gilles, de Watteau. Une passion de Cramponne. Un de ces amours pour un personnage de peinture. Qui semblent hors peinture. Et dont les littérateurs sont coutumiers. (Mais ils ne susciteraient des passions aussi fortes si la peinture n'avait su créer en eux par sa puissance leur vie de personnage. On pourrait continuer longtemps comme ça.) Gilles règne donc en Cramponne. Et la peinture aussi. Mais elle ne voit que lui.

Elle a mis de l'argent de côté — on met toujours l'argent de côté, quelle drôle d'expression, je le vois couché en chien de fusil, ou de profil — sou par sou, afin d'acheter à la calcographie du Louvre cette reproduction. Assez mauvaise. Comme toutes. Mais peu importe. Gilles avance dans la chambre. Sa mystérieuse quête illumine le mur.

Lagrenée en entrant, essoufflé après sept étages, a le choc de Gilles. Debout, tout blanc, avec ses culottes flottantes, ses larges manches, et toutes ces têtes grouillantes autour. Ce personnage bouffon. Qui ressemble à une question. Sa présence attendrit Lagrenée. Comme cet immense divan qui prend tant de place. La petite table à livres. La tabatière nue sur le ciel. Et ce paravent à réchaud à gaz tout reluisant sur un fond de carreaux rouges. Où trois casseroles sont pendues par la queue.

La netteté de l'endroit saute à la figure. Pas de bibelots. Rien. Un transistor. Un téléphone gris. Comme ils sont tous. Une gigantesque courge. Qu'il prend pour une matière plastique quelconque. A cause de sa peau d'un vert sourd tapissée de petits dessins blancs réguliers extrêmement compliqués. Il apprendra plus tard que c'est une pastèque à confiture. Séchée à la chaleur du four de la grand-mère Arsène. Et qui étale sur sa peau les mille raffinatesses et esthétismes de la nature. Quand elle veut bien s'y mettre, dit la grand-mère.

Etrange lieu. Qui ne ressemble à rien d'habituel. Où pourtant tout l'est. Sauf la présence de Gilles.

Lagrenée entre là comme partout. Sans préjugés. Sans crainte. Sans peur de se trouver par le hasard de sa rencontre dans un lieu trahissant des goûts qui gêneraient les siens. Quelque chose dans Cramponne existe qui rend improbable toute chute de diagnostic à son sujet. Malgré le tee-shirt aux bouches baisantes.

Il est entré, c'est tout.

Au pied de la lucarne, un tabouret à six marches, une échelle miniature se tient sur l'angle aigu de ses pieds. Sur un mot de Cramponne, Lagrenée y monte. C'est peut-être un de ses moments les plus irréels. Dans cette chambre, au cœur de leur silence, se sentir brusquement en train de monter des marches ne menant nulle part, doublement debout sur la ville dans un lieu inconnu où rien ne semblait devoir le mener. Arrivé en haut, en haussant le cou, il voit la Seine, son flot noir de lumières et son paravent de maisons en face. Il en ressent un choc disproportionné. La Seine conquise du haut du tabouret de Cramponne vient d'entrer dans la fantasmagorie du 1er mai de Lagrenée. Avec la flèche de la Sainte-Chapelle.

Ils se sont lavé le visage et les mains. Ils

ont bu des tonnes d'eau. La poussière leur desséchait les lèvres et le nez. Cramponne a brandi une bouteille de vin rosé. Elle a un tout petit réfrigérateur comme on en voit dans les chambres des bons hôtels. On n'entend rien. Dans cet enclos percé de sa lucarne indigo, ils tombent dans le silence comme dans un trou.

Tout se passe, se déroule comme dans un spectacle réglé à l'avance. Dans un velours étouffant les bruits. Journée de velours. Juste quelques mots d'offre de vin ou de savon. Rien d'autre.

A partir du moment où ils sont entrés, ils agissent naturellement à l'intérieur d'un théâtre du silence. Mais dans le glissement parfait de leur convention implicite. Le silence les a rapprochés. Le silence préservé les garde de toute chute. Il les place dans un monde conforme à leur nature. Aucun d'eux n'éprouve la moindre velléité de le rompre.

Quel beau mot, rompre !... Le silence est fragile, il se casse, il tombe en morceaux, il se rompt... La narration prendrait le pas sur le mystère. Chacun d'eux garde sans effort sa vie en lui-même. Tout entière synthétisée par son comportement.

La chambre : une de ces anciennes chambres de bonnes aménagées dans les vieux immeubles. On entre par une vieille porte dans une vieille cour parmi de vieilles boîtes à ordures. Et on monte de larges marches de bois. Chaque étage respire le goût de l'ancienneté. Le lieu est cossu. A chaque palier, un vieux banc portant des jardinières de bronze ou de porcelaine à fleurs, lourdes, surmontées de plantes vertes aux feuilles sans poussière. (Une Julie doit les laver.) Ou bien une vieille commode à tiroirs. Au cinquième un lion vénitien de pierre est scellé sur un socle. Au sixième une gigantesque pendule cirée marche. Avec un balancier de cuivre sous la vitre. Au septième un couloir gris avec des portes numérotées de cuivre. Cramponne habite le numéro 1.

Son plafond monte du lit vers la lucarne oblique. On ne se tient vraiment debout que là. Un enclos blanc, confortable et bizarre, dans ce quartier si beau où la présence de la Seine et des ponts est ressentie à l'extrême dans un calfeutrement sans ouverture accessible.

Ils sont bien. Détendus. Le silence non prémédité les place quelque part ailleurs, dans un lieu de rencontre comme il n'en existe pas. En dehors de toute connaissance. La moindre phrase, la moindre explication, le moindre mot retrancherait à leur connivence, par son rattachement à leurs univers séparés, cette présence absolue d'eux-mêmes. Qui les comble. Ils sont les hôtes d'une habitation surnaturelle. Qui plane sur la ville.

Tout en buvant leur vin rosé dans des petits verres à pied, ils se lovent dans ce silence. Sans rien d'autre qu'eux-mêmes dans l'attente qui les enveloppe. Ils savent qu'à la plus petite remarque, tout redeviendrait le monde comme il est.

A un moment quelqu'un cogne dans le mur. L'esprit frappeur attend. Recommence une fois. Disparaît. Cramponne n'a pas même eu la velléité de dire de quoi il s'agissait. Ou de qui. Ils se regardent et heurtent leurs verres.

Ce silence marquera leur rencontre d'un caractère d'exception. Le silence a tout manigancé. Hors de doute que rien dans leur comportement présent ou futur ne démentira cette approche sans mots, cette entente sans récits, cette réunion sans présentations. Ils sont d'ores et déjà voués à des souvenirs, que leur vie ne pourra plus enfouir dans la mémoire avec tous ceux qui surgissent à leur heure dans la grisaille des aventures. Ils le savent. Leurs mouvements tournent au ralenti, avec la force des grandes images d'écran. Merveilles du monde cinématographique. Entre autres. La course vole. La chevelure se couche sur l'air. Le soulèvement perd sa pesanteur. Tout le paysage environnant participe au ralentissement sublime, où toute forme d'homme ou de cheval en mouvement transforme l'air autour en légèreté sous-marine.

Cette nuit de leur connaissance respectera les conventions du monde où ils viennent d'entrer. Leur approche gardera, même dans son cheminement vers des violences attendues, la grandeur du silence. Peuplé en eux de tout ce qui a choisi autour de leurs pas la vie éternelle des réminiscences. Et de toutes les musiques répétitives de leur rencontre.

Le torrent d'hommes. Le *Hindenburg*. Le corsaire, l'ectoplasme et le chef de gare. Le loustic et la marchande de glaces. La mère aux enfants « ça te grattouille ou ça te chatouille ». La marche disloquée du premier des handicapés. Les Brésiliens « je veux vivre au pays ». La marche arrière. Les femmes « viol de nuit terre des hommes ». L'ivrogne à la recherche de cette ordure de Fernand. Le Chaperon rouge et les mères multiples. Les vignettes de la fête communiste et les vignettes des autos corses. La meule au corindon. La sorcière bien-aimée. Tarzan derrière la porte. Et la visite à Mathilde, et le flip-flap du clown.

Et pour finir encore et toujours la femme qui appelle Tony, le Chinois bleu, les cageots en accordéon, la musique marocaine et le taxi et l'escalier. Les usines, les usines, les métiers mélangés, les étudiants et les soldats masqués. Glissant dans leurs têtes.

Et toujours recommençant le torrent étincelant dans son canyon d'immeubles sous un ciel privilégié, banderoles en tête. Ils seront plongés, comme cette nuit, tout le long de leur vie, dans ce flot charrié entre les trottoirs bouillonnants, et la précipitation de tous ces visages.

Un surtout, dont on ne sait pour quelle raison ils reverront toujours dans la foule les joues roses, les yeux fixes, le regard immobile. La fille nue sous sa chasuble d'enfant de chœur. Etrange statue-souvenir dressée dans leurs rêves obscurs.

Du début d'octobre à la fin de décembre, toute la première partie de ce roman, intitulée « La manifestation », a été écrite à l'usine Proceram, d'Aubagne, à dix kilomètres de Marseille. Où le peintre Pignon, avec lequel je vis, faisait avec le céramiste Michel Rivière une céramique de trois cents mètres carrés, *L'Homme à l'enfant,* pour Lille. Et deux céramiques-sculptures dans l'espace, de quatre et sept mètres de haut. Deux « Combats de coqs », l'un pour Saint-Etienne-du-Rouvray, l'autre pour Marles-les-Mines.

L'équipe Pignon-Rivière une fois de plus commençait une aventure. Ils entraient en céramique comme j'entrais en roman. Mais c'était eux qui menaient le jeu. J'étais leur coursier, parfois leur manœuvre, la plupart du temps leur chauffeur.

Depuis deux mois donc, j'écris mon roman à l'usine. J'habite un coin d'une salle gigantesque. Loin en haut un toit à double pente. Superbe. Poutres. Solives. Chevrons. Petites fenêtres par où le soleil peut descendre et dessiner des ronds réguliers sur le mur du fond. Plafond tapissé de papier kraft crevé. De ferrailles rouillées. La salle mesure environ quatre-vingts mètres de long sur une douzaine de mètres de large. Le sol : du vieux ciment cassé bosselé.

A ma droite au bout le séchoir des pièces crues. Le soir, pour hâter le séchage, on branche des turbo-gaz. Ils braquent leur flamme bleu et jaune sur les étagères chargées de pièces de terre grise. Le turbo-gaz hurle un souffle continu, un bruit dévorant presque insupportable.

L'une des portes au fond mène au magasin des pièces cuites. Où il gèle. L'autre, à gauche, à l'atelier de broyage des couleurs. Dont le plafond semble couvrir un palais. Palais de lessiveuses à couleurs sur sol sombre et mouillé. Ce sont des galets qui broient la couleur. L'énorme broyeur en action émet un bruit de battement de cœur amplifié mille fois plus fort que ceux dont certaines musiques d'aujourd'hui se font une coquetterie d'employer le rythme. L'arbre à poulies, les énormes cylindres de broyage, la grande roue, les bandes en mouvement dans le clair-obscur de la salle forment un mystère de cinéma où donner vie à Frankenstein.

Mais au sol les couleurs portent des noms de rêve, sur leurs couvercles de lessiveuses. Par exemple, ambre, céladon, bleu lagon, bleu Laos, gris Saturne, gris Pérou, brun Fontenoy, paille Uranus, sol de Mars (parce que cette couleur crispe et ballonne à la cuisson), bleu Caraïbes, calendal, Oufiri (un brun ébène qui vient du Sénégal), taupe, tourterelle, rouge truite, etc.

A ma gauche, le long de mon mur, cinq grands fours électriques. Généralement une ouvrière en train d'enfourner est assise dedans, comme une femme de peinture dans son cadre. Autour se dressent des piles de cassettes sur des chariots : ces paniers à trous de belle terre couleur de pain cuit, dans lesquels on enfourne.

Les fours nous chauffent un peu. Peu. Le lundi, où ils sont éteints, on gèle. Ils servent aussi à sécher le chien Popov. Quand il s'est roulé dans l'eau, on le met au four ouvert. C'est le chien de Rivière.

L'usine a été au siècle dernier caserne de cavalerie. Nous sommes dans les anciens dortoirs.

Partout le long des murs des caisses, des vieux carreaux, des chariots où empiler les pièces à cuire, des lessiveuses, des seaux, et des quantités de pots de chambre de matière plastique de couleurs vives. Très commodes pour y mettre l'émail. Pignon et Rivière les ont achetés à Gournay-en-Bray, en Normandie, où ils faisaient dans une usine les cinquante mètres de céramique-sculpture de la maison de la culture d'Argenteuil. Le marchand croyait qu'ils allaient monter un home d'enfants. Ils étaient partis à travers les rues, les pots de chambre enfilés dans les bras, plein les mains, le plus beau sur la tête.

Devant moi, qui suis assise à une petite table couverte de plastique rouge, le dos au mur, s'ouvre l'espace énorme où Pignon, Rivière et les ouvriers travaillent. Du matin au soir. Peignant de couleurs de pastel — qui prendront au four leur véritable éclat violent — les grandes dalles de lave coupées à même les blocs dans le Massif central.

Ils travaillent. Courbés. La tête en bas. Dans le bruit et la poussière. Ils peignent à l'émail, en couches minces ou épaisses, aptes ou non à superposer leurs couleurs. Quand les plaques de lave sont prêtes, on les nettoie aux bords et dessous. Prêtes. C'est-à-dire conformes aux impératifs du peintre comme du céramiste. Dans l'esprit et dans la matière. Numérotées à l'envers, chiffrées, lettrées pour le jour où les poseurs, sur leurs échafaudages, se verront en présence de ce puzzle gigantesque. Les plaques pèsent sept kilos l'une. Elles cassent les bras au bout du jour. On les empile sur des chariots à l'aide de clayettes. On les envoie au four. Quand elles sont cuites on les réétale. Eventuellement on en refait. On les recuit. Ainsi de suite. Le soir ils sont sur les genoux.

Entre les hommes pliés, chapeautés de casquettes ou de bérets à tenir les cheveux, un passage reste libre. Va-et-vient continu d'ouvrières et d'ouvriers poussant des chariots chargés de pièces à cuire. L'une pousse, l'autre soutient les pièces en châteaux de cartes. D'autres tiennent en équilibre sur l'épaule de longues planches couvertes d'un alignement de pots, de plats, de cruches, de carreaux. D'autres poussent des brouettes. D'autres ramassent les ordures, au volant d'un Clark, soulevant bruit et poussière. Tout cela sans compter le va-et-vient général des patrons et des ouvriers.

De l'autre côté de cette rue intérieure, s'étalent les vingt mètres sur cinq de céramique au sol. Ils s'étaleront donc deux fois. Sauf éventuellement trous de soleil en l'air tout est gris et poussière d'émaux. Quand j'arrive le matin, ma table a une fourrure de poussière. Je la lave. Je lave les bouteilles d'eau ou de bière. Je nettoie ma chaise et mon tabouret. Je nettoie et je remplis la cuvette d'eau de Popov. Et je m'installe. Les derniers jours, où le froid commençait à m'empêcher d'écrire, une femme de l'atelier voisin m'apportait une brique sortie du four. Qui me sauvait les pieds.

Nous avons commencé au début d'octobre, eux leurs céramiques, moi mon roman (déjà en gestation, documentation, travail et dizaine de commencements abandonnés), dans une atmosphère de désastre.

Pluie à torrents. La pluie crève le toit et tombe sur la céramique crue avec une cascade d'algues. Il ne cesse de pleuvoir des cordes et les cinquante kilomètres du soir, sur l'autoroute, vers Six-Fours, ressemblent à un hammam d'enfer.

Aucun jaune ne donne satisfaction à Pignon. Tous les essais foirent. Jaune-vert. Jaune-orange. Crème caramel. Café-au-lait. Ou bien jaune, mais pas celui qu'il faut. La hantise du jaune bousille la tranquillité des quinze premiers jours. On fonce à Golfe-Juan sur l'autoroute dans la tempête. Deux fois. Chez le fameux L'Hauspier. Qui fait des couleurs en bordure de mer. Finalement le jaune rêvé sort du four. Tout va bien.

Alors les dalles de lave cassent au four dans des proportions désastreuses. Tout va mal. Jusqu'au moment où Rivière prend les fours en main. Tout va bien.

Alors commence l'extraordinaire histoire de la Tête.

La céramique de Lille comporte à droite un homme qui tient sur ses épaules un enfant endormi. Dont la tête repose sur la sienne. Cette tête de l'homme à l'enfant (qui a dix mètres de haut et s'arrête à la taille), (donc une grande tête) est le nœud, le centre, le problème, le soutien, le point de force et de signification de l'œuvre de Pignon. La tête va exister, vivre à ce carrefour de Lille. Elle doit avoir une présence forte et significative, sans expressionnisme ni anecdote. Il faut que l'homme existe. La tête une fois terminée, le reste viendra tout seul. Dit Pignon.

Pendant que Rivière et ses ouvriers (et tour à tour aussi sa fille et son fils) étalent les grandes plaques des Combats de coqs, préparent les couleurs, lavent, etc., Pignon du matin au soir vit la tête en bas sur la Tête. Pendant des semaines, il fait la Tête. On ne parle plus que de la Tête. Il ne pense plus qu'à la Tête. On le guette. On rêve de le voir se déclarer satisfait — si cela est possible — de la Tête. Il s'acharne. La bouche le hante. Les narines le persécutent. Les yeux sur les yeux. Quand il a fini, on casse des dalles. Il faut recommencer. On aspire au jour où il mettra la Tête au four. Mais ça n'arrange rien. Elle sort du four. Elle pose d'autres problèmes. Il recommence.

On étale la Tête cuite. Il refait les dalles cassées. Elles sortent du four différentes de leurs voisines au point de jonction. Il recommence. On étale tout. Il n'aime pas les bleus. On recuit et on réétale. Il n'aime pas le nez.

Il a beau démontrer la difficulté de son problème, problème de création, de tête chargée, de présence. Il a beau dire sa responsabilité vis-à-vis de la Tête, le poids qu'il veut donner à cet Homme à l'enfant, l'attente autour se déchaîne. On ne parle que de couper la tête. De l'homme et du peintre. Il ne cesse de monter sur cette gigantesque échelle qui permet de voir la céramique à peu près comme elle sera dans sa verticalité. On le regarde perché. Ça ne va pas encore tout à fait. Il nage dans le ciel de l'usine. Toutes les têtes se tournent. Ironisent. Appellent. Michel Rivière rêve de grandes céramiques abstraites, de géométries sans problème. On anathémise en douce. On attend. Un jour il se déclare non pas satisfait. Mais face à son problème résolu. Hourra !... Il ajoute que tout va. Mais pas l'oreille.

Pendant des jours commence l'histoire de l'oreille. On ne parle plus que de l'oreille. On voit des oreilles partout. Il s'oreille dans la glace. Il remplit ses carnets de centaines d'oreilles. On guette toutes les oreilles des convives, chez Margot où on déjeune. Où boivent les légionnaires d'Aubagne. Les vieux de la vieille. Les jeunes tondus. Ils ont tous exclusivement des oreilles. Devant la télévision tard le soir, quand on s'écroule dans la fatigue, on ne voit que les oreilles des gros plans. Rivière et Pignon se prennent même d'une passion — hélas ! — pour Kojak, policier de feuilletons débiles. Sous prétexte qu'il a une tête de guerrier. Et des oreilles plus oreilles qu'aucune oreille.

J'ai des souvenirs de retour sur l'autoroute avec les lumières fabuleuses des chantiers de La Ciotat à droite. On fonce, Pignon oreille, Rivière dort quoi qu'il arrive. On se lave. Eux morts de fatigue. Moi morte de roman. On boit un verre de vin rosé. On se fait un grand feu de bois d'olivier. On mange, avec une prédilection qu'ils ont pour la soupe de légumes. Et on s'écroule à la cave — c'est là qu'elle est — devant la télévision. A oreilles. Et on dort comme du plomb. Le matin on repart.

Toujours sur le tas. On ne s'arrête pas à la sirène. Peignent. Dessinent. Refont. Recommencement. La tête — la leur — en bas. Blancs. Couverts de poussière. Les yeux rouges.

Quand toute la céramique a été finie, ils l'ont étalée un samedi à terre. Vingt mètres sur dix. Pour voir. Et pendant qu'on la mettait en caisse, ils recommençaient les autres · céramiques.

Michel Rivière a un transistor préhistorique. Qu'il aime. Dont il ne reste plus que le ventre ouvert. Il marchait. Plein tube du matin au soir. Les ouvrières réclamaient *Radio-Monte-Carlo*. Voilà ce que ça donnait.

Le broyeur et son battement de cœur géant. Eventuellement le turbo-gaz et son souffle ravageur. Les camions dehors. Le Clark dedans.

Les passages, les conversations, le téléphone, les appels. Bavardages et conversations avec les ouvriers et les ouvrières qui passent. Et sans arrêt *Monte-Carlo*, les jeux, les loto, les mille francs, les publicités, les yé-yés, Clo-Clo, la machine à paroles et à chansons, Tino Rossi, les machines à laver, les bébés réclamant la bouillie Machin d'une voix insupportable, et le turbo-gaz, et la Tête ou les Coqs là-dedans, les gens, l'échelle, les chariots, le bruit et la fureur. Sans oublier Popov qui jouait en aboyant ou en cherchant des rats.

Sous mes yeux, incessamment, les péripéties de la création affrontée aux problèmes de la rue. Et de la technique. Sous mes yeux, incessamment, le travail ouvrier. L'exaltation de travailler dans le travail forcené de la céramique. Et dans le climat d'une usine, la plume en l'air pour une conversation, pour une discussion, pour une rencontre. Et l'environnement de la céramique majeure. Pignon en proie à ses obsessions. Rivière en proie à la résolution des problèmes créés par les obsessions. Le tout dans un humour général. Coupé de colères générales. Et de dépressions générales.

J'étais assise à cette petite table, au milieu, en plein dedans, dans le chahut, les cris, les chansons, les paroles, le broyeur, et la création acharnée d'en face. Avec mes cahiers.

Au début j'ai un peu aidé. J'ai fait des commissions. J'ai donné un coup de main dans les occasions nécessaires. J'ai photographié, affronté l'énorme échelle dans la terreur. Après je suis entrée exclusivement dans la manifestation.

Pendant toutes ces semaines, à ma petite table empoussiérée, j'ai travaillé. L'énorme manifestation ne cessait de me passer devant. J'avais l'impression qu'elle déboulait, déboulait,

déboulait dans la voie de passage entre la table et la céramique couchée. Je ne cessais de travailler, de recommencer, de déchirer, de refaire, d'avancer dans le bruit et le cheminement de la céramique déroulée sous mes yeux. Moi aussi je faisais ma Tête...

En même temps je me remplissais — et remplissais mes carnets étalés sur la table — de tout ce monde mêlé, de conversations avec les ouvriers et les ouvrières, de radio, de chansons, de Rivière que je harcelais de questions, et auquel je suis redevable de mille détails incrustés dans la trame de ce livre et de mille histoires. Et l'énorme manifestation continuait à passer. J'ai fait la connaissance du travail dans le chahut universel. Nous étions tous crevés, hantés, lancés dans un tourbillon de travail. Nous ne nous reposions que le dimanche. Avec difficultés. Nous étions terrorisés par les visites. Les curieux, les journalistes, les amis. Nous vivions dans une bulle imperméable à tout. C'était terrible. Tuant. Formidable.

Et comptaient aussi les retours presque irréels sur l'autoroute de nos habitudes. Les conversations du soir. Discussions en tout genre. Les hantises respectives auxquelles, chacun de notre côté, nous nous efforcions d'échapper. Penser à autre chose !... Pignon racontant ses premières amours dans le lit d'une fille nommée Bénissante. Rivière faisant le récit de ses années aventurières et ouvrières de Résistance. Ou évoquant son grand-oncle Jacques Rivière, ou son grand-oncle par alliance Alain-Fournier.

Ou son grand-père, médecin à Bordeaux. Dont il est question dans les lettres de Proust et de Jacques Rivière (tous deux près de la mort). Jacques Rivière consultait son frère, pour Proust, par correspondance.

Des discussions sauvages et des rires homériques. Dans une fatigue à ne plus pouvoir remuer.

J'ai terminé « La manifestation » le jour où le dernier container à céramique a été bouclé à l'usine. Je n'ai jamais vécu pareil moment. Nous étions joyeux. Et sinistres. La salle d'usine, sans ses maquettes, ses dalles colorées, son grouillement au sol, redevenait morose. On faisait des adieux tristes aux ouvriers. Il était temps : on était tous morts de fatigue. Un beau moment de vie venait de passer. Auparavant j'avais fait cinquante commencements. Tous les jours je commençais ce roman. Tous les jours je lisais, mettais de côté ou déchirais. Recommençais. Jusqu'au jour où, à l'arrivée à l'usine, j'ai brusquement commencé par la manifestation. Et en avant.

C'est ainsi que ce roman est né. A l'usine. Et que cette manifestation, sans source et sans delta, a revécu en moi dans toutes ses vagues tonitruantes. Et continuera à y vivre, comme dans l'âme de mes personnages, jusqu'à la fin de ma mémoire.

2

Une journée
de Cramponne

Nous nous trouvons aujourd'hui, mes personnages et moi, à l'aube du samedi 15 janvier 1977. Six heures. La nuit est dans la lucarne de Cramponne : un rectangle déformé, noir dans le mur blanc. Le réveil sonne, le doigt l'arrête. De par sa volonté, Cramponne dispose alors d'un quart d'heure de liberté dans la chaleur du jour encore nuit.

Il gèle. Toute chaleur vivante brûle à l'intérieur du lit. Cramponne s'enroule dans des pensées mi-voluptueuses, mi-acérées. Elle « fait ses comptes ». Ni examen de conscience. Ni projets. Une sorte d'état d'elle-même à travers les derniers incidents ou événements de son existence, avant d'entrer dans le vif du travail.

La grand-mère Arsène dit que la croyance en Dieu donne bien des facilités aux gens qui savent s'en servir. C'est vraiment soulageant, dit-elle, de pouvoir demander, de faire la quête sans se déshonorer. Et je te supplie, mon Dieu, et je t'en prie, et je dirai des neuvaines, et je verserai dans le tronc. Si tu me guéris, si tu m'envoies de quoi payer à temps mes impôts locatifs, si tu me fais gagner au tiercé, ou si tu aides Léandre à résoudre ses difficultés. Je t'en prie, je t'en supplie, mon Dieu, ma Sainte

Vierge, mon bon Saint-Esprit, mettez-vous en branle !... Ou bien alors on a quelqu'un à qui dire merci. Merci mon Dieu et tous les saints du paradis ! Le merci à quelqu'un, on n'a encore jamais rien trouvé de mieux pour le cœur qui déborde. Y a des jours, dit-elle, où je ne sais pas quoi faire, j'irais mettre des cierges ! Tellement je suis contente. Les actions de grâces, c'est intéressant. Mais si on ne peut les faire qu'à soi-même, alors à quoi bon ? Et quand ça va mal, à qui faire des reproches ? Ou des insultes ? Alors toi, qu'on nomme le Dieu tout-puissant, c'est comme ça que tu me traites, une bonne personne comme moi que même Popov il sait qu'il y a pas plus serviable et méritant ? C'est tout ce que tu sais faire, de les laisser traquer comme ça une pauvre vieille femme ? Je dis jamais ça, « une pauvre vieille femme ». C'est pas mon genre. Mais entre le bon Dieu et moi, je le dirais ! Là, rien. Ça fait défaut. Les hommes ont trouvé beaucoup de choses, mais à qui s'adresser faute de croire, ça ils l'ont pas encore trouvé. Du reste croire c'est bien gentil, mais pour remercier ou pour pleurnicher, faut avoir des dispositions.

Elle, elle a toujours cru à tout ce qu'elle sait ou à tout ce qu'elle ne sait pas et qui se voit. Par exemple, les choses scientifiques, dit-elle, les avions, les transistors, la moulinette électrique... Mais parler tout de go à des fantômes, y a que les pauvres bêtes pour faire ça !...

Les « comptes » de Cramponne sont une action de grâces à personne. D'une exaltation si exigeante que par moments elle souffre du manque d'interlocuteur. Comme la grand-mère Arsène.

Boris Berg trouve que le mur des Lamentations est en soi une invention fabuleuse. Un vrai mur à toucher, un touchement palpable, réservoir à expressions. Une invention divine et poétique. Dont il ne supporte pas même l'évocation par ailleurs. Mais peu importe. Le fait est. Tout le reste est dévoyé.

« Dieu, que je suis bien ! » Elan de Cramponne vers la grand-mère Arsène, dont l'existence, si mêlée à la sienne, embringue encore une fois Dieu dans ses actions de grâces. Faute de mieux.

Et tourbillonne dans ce quart d'heure un embrouillamini d'images et de sensations peu faites pour le mélange. Mais qui, dans le broyeur général des souvenirs, deviennent le tissu majeur de la vie. Passionnée. Passionnante. Les comptes sont positifs.

Cramponne vit un temps où se croisent et se multiplient les manifestations les plus diverses de l'intérêt de la vie. Les heures s'entassent, fabriquent un passé en paysage bouillonnant d'eaux vives, d'éclatement du temps en morceaux pétillants, d'extrêmes contentements et d'intéressantes satisfactions. Jamais pourtant la société n'a eu si mauvaise mine, dans la sinistrose, la morosité, la multiplication des problèmes et la lancinance de l'argent. Tout ce qui va bien vient de l'âme.

Le mot Lagrenée d'abord. Lagrenée... Images nues que le corps accompagne de sa parole silencieuse. Et précipitation de mouettes intérieures en tourbillon sur fond de murs du Palais de Justice. Lagrenée. Le mot traîne. Vient percuter la soirée de la veille, autour d'une omelette au café de la fontaine Saint-Michel. Où Malingaud est venu.

Il se grisaille, il tire le diable par la queue. Le vrai diable, pas Barilero. Qui les a rejoints pour manger une daurade au four en vitesse. Toujours en vitesse. Broque et son rhume. Nadège lui enfonce des médicaments dans tous les trous, dit-il. Il sent le camphre, l'eucalyptus, la moutarde et le rhum. Malingaud sent plutôt le rance. Dès qu'il travaille, il réduit à l'exiguïté ce qui n'est pas le travail. S'habille sans se laver. Mange peu ou mal. Garde le même chandail jour après jour. Il a fallu que Broque le traîne au rendez-vous. Broque s'enfonce dans son mouchoir. Malingaud est assis dans le café avec son *Monde indigo* dedans. Cramponne avec Lagrenée. Broque avec Malingaud. Barilero, on ne sait trop avec quoi. Avec sa fureur générale. Il est venu là pour Malingaud. Persuadé d'avoir résolu les problèmes de fric cruciaux de son ami. Il faut nourrir *Le Monde indigo*. Mais comment ? Malingaud a depuis longtemps mangé *La Lie*. Ses livres se vendent assez bien. Mais « jamais, dit-il, assez pour me permettre d'atteindre le S.M.I.C. et la fin du prochain livre »... Il doit de l'argent partout. Bouffe des pâtes et du pain. Grossit. Manger, manger... Il mange dix fois en pain la grosseur de l'omelette.

Barilero triomphe. Il a trouvé. Les éditions Sagre-Macre veulent éditer, toutes affaires cessantes, les Mémoires de Titina. C'est un travail pour Malingaud. Fou rire général.

Barilero colère. « Titina, vous savez ce que c'est ? Mais si je les proposais chez moi, à ma propre maison d'édition, chez Pêle-Mêle, ils sauteraient dessus comme le gouvernement sur une commande de Mig 25 ou de centrale nucléaire pour la République de San Marin ! Titina ! Quarante millions de disques vendus, de la croupe, un filet de voix, des fans qui l'ont griffée au Palais des Sports, et elle a commencé dans la blanchisserie, comme Jack London ! (Fou rire général.) Enfance en Sicile, le sous-développement, la condition de la femme en Italie, les concours de chant à Palerme. Et puis tous les fiancés, les hauts, les bas, le show business... Tu torches tout ça, elle te raconte, tu te fais même payer le voyage en Sicile et tu mets la mamma en batterie, comme Aznavour en Arménie. Les amants, les autos. Elle te dit tout, tu te marreras, c'est une brave fille, mais c'est une diva ! Elle a un appartement, elle a des bijoux sonores, passez-moi le mot, tout est blanc chez elle, y compris son cheval. Qu'elle ne monte pas à cause des assurances. Ses tapis de haute laine, ses meubles. Toutes les statues sont en marbre, les escaliers aussi. Il n'y a qu'elle de noir sicilien là-dedans. Tu fais le livre avec elle, tu te marres bien, tu torches ça à la guimauve pimentée dans le goût du jour, tu la persuades qu'en ajoutant un petit séjour dans une maison, ça ne peut que tomber à pique dans ce qui se vend. Tu demandes une grosse avance, tu te démerdes pour ne travailler que le matin, ou l'après-midi, et le reste du temps tu fais *Le Monde indigo*. Elle veut que ce soit fait par un spécialiste ! (Fou rire général.) De la plume. Un vrai. Un pro. Qu'est-ce que tu en dis ? Faut me donner la réponse illico. Je bigophone et le tour est joué. Je suis pas un bon ami ? »

« Il a une sale gueule », dit-il en catimini dans l'oreille de Broque. « Faut faire quelque chose. » « Je le vois à l'hôpital dans un mois », dit-il dans l'oreille de Cramponne. Qu'il caresse du bout de la lèvre par la même occasion. « Fais quelque chose. »

« Pour l'essentiel, dit-il à Malingaud, tu peux même donner un pourcentage à un nègre. Pardon escuse, il ne faut plus dire nègre. C'est interdit. Ça raciste. Ou alors faut se faire naturaliser nègre avant, là si tu l'es t'as le droit. Nègre, c'était bon pour Dumas. A tous points de vue. Alors vous savez comment on dit maintenant ? Vous savez pas ? C'est la nouvelle formule dans l'édition. On dit : " Trouve-toi un écriveux. " Je le jure. Y avait déjà les écrivains et les écrivants. Maintenant y a même les acteurs et les actants, s'il faut en croire les journaux spécialisés, mais j'ai pas encore tout à fait compris par où ça passe. L'acteur joue son rôle à l'intérieur de la production. Sans plus. Mais l'actant c'est le nouvel acteur, comme on dit. Pas seulement un objet, passez-moi le mot. Il a un rayon d'action. Il peut intervenir dans la dramaturgie, dans l'économie de la pièce, à tous points de vue... »

« Ce n'est pas dépourvu d'intérêt, dit Broque. Mais quel rapport ?... » Barilero explique qu'après écrivains et écrivants, maintenant il y a aussi les écriveux. Qui tiennent la plume pour les autres. Si tu veux, c'est le contraire d'actant du côté de la plume.

Malingaud a tellement ri qu'il coulait des larmes sur la table. Il se voyait avec sa bosse et sa peau grasse couché dans le tapis blanc de Titina, en compagnie de trois loulous de Poméranie, en train de manger du blanc de poulet à la sauce blanche en évoquant la blanchisserie de Palerme et Martin Eden. Avec Broque en écriveux de l'écriveux, assis en robe de première communiante entre Titina et Malingaud.

Quel dommage, disait Malingaud, quel dommage que je n'aie pas le temps !

« Dis au moins oui le temps de toucher l'avance ! Tu diras non après le contrat ! disait Barilero. Faut être cynique, mon vieux. Et Satan conduit le bal. »

Malingaud veut savoir si par hasard quelqu'un l'a entendu demander quelque chose à quelqu'un ? Il n'a pas besoin de nourrice ! Il a assez de problèmes comme ça ! Ce dont il a besoin c'est exclusivement d'un cheminot, d'un boueux, d'un banquier, d'un sacristain et d'un grutier.

Barilero glisse dans l'oreille de Cramponne que de toute façon il a tout inventé, y compris l'écriveux. Mais que si Malingaud, par un hasard raisonnable, avait marché, il se serait démerdé pour que la chose se fasse. Ou chez Sagre-Macre. Ou chez Pêle-Mêle. Comment un éditeur intelligent et dans le vent peut-il refuser les Mémoires de Titina sur un plat ? D'ailleurs il connaît Titina. Une bonne fille, avec son blanc et son linge sale. Ça c'est vrai. Tu sais pourquoi elle a un tel succès ? Parce que de toutes les chanteuses à la con, c'est elle qui sexifère le plus en se tortillant le micro dans la bouche ou quasi comme si c'était l'appendice caudal de son Jules et ça fait bander les imaginations austères. Tu t'es jamais posé de questions devant les chansonnettes à micro ? Toujours ça dans la main et susurrant de la lèvre autour ? La main dessus solidement, le fil à la patte, tu me diras que s'ils s'accrochent dur c'est que neuf fois sur dix c'est l'objet qui fait la voix, puisque neuf fois sur dix ils n'en ont pas, mais enfin tout de même !... C'est plus porno que les films du même nom ! Dis-moi de qui tu es amoureuse et je cesserai d'être vulgaire, si tant est...

Barilero, au retour des vacances d'été, a trouvé Cramponne autre. Quelque chose d'indéfinissable dans la personne, lui a-t-il confié. Cette grande tranquille suinte le pétillement. Elle trimbale une rayonnance. Qui ne trompe pas. Toutes les chances qu'elle a détrempé ses solitudes dans un hammam d'amour quelconque. Ou pas quelconque, peu importe. En tout cas étranger à Barilero. Il respire avec mécontentement cette odeur de vie en superjouissance. Qui charge le regard de Cramponne d'espaces où elle se meut en secret avec des images que Barilero se vendrait pour apercevoir.

Seul Malingaud connaît l'existence de Lagrenée. Cramponne et Malingaud sont frères depuis le premier jour de leur rencontre.

Malingaud a une oreille bouchée. Il souffre de battements dans cette oreille. Des ailes de papillon enfermé. (Si seulement il se lavait, murmure Barilero, ça ferait sûrement un génocide de papillons qui le soulagerait.) Broque, malgré ce que Barilero appelle « la densité des emmerdes depuis quelque temps », trouve Malingaud, toute question de papillons mise à part, dans une forme excellente. *Le Monde indigo* le transfigure. Et vous ne parlez que de manger ! Il vit l'un des moments les plus exaltés de sa vie. Y compris dans les pires moments...

Situation matérielle : zéro. Essayer radio, télévision, journalisme, direction de collection, lecture de manuscrits, besogne d'écriveux ? Comme beaucoup de confrères ? Pas question. D'abord parce que... Couplet sur les temps difficiles. Ensuite parce que... Couplet sur la nécessité de connaître les gens. Et il fréquente peu. Ou de se faire pistonner ? Mais il manque de goût comme de don pour la chose. Surtout et avant tout parce que... Couplet sur l'impossibilité de lâcher d'une semelle *Le Monde indigo*. C'est la vie.

Broque sait. *La Lie* n'a pas marché. Tarain, le P.-D.G. de Pêle-Mêle, réticence. Se retrouver à quarante-cinq ans, après quinze livres à contre-courant, sans éditeur. Dur. Mais les éditeurs sont comme les marchands de tableaux : ils soutiennent ce qui marche. Promotionnent le succès acquis à l'avance. Ou choisissent de lancer ce qui semble pouvoir chatouiller le goût ambiant. Sans compter la prolifération des souvenirs et Mémoires, les livres de professeurs en compositions françaises, les livres de métiers, les livres d'autocritiques, les livres de politique-fiction. Il faudrait pouvoir faire comme les bons auteurs Giscard et Peyrefitte, dit Barilero. Passe-moi la moutarde je te passerai le séné. Tu viens me voir à l'Elysée dans le petit écran et on se millionième l'exemplaire de notre entreprise multinationale écrite de pensée française arrière, dans l'austérité générale des idées et des mots.

Et pourtant à cent degrés au-dessous de zéro dans la réussite ou le succès, Tarzan est heureux. Je veux dire Malingaud.

Depuis que Cramponne a fait allusion à la fameuse chanson, ils s'en servent tous. Tarzan et la sorcière bien-aimée ont enfin trouvé une embauche utile : ils sont devenus outils de conversation.

Malingaud a mis trois mois à commencer son roman. Travaillé, d'abord mai juin juillet, d'arrache-pied. Commencé le commencement tous les matins. Avec ou sans le commencement de la veille. Recru le soir et content. Insatisfait le matin et recommençant. Pénélope. Jusqu'au jour où anéanti, vidé, désespéré, il est resté couché toute une journée, accroché à ses réflexions volontaires. Creusant. Analysant. Revoyant dans sa tête tous ses commencements. Feuilletant ses carnets, remâchant, perdu dans les mille notations. Au bord du suicide littéraire. Tout au moins de la dépression. Persuadé que jamais plus il ne réussira à écrire. Qu'il a perdu ses capacités. Que toute littérature abolie, il va vivre dans l'impuissance de plume romanesque. Et faute d'envie d'écrire ses Mémoires, comme tout un chacun, certain qu'il doit chercher une structure de la société où caser ses non-capacités de faire autre chose. Qu'écrire.

Le lendemain matin, il ouvre en se levant son « carnet de manifestation ». Et coup de tonnerre. Il commencera par la manifestation du 1er mai. Aussitôt tout s'engouffre sans autres retours en arrière, recommencements ou déchirures, que pour toute œuvre en cours de découverte.

Mais les trois mois de zigzags vers la porte d'entrée du roman ont creusé en lui de nouveaux chemins d'écriture. Le travail avance dans l'intensité comme jamais. Et se nourrit jusque de ses défaites. Une fois vécus ces trois mois d'angoisse, Malingaud les considère non seulement comme une phase capitale de son existence. Mais comme un trimestre de roi.

Alors naît une nécessité d'élargir son champ de connaissance, et d'imagination, par la recherche d'une réalité plus profonde. Le livre déborde de personnages situés dans des mondes qui ne sont pas le sien. Comme à l'ordinaire du romancier. Mais il en brasse une telle quantité, dans tant de mondes opposés, qu'il ne se suffit plus. Il lui faudrait cent Malingaud pour faire coexister dans son monde indigo tous ces mondes qu'il connaît et ne connaît pas. Il se met donc à les chercher, il les trouve, il s'y mêle, il les étudie, il les écoute. Il manipule des billions d'idées.

Il a besoin de précisions. Il lui faut savoir à quelle heure se lève son cheminot. Ce qu'il dit, où il va, ce qu'il manie, les noms des gares et des machines, les lieux de travail et de syndicat. Il veut l'aujourd'hui du coiffeur, et son langage. Celui du diplomate et celui de l'ingénieur. Il court les syndicats, les comités d'entreprise, les salons, les boutiques, les réunions. Il interroge, il écoute. Il a du mal à se faire comprendre. S'il parle de rencontrer des cheminots, on se figure qu'il veut écrire un livre sur les cheminots. Ou sur la S.N.C.F. Mais à les écouter parler de n'importe quoi, il emporte une telle manne de pensées vraies, variées, opposées entre elles, un tel bagage de mots, donc de vie, qu'il a l'impression d'entasser dans sa tête et dans ses carnets des richesses dont il n'arrive à utiliser que l'intérêt. Dit-il à Broque.

Broque se passionne. Il a des hochements proustiens. Il dit que pourquoi pas ? Comme Proust interrogeant les duchesses pour connaître le nom de l'étoffe de leur chapeau, Malingaud descend sur les chantiers pour tâter les bleus de travail. Brok et Chnok ! Mais après tout, dit Malingaud, au plus haut niveau, y a de ça... Je prousterai dans le promoteur et dans le prolétariat... Je prousterai partout.

Et il se met en branle. De plume et du reste. Il va un train d'enfer. Il ne peut pas faire descendre un personnage dans le métro sans aller lui-même rouler sur le même trajet. Les voyageurs le regardent, derrière leur masque de fer habituel, dans leur gangue de ciment. Avec une décharge de curiosité froide. Il s'en fout. Il note les affiches. Descend. Remonte. Ecrit les petits détails des stations. Ecrit sur les bancs entre les clochards assis ou couchés. Qui prolifèrent depuis quelque temps. Passe des soirées dans le petit salon de l'hôtel d'Artois, où il loge, devant la télévision, carnet en main : il y est obligé, tous ses personnages parlent le même jour de la même émission. Il entre dans les maisons qu'il a choisies réelles, on ne sait pourquoi, pour ses bonshommes. Il rôde dans des escaliers inconnus, concierge aux basques. Son imagination pour rouler a besoin, contrairement à ce qu'elle lui impose d'habitude de liberté, de digérer d'abord la vérité des choses. Et des paroles.

Ce sont des heures de surexcitation, il va de l'avant comme un chercheur d'or, dit-il à Broque ou à Cramponne. Quand il harponne ce qui en temps ordinaire passe inaperçu à ses yeux, il crépite. Le moindre détail brutalement sorti de sa banalité par la direction de sa quête devient un rouage éclairant de son œuvre.

Le reste du temps il écrit. A en mourir de fatigue. Il vit en explosion. Hanté, possédé, investi, ensorcelé, enchaîné. Voué à la fréquentation permanente de personnages qui n'existent pas. Et dont il ne peut plus se passer tant ils existent en lui et dans la partie d'eux-mêmes déjà dévoilée dans son livre. Toujours en train d'attendre ce qui va arriver, se dire, se faire. Comment va tourner ce qu'il tourne lui-même. Où va-t-il ? Que va-t-il se passer ? Demain ? Ne pas y penser, ne pas chercher, ne pas méditer. Vivre vivre vivre accroché à n'importe quoi, à la conversation, à la radio, à la télé si nécessaire, jusqu'au moment où la plume — quel beau mot — va se précipiter dans l'événement.

La plume. Sa grattance sur le papier. Barrer. Faire des renvois sur la page de gauche. Le contact vivant avec l'écriture. Une machine à écrire lui tuerait l'écoulement des idées. La plume. Sa course. Sa façon déchaînée de se laisser aller ou de diriger. Elle fonce comme la manifestation.

Et puis de temps en temps les amis. Ce petit groupe où s'insérer comme on rentre chez soi. Pas de représentation. Le seul fait de savoir que, sans en parler, ils sont intéressés par son travail, abroge la solitude. Constitue une destination. L'enfourrure. Le protège de cette indifférence suicidaire des spécialistes qui tue plus d'écrivains que le manque de jambon.

On a coutume de dire qu'on ne fait pas la révolution pour du jambon. Pas non plus la littérature.

Cramponne loge ses réflexions dans un coin du monde indigo de Malingaud. Elle et Lagrenée, et le *Hindenburg*, vivent dans la Manifestation de Malingaud. Secrètement. C'est ainsi qu'elle participe au roman.

Hier soir, la belle Paule est apparue, à la recherche de Malingaud. Qui ne la cherche plus. Elle sent une eau de toilette délicate. C'est une femme lisse de partout. Les cheveux, la peau, les seins, les bras, la voix. Elle veut emmener Malingaud chez elle. Prendre un bain. Ça fait image. Elle a une belle baignoire, dit Malingaud. Rouge. Avec des robinets de cuivre. Héritage fripon du précédent locataire. Paule est monteuse à la télévision. Donc inquiète, comme tous. Dans le matin de Cramponne, les bottes rouges à talons démesurés de Paule sous son poncho tricotent des triangles gais. Quand ils l'ont vue partir, de la terrasse du café où ils se tenaient, traversant la place Saint-Michel pour aller chercher sa vieille 4 L au diable vert, dit-elle, les croisements des jambes en bottes cinémataient un dessin animé.

Barilero a dit que Paule ressemblait à s'y méprendre à la Grande Prostituée qui se coiffe avec un drôle de peigne à doubles dents de bois, et qui tient un miroir avec sa tête dedans, dans la tapisserie de l'*Apocalypse* à Angers. Il a dû y aller récemment, on va voir les derniers Mémoires d'une Titina quelconque fleurir aux vitrines des librairies d'Angers, dit Broque.

Malingaud a mis tant de grâce à éviter la baignoire rouge et ce qui pouvait s'ensuivre en bon gîte et le reste, que Barilero en a eu le souffle coupé. La Belle parfumée et la Bête pas lavée se séparant quasi tendrement jusqu'au moins la fin du premier chapitre, disait-il, c'est à pleurer des gouttes d'encre.

Malingaud se mit à prétendre que toute sa fatigue venait de sa virée au Gibert de la place Saint-Michel, avant le rendez-vous. C'est là que Cramponne achète des enveloppes, des stylos-feutres ou des punaises. Or Malingaud ne peut écrire que sur des cahiers à spirales. A grands carreaux. Tous de la même couleur pour chaque roman, ça facilite. Comme il commençait à être au bout de ses provisions, Cramponne l'a mené là. Il lui fallait toutes affaires cessantes six nouveaux cahiers, de corpulence donnée, à couverture verte, et pas n'importe quel vert. On n'en trouve plus rue des Plantes ou rue de la Sablière, il les a tous raflés. Ecrire deux mois de commencements, plus ce qu'on jette et ce qu'on garde et ce qui reste, ça use du papier.

Il raconte sa descente aux enfers du magasin, dit-il. Qu'il a été stock-cardé entre des gibets à épingleuses, des affichages de dossiers ou crayons, des remparts de chargeurs d'encre, des montagnes de craies, des colonnades de gadgets à sous-écriture ou dessin. Qu'il a repté entre des posters enfermés dans des tubes géants. Qu'il a finalement trouvé dans la rue, où manque désormais Maspero, contre le flanc du volcan à débiter de l'écriture et du papier, un jeune homme enfermé dans une cage de verre à fleur de trottoir, comme un cardinal sous Louis XI. Qui a compté les cahiers que Malingaud a trouvés le long du mur en s'escrimant du coude contre les passants. Qu'il lui a donné un minuscule bout de papier. Qu'il lui a fallu refendre les posters en tubes, les crayons, les taille-crayons serrés dans la foule. Avec des yeux surveillants qu'on sent partout autour, des gorilles, des brigades anti-gangs dans tous les coins, une telle atmosphère de veilleurs invisibles qu'on a envie de se remplir les poches pour savoir qui est qui. Prétend Malingaud. Pour finir qu'il a échoué dans la queue devant une caisse plantée au milieu de la furie, avec une fille esquintée dedans. Et qu'ensuite il a retraversé le purgatoire à registres et carnets. Pour enfin contacter le jeune et gelé cardinal La Balue. Qui en récompense lui a fait don d'un beau sac en plastique où mettre les cahiers. C'est le quartier librairie. Les livres n'en parlons pas. On trouve tout, c'est tout dire... Le supermarché ranplanplan tous calibres de la plume et papier carton ciseaux trombones, y a de quoi se flinguer ! Je le mettrai dans *Le Monde indigo*.

Ça t'apprendra à ne pas aller à la F.N.A.C., dit Barilero. Y a rien de plus tatillon que le fauché qui ne veut pas faire dix mètres pour avoir des abattements. Je suis contre la F.N.A.C., moi, je suis du côté de l'édition. Mais quand j'ai quelque chose à acheter, je sais où aller. Quand on n'a pas de pétrole faut avoir des idées.

Il dit que tant qu'à se flinguer, pas pour les supermarchés de papeterie, tout de même ! Ou alors il faut se faire enterrer dans le beau linceul de jade à points d'or de la princesse Teou Wan. Epoque Han, iie siècle avant Jésus-Christ. Stupéfaction générale. Eternuement de Broque, et Malingaud bouge les oreilles comme un cheval asticoté par les mouches.

Tant que Barilero est là, personne ne peut conduire une conversation à sa destination. C'est un puits. Il a une mémoire que Broque convoite. Et une érudition apparente de tout qui parfois donne à Malingaud l'envie de le mettre cru dans un livre. A condition de se faire auparavant une érudition acceptable. Cramponne apprécie les folies parlées de Barilero. Elle les écoute comme des litanies privilégiées, des fontaines de mots.

En l'espace de quelques minutes, à propos d'un garçon de café qui ressemble par exemple à François Ier, Barilero dit que celui du Titien qui est au Louvre n'existe pas à côté de celui de Clouet, de même. C'est l'évidence. Mais que personnellement il préfère de beaucoup celui de l'atelier de Van Clève (il dit ça comme il dirait Van Gogh), qui est à Fontainebleau. C'est d'ailleurs le François Ier qui a le nez le plus long. Et l'œil le plus fripon.

Si quelqu'un regarde la place, et les lumières en face de la Brasserie périgourdine, toute chaude, avec ses barreaux à boules de cuivre, ses fauteuils orange et ses gens assis en l'air — il y a même un piano — il trouve le moyen de parler d'une auberge de Cluny où on mange des crêpes salées (baiser sur les doigts). Il fonce, à propos de sel, à Arc-et-Senans, dans la grotte d'entrée des salines royales. Dont les pierres encastrées (baiser sur les doigts). Rien n'est plus beau. Sinon évidemment les dix-sept tours du château de Saint-Louis à Angers (il y revient). Comment, vous ne connaissez pas ce fabuleux mur et les tours de cinquante mètres collées dessus ? Mais il n'existe rien au monde qui... Sinon peut-être le palais du roi Enzo, à Bologne, ces hauts murs, rose de Bologne, et leurs créneaux dingues, hauts, brodés, qui épousent le haut des tours, suivent les angles, et en bas les portiques et le ciel et... C'est dingue tellement c'est beau ! Remarquez que sans aller si loin, le château des Moines à Berzé-la-Ville, avec le bois des Pierres au fond, eh bien, la pierre a une couleur, les toits surtout, une sorte de brun-rouge que même

Bologne !... Et tout ça est idiot parce que, en fait de rose, qu'est-ce qu'il y a de plus beau au monde que la baie de San Francisco avec l'île d'Alcatraz couchée dessus ? La prison elle-même est rose de Bologne, ou approximativement, alors ? Prison, machin, l'âme et le corps torturés... C'était tout de même un bagne. Dommage que les Indiens qui l'ont occupée soient pas restés dedans. Vous savez qu'ils la revendiquaient ou tout comme ? S'il n'y avait pas eu ces saletés de courants et ces... Bref, la prison d'Alcatraz sur son île, c'est (baiser sur les doigts). Mais le monde est plein à craquer de tout ça, il suffit de se baisser pour en prendre ! La *Damnation* de la cathédrale Saint-Etienne à Bourges, par exemple, au grand portail, c'est une scène de tortures, on n'a jamais rien réinventé de mieux ! Et c'est tellement inouï, les diables rigolent tellement devant les flammes de pierre, qu'on en est gais, c'est effrayant ! Et Satan conduit le bal. Et pourtant le *Portement de croix* de Jérôme Bosch à Gand, tous ces visages de démons à mentons en galoche, ça me fait froid dans le dos, ça ne me fait pas rire du tout, je ferais le voyage rien que pour le revoir, tellement c'est la vraie démonialité du monde ! Alors franchement je préfère carrément le *Festin de l'Empereur de Chine*. C'est mon régal chaque fois que je vais à Besançon. Rien que le petit parasol rouge au fond et les palmiers, bon d'accord, c'est un Boucher, ça ne donne pas les mêmes sensations que la *Mater dolorosa* de Roger Van der Weyden avec tous ses longs doigts croisés. Ou le sourire divin de Saskia en jeune fille à Dresde. Mais enfin c'est mon plaisir. Moi qui toute ma vie ai cherché une femme rose qui ressemble à la Diane chasseresse de l'Ecole de Fontainebleau. Qui est au Louvre. Avec son sein en l'air et ses longues jambes, je me damnerais pour... On a beau dire que c'est décadent, l'Ecole de Fontainebleau... Une décadence dont je me contenterais. La grande Diane, rose de Bologne (baiser sur les doigts). Vous ne trouvez pas qu'elle ressemble à Cramponne ?...

Et j'en passe. Il a mangé sa daurade au four, malgré les mines de Broque, qui déteste le poisson. Et qui s'acharne à dire que le poisson d'accord, mais le mercure non. Barilero méprise l'écologie nymphomane, dit-il, faute d'un autre mot. Il faut bien qualifier cet excès pathologique, sinon on va tous mourir de faim ! Et Mithridate alors ? Lui il bouffait le cyanure tous les jours à la cuillère. Ça lui a pas réussi ? Nous on se mithridatise en ingérant des petites quantités de mercure infinitésimales, bientôt on pourra bouffer le thermomètre, et on vient nous dire que le poisson est taré ? C'est comme les bonnes âmes à Noël qui pleurent des sanglots sur les oies qu'on gave. Ça tous les ans ils remettent ça. Eh bien, mon vieux, faut vraiment pas connaître les oies ! On les force pas, mon vieux, faut pas croire !... Les oies elles sont bulimiques ! Si elles avalent c'est qu'elles ont un manque ! Elles aiment bouffer comme des vaches ! Sinon, entonnoir ou pas, elles avaleraient pas !... C'est du bestiau qui goinfre, c'est tout, et qui adore ça. D'ailleurs le foie gras, c'est une maladie !... On se paie un foie malade, c'est pas autre chose !... Tout est faux dans ce qu'on dit. Y compris dans ce que je dis. Et Satan conduit le bal.

« Toc toc », éternue Broque. Pendant tout le temps des délirades de Barilero, Malingaud est enfermé dans la réunion interne, par leur convocation dans sa tête, de classes de la société généralement étanches. Et Broque cherche à annihiler Barilero pour le lancer dans les politiques. Où il fait merveille dans le délire additionné de ses allergies générales. Au moins si Malingaud ne réussit pas à se reposer en enlevant sa pensée-vrille du monde indigo, qu'il se « remplisse » !...

Cramponne, l'œil sur son réveil, sur sa lucarne gris-noir, sur sa chambre, sur Gilles debout devant elle avec son visage de tristesse innocente, a un soupir de plaisir du corps qui la plonge encore une fois dans ce qu'elle appelle en son for intérieur le bain de Lagrenée.

On a le droit exquis de se dire à soi-même tous les mots. Les plus imbéciles. Ou fous. Pas de censure. Pas de narquoisisme. La langue sait se tenir et n'a aucune velléité. Mais le silence jouit d'un vocabulaire de sentiments et de folies ou de brutalités. Que si quelqu'un l'entendait... Le « bain de Lagrenée » de Cramponne, j'ai même hésité à le mentionner. Pour l'amour d'elle. Pourtant cette formule a sa valeur. Comment dire autrement cette vapeur, cette douceur, cette plénitude, cette violence déchirée d'images et de sensations à répétitions solitaires mais percutantes, et cette chaleur qui ne ressemble à aucune ? Cette chaleur humaine et nue. Divine. Si Barilero était là, il cuisinerait quelque chose de méchamment subtil, à propos de Boucher, de susurrements, et du *Festin de l'Empereur de Chine*. L'effleurement de cette idée sur Cramponne la fait sourire sans quitter son bain secret.

Depuis ce jour, depuis ce jour. Les rencontres avec Lagrenée, lourdes-légères, passionnées-tendres, longues-courtes. Avec une telle vigilance autour de leurs habitudes, qu'ils ne se sont pas dit leurs prénoms.

Celui de Cramponne évoque pour elle des papiers d'identité ou de Sécurité sociale, des actes de naissance, des coups de téléphone d'agences. Elle ne l'a livré depuis sa petite enfance qu'à des fonctionnaires. Ou à des enseignants. Qui savaient très vite ne pas s'en servir.

L'appellation est née des litanies des gens à propos de la pauvre petite Cramponne. Dont les parents etc. La pauvre petite Cramponne !... « Comment t'appelles-tu ? » « Cramponne. » Dans tous les langages imbéciles braqués sur l'enfance : « Comment s'appelle ce petit bout ? » Réponse : « Cramponne. » Sans hésiter. « Tu as bien un autre nom ? Dis-le, ma reine, qu'elle est mignonne, la pauvre !... » « Cramponne. » « Moi je m'appelle Marie-Thérèse. Et toi ? Ce que c'est trognon à cet âge-là. » « Cramponne. »

Tout le monde a dû se conformer. Comme la famille de son père a disparu avec l'aide de la grand-mère Arsène et l'appui de l'éloignement — ils étaient de quelque part du côté d'Orléans et « de l'autre côté de la barrière », dit la grand-mère. Qui veut dire par là qu'ils étaient plus entrepreneurs qu'ouvriers. De surcroît en faillite et en dettes. L'héritage : des clous. Tout a été vendu aux enchères et Cramponne n'en a pas eu plus à se mettre sous la dent que Jeanne d'Arc. Mais le nom lui appartient.

Cramponne lève le bras pour frapper quelques coups violents dans le mur à la tête du divan. Elle écoute. Rien. Elle recommence. On répond. Tout va bien.

Plongée inévitable, infailliblement accompagnée de sensations extrêmes, dans la dernière rencontre avec Lagrenée.

Elle lui a fait visiter pour la première fois ses châteaux et ses bois. Ses fabuleuses propriétés. Dont elle n'a jamais jaugé comme ce jour-là, sous les regards de Lagrenée, les magnificences.

Cette ouverture du corps, cette crispation de visage, cette sensibilité de la peau au mot de

Lagrenée, quel pouvoir ! Un mot, une seule gerbe de feu sur elle-même et les choses. Quel rapport entre l'amour et cette promenade — était-ce avant ou après, elle ne le sait même plus — où les idées se frottent les unes contre les autres et divaguent. Tout s'exalte comme le corps dans un lit. L'amour se fait par choses et paroles, par mouettes et ponts, par boutiques, par rues.

Depuis qu'elle l'a regardée avec Lagrenée, la grisaille du quai devient vivante dans son âme chaque fois qu'elle y met le pied. Les mouettes se nimbent d'exaltation et d'érotisme jusque dans la peau noirâtre et glissante du quai.

Pourtant quel rapport ? Qu'est-ce qui prolonge les corps dans leur séparation ? Qu'est-ce qui fait bouger les idées quand on marche emmitouflé dans le froid ? N'importe où, n'importe comment ? Ensemble ou seuls ?

Elle lui a fait suivre pas à pas son chemin quotidien. Sortir du métro Saint-Michel. Au lieu de traverser vers la fontaine, passer le pont. Longer la Seine et les boîtes à livres. Les nuages d'hiver foncent vers Notre-Dame, croupe sur croupe. La girouette du Palais de Justice tourne sous le coq. Les statues jamais regardées se mettent brusquement debout dans leurs niches et existent. Celle de gauche est nue et lève le bras. Les deux arbres du quai paraissent aussi hauts que les tours du Palais.

Lagrenée a vu les trois inscriptions écrites visibles dans les pierres d'en face. Cramponne n'y prêtait pas attention. Quel dommage que les lettres des mots nous soient inexorablement lisibles ! Que les affiches, les publicités, les défenses et les appels n'apparaissent pas comme des caractères japonais, arabes, chinois, ou tout autres dans la grâce de la non-signification et l'art du signe !... Sauf naturellement pour les Japonais, les Arabes ou les Chinois. Les rêves s'entortillent autour de n'importe quoi et poussent les idées, c'est leur règle déréglée, qu'importe la terre ? A ce moment.

La première inscription : « Tribunal correctionnel », au-dessus d'une porte du Palais de Justice, entre les tours du château de Cramponne. La deuxième, manuscrite, énorme, sur les murs intérieurs du pont, à l'endroit où la pierre met en exergue un large panneau, comme un tableau de classe : « Communistes, démons incarnés ». La troisième dit simplement « Hôtel de l'Europe ».

Ils marchent au ralenti. Comment les gens ne les remarquent-ils pas ? Ils devraient s'arrêter devant ces palpitations de l'air, cette architecture amoureuse qui se construit au fur et à mesure de leurs pas... O amoureux, naïfs démonstrateurs ! Les gens qui passent dans leur armure, visière baissée, bouclier braqué, tout en mutisme et fermetures Eclair du visage tirées, les enregistrent sous leur nom au passage. « Amoureux. » Ils ont beau marcher sans même se toucher le doigt, « Amoureux ». C'est ainsi que ces acteurs d'une aventure unique et générale entrent dans le rang.

A son arrivée à Paris, Cramponne connaissait le miracle des mouettes, qu'elle croyait vouées exclusivement aux mers et océans. Couchée sur la plage de la Coudoulière ou sur l'eau, avec au-dessus d'elle le ventre d'une mouette aux ailes en planeur, elle savait que la traversée des mouettes par le soleil donne à la nature autour et au nageur la griserie de liberté du vol.

Les mouettes de Seine, ce soir-là de la marche avec Lagrenée, grouillaient sur fond d'eau gris fumée piquetée de peaux d'oranges à la dérive. La Seine se roulait sous les trois arches couronnées du pont. Le théâtre des mouettes les découpait sur l'eau, sur le ciel, loin en l'air sur Notre-Dame.

Cramponne vient souvent marcher là. Ses pas connaissent chaque dégoulinade de pierre usée. Elle sait où dans le sol du quai il y a un trou traître pour les pieds, la nuit. Elle montre le trou d'en haut. Le verdâtre de la mousse souligne le bord du quai.

Elle salue au passage les bouquinistes figés dans le froid. Depuis cette promenade, ils sont sans le savoir personnages de l'amour et portent sur eux le regard de Lagrenée. Le premier en héros de Tchekhov, avec chapka, pelisse noire à col de fourrure, grand seigneur rigide sous une couverture. Assis avec peut-être une chancelière sous les pieds. Le deuxième en film de cape et d'épée, avec des bottes de couleur, long manteau de mouton et bonnet de ski, à la mode d'aujourd'hui qui cavalière les formes et accroche aux mentons des barbes de romans. Les timbres eux-mêmes sont figés par le froid du vent sur leurs plaques orange, « tous différents » « sans colle ni charnière ».

Tout ce qu'ils ont regardé ou lu ensemble porte désormais sur le quai la marque Lagrenée. Avec *Paris vu par ses peintres* ou *La Femme vue par ses peintres*. Qui tournaient sur leurs tourniquets entre *Le Crapouillot*, les sciences de Léonard de Vinci, ou les « cochoncetés », dirait la grand-mère Arsène. Qui n'en sont plus. Innocentées et bien en vue, de par la liberté octroyée du temps qui passe. Lagrenée lisait les légendes des reproductions dites lithographies de Daumier. Qu'on peut se payer pour dix francs. Mais pour quoi faire, une fois vues et lues ? Dont celle du médecin au chevet d'une femme à demi pâmée, demi-nue, la France, comme d'habitude. Légende : « Ma chère France, dit le médecin, tâchez donc de grâce de ne pas toujours être prise de panique à la veille de toutes vos couches. » « On pourrait s'en servir en ce moment, dirait Barilero. Les municipales, ça panique. »

Lagrenée a dit que Gilles avait sûrement dansé sur le Pont-Neuf. Plantés contre la balustrade, tout a viré entre les boîtes à livres. Et Henri IV là-bas s'est mis en branle sur son cheval. La statue est devenue cavalier de par Lagrenée.

Ils tournaient le dos à la physionomie automobile du quartier : le vide angoissant de la chaussée, et une foncée large, furieuse, dévergondée entre les maisons et ce torrent-autos implacable, dangereux, hurlant. (Toutefois quand on est à pied. Quand on est dedans on en fait autant.) Effrayant à voir du bord du trottoir quand le feu passe au vert au pont Saint-Michel et que, dans un soufflement-grincement de taureaux-dragons puants et vaporisant des poisons, les autos épaule contre épaule prennent le départ à tout berzingue en grinçouillant les vitesses et les bousillant pour prendre la tête, même d'un centimètre.

Quand ça vous fonce dessus, il suffirait de traverser pour s'éparpiller en miettes, à plus longue portée encore que le blond Tistet Védène sous le coup de pied de sept ans de la mule du pape. On se retrouverait accrochés en lambeaux à la flèche de la Sainte-Chapelle et aux roues roulant sur le Pont-Neuf. Bon moyen de mort à notre portée à tous. Bien plus assurée que de tomber du haut du pont, où quelqu'un appellera les pompiers et où il se trouvera un héros de cinéma pour se jeter au bouillon. Et puis, tant qu'à trépasser, mieux vaut voleter en gouttes de sang sur les chaussées que de présenter à la face des badauds votre corps devenu un « noyé », le plus funeste des cadavres. Du reste pourquoi ne pas attendre les fantaisies du destin ?

Les mouettes dansaient le trépak. Leurs sous-ailes grises et le noir-jaune de leurs pattes dessinaient des figures de ballet. Ailes en tutus, pattes tombantes en pointes sur l'air et l'eau, danseuses, sont-elles toujours comme Cramponne les a vues ce soir-là et les voit depuis ? Où l'eau devenait le fameux feu de bois ? Loin de l'histoire des pierres, des noyés, des rois et des funambules, des joueurs de farces ou des brandons de révolutions sur l'arche grouillante qui chantait des ponts-neufs ? Seulement l'exaltation des mouettes. Et l'histoire contemporaine des autos parquées en face dans un coin sous l'inscription communistes-démons. Qui entassaient dans l'eau des reflets violets-verts-rouges-bleus-jaunes en paquets. L'eau de la Seine faisait trembler un banc poissonnier d'autos noyées.

Cramponne savoure ses derniers instants de chaleur parmi ces paysages de Seine, qu'elle ne verra plus autrement que par leurs deux regards d'exaltation des choses. Sa propriété. Désormais close par les murs fantasmagoriques entre lesquels elle marche avec Lagrenée. Comprenant en toute propriété les trois péniches immobiles dans le silence, leurs petites barques sur le nez, leur ancre au derrière, leurs rideaux de midinettes, leurs lanternes d'Opéra. Nommées l'une *Louise*, l'autre *Céron*, et la troisième *Général-Leclerc*... Sans oublier les anneaux dans le mur, et ce plan incliné bordé des inévitables ordures que Paris collectionne dans le sublime de ses vieux quartiers. La Seine tout entière, qui fait partie de l'inventaire. Et où la peau d'orange en cuvette miniature semble se substituer au chien crevé. Dieu soit loué, dirait Cramponne.

Malingaud dit qu'un jour où il se tenait là, notant sur son carnet le détail des couronnes de pierre sur les arches du pont Saint-Michel, et les particularités de Notre-Dame vue du quai des Grands-Augustins, il a eu la vision du clochard de Seine marchant vers lui, comme un comédien qui en fait trop dans la titubation de l'ivre-mort. Avec tous les attributs notés par le costumier. Y compris ce rouge de visage que seul un vrai clochard peut réussir. Malingaud rôdait là depuis des heures sans éveiller la curiosité d'un seul passant, les gens promenant sur lui, comme dans la vie entière, le laser de leur regard. Mais le clochard marchant son pas de crustacé s'était brusquement arrêté devant lui pour dire : « Z'écrivez un livre sur Paris ? » Puis avait continué ses lents zigzags sans attendre de réponse.

On frappe trois coups dans le mur. Cramponne répond. Trois coups. Elle a cinq minutes pour finir ses comptes. Ce jour-là commence comme les autres. Il finira autrement.

Elle ne se pose jamais de questions.

Elle vit dans le présent, tout entière dans le feu de bois de Lagrenée. Et réciproquement. Jamais de questions. Parle celui qui veut. Aucun n'interroge. Toute leur vie est un fait acquis. Et la vie va.

De mieux en mieux. Aucun secret d'environnement. Ils se parlent sans réticence. La grand-mère Arsène et toute la famille de La Seyne entrent dans les maisons intérieures de Lagrenée, avec Malingaud, Broque, Barilero, tous les autres et *Le Monde indigo*. Cramponne héberge Julie et le camélia, Stanislas et Laramona, Aglaé, Tac-Tac, et le reste, y compris Boris Berg et les gens de l'institut Paul-Emile Carré. Chacun s'exprime à sa volonté. Aucun d'eux ne demande ni accès ni révolution dans le monde de l'autre. Ils se sont révélé leurs états de fait. C'est tout.

Une seule fois une expression particulière de Lagrenée à propos du camélia de Julie a griffé quelque chose en Cramponne. Une seule fois un mot de Cramponne à propos de Barilero a changé l'expression de Lagrenée. Aucun d'eux ne s'est attardé.

Seul Malingaud est « au courant ». Sans questions ni jugement à partir du moment où Cramponne ne sollicite de lui que ce même état de fait. Pourquoi s'immiscer ? Dirait-il. Quand Malingaud parle à Cramponne des problèmes qui le taraudent, il n'attend d'elle aucune solution. Seulement un endroit réceptif où poser pendant un moment le paquet pesant qu'il lui faut ensuite resoulever, porter tout seul. Et mener à bon port.

Broque a le rôle du confident de littérature. Mais Malingaud lui évite le partage des pires malheurs. Auxquels il prendrait trop de part. Et qui obligerait en outre Malingaud à une comédie d'optimisme ou de naufrage commun dont il redoute, dit-il à Cramponne, les alexandrins. C'est le seul point de leur amitié qui l'apparente au côté le plus contestable de l'amour.

Cramponne elle-même ne sait pas quelle est la substance de Malingaud. Dont Barilero prétend méchamment, à cause de la bosse, qu'il a le comportement du dromadaire ou du chameau, en tout cas de celui des deux, dit-il, qui n'a qu'une bosse. Car ces animaux peuvent, dit-on, rester un temps infini sans boire. Mais à la fin s'ils ne boivent pas du tout — voir les images de tiers monde en sécheresse — ils squelettent, côtelettent. Et meurent. Donc l'essentiel est de fournir à Malingaud le peu d'eau nécessaire à sa survie. Ce à quoi il s'emploie, lui Barilero, quand les nuages refusent de crever sur le désert. Il manigance, dit-il, des petites bonnes nouvelles par-derrière. Il a même réussi à faire traduire un livre de Malingaud en Italie. Ça n'a pas mieux marché qu'en France. Mais pas plus mal. Et le chameau-dromadaire a eu un petit moment de satisfaction. En apparence toutefois.

De Malingaud rien ne passe, rien ne déborde. Rien ne se plaint. Rien ne se laisse voir. Pour Broque, Malingaud jouit d'une âme indomptable, c'est le chevalier Bayard des guerres de papier. Cramponne a sur cette question de la cuirasse de Malingaud des idées moins assurées. Pour Cramponne il se tait. Et tout le reste reste à voir. Ils se ressemblent sur ce point.

Un indice : deux amis de Malingaud. Enrico, qui travaille dans une agence de presse à Rome. Maïr, qui enseigne le français à l'université anglaise de Toronto. Enrico traduit *La Lie*. Maïr a fait entrer Malingaud et le roman d'actualité dans son cours. Enrico vient de temps en temps, raconte, piripi et parapa. Et s'en retourne, après de longues heures de paroles dans la chambre de Malingaud. Que ses visites laissent « chargé », dit Broque.

Maïr est venue une seule fois. Ils ont passé une journée entière ensemble. Le reste du temps, ils s'écrivent. Chaque lettre de Maïr bogomoletse Malingaud, dirait Barilero. Qui l'a vue au cours de son unique voyage. Il dit que diable ! C'est une belle et chaude personne, elle a un nom merveilleux, un nom gallois qui fait tilt. Lui Barilero ne s'en serait pas tenu à l'âme-à-âme. Tout au moins aurait-il essayé. Malingaud ? Lui qui aime les femmes au point de leur faire assumer sa sueur de plume et sa bosse, avec Maïr, pas ça !... Ça se passe dans le respect mutuel de l'esprit-intelligenceculture. Ils parlent, ils cogitent, ils croisent. Comme si Maïr était un homme. Exactement de la même façon qu'avec Cramponne. Attitude que Barilero condamne à mort, au nom de l'émancipation des femmes, dit-il. En expliquant son raisonnement par la nécessité pour les femmes de ne pas s'émanciper en tant qu'hommes. Mais en restant ce qu'elles sont, et sans supprimer un seul de leurs avantages. Dont les hommes doivent en toute occasion leur prouver l'attention qu'ils y portent. Et le tour est joué.

Ces deux amitiés, Enrico et Maïr, sont les seules brèches repérables dans la cuirasse de Malingaud. Et par lesquelles Cramponne subodore la face cachée de l'écrivain. Souffrant non pas de son obscurité. Mais du mur de fer autour de ses livres.

Cramponne a expliqué Malingaud à Lagrenée. Que ce récit a conduit loin dans sa connaissance de Cramponne. Dont la caractéristique est d'ignorer, de par sa nature et la personnalité hors du commun de la grand-mère Arsène, tout problème de communication. Une vaccination naturelle contre le mal du siècle. Cramponne a le don d'ignorer les barrières intergens par un phénomène d'élimination spontanée. Elle ne les voit pas, ne les conçoit pas. Elle les franchit d'instinct. Elle trouve le mot de passe, où qu'elle soit.

Un jour de 1972, elle se trouve, raconte-t-elle à Lagrenée, dans Paris. Sans connaître personne. Par conséquent sans aucun moyen de réflexions sur sa destinée. Seule et sans argent. Elle ne sait où, vers qui se tourner, dit-elle selon la belle expression populaire. Qui tourne l'homme vers qui le sauve. Comme une feuille d'arbre changeant de position selon le continent. Une feuille tranquille dans l'air tempéré poussant sans problèmes. Une tige d'ombre rampant vers le soleil. Ou une feuille d'eucalyptus géant présentant sa tranche au coup de boutoir du soleil. C'est toutefois Jules Verne qui le dit. (Il reste ma géographie préférée. Les eucalyptus d'Europe s'ensoleillent normalement, que je sache.)

Cramponne frappe à la porte de Malingaud, hôtel d'Artois, rue des Plantes, à dix heures du matin. Chambre de livres et d'odeur de tabac. Elle voudrait lui parler. Dit-elle. Elle sait qu'il écrit. Elle souhaite discuter avec quelqu'un de particulièrement averti des problèmes « de la ville ». Qui puisse l'aider à « éclairer sa lanterne ». C'est l'expression qu'elle a employée. Elle l'a vu passer. Elle sait ce qu'il fait. Elle a lu un de ses livres et elle en a feuilleté deux autres chez le libraire. Ils lui ont plu par leur caractère de monde d'aujourd'hui. Veut-il l'écouter ? S'il n'a pas le temps, ou s'il trouve sa visite intempestive, elle s'en va. Aucun problème. Sinon, elle cherche un ami. Veut-il être cet ami ? Et lui parler de ce qu'elle ne sait pas et qu'il sait ? Car cette ville est fermée à triple tour, et elle « ne sait pas par quel bout la prendre ». En parlant, « tout est plus facile », tout « s'éclaire ».

Malingaud, souffle coupé. Nous sommes tellement enfermés, conditionnés, si farouchement imperméables à tout inconnu, a-t-il dit ce jour-là à Broque, que j'ai commencé par me mettre en garde, avec dans la tête tous les motifs possibles et imaginables de cette fille pour entrer chez moi. Sauf ceux qu'elle avait dits. Et comme je ne pouvais pas penser qu'elle cherchait une aventure, vu son physique et vu le mien, ni qu'elle était subjuguée par ma gloire de romancier, je me suis dit qu'elle tentait de me taper, ou qu'elle s'ennuyait, ou qu'elle allait me casser les oreilles. Ou me proposer, comme dirait l'Autre, un échange commercial horizontal avec abattement, vu l'inversement de la proposition. (L'Autre dans leurs conversations, est naturellement Barilero.) En plus elle arrivait mal, en plein dans un trou de plume. Et j'avais un mal de tête à tomber.

Premier mouvement, la mettre poliment dehors. Et je la fais asseoir. Il y a quelque chose dans cette fille qui donne envie d'en savoir plus. Avec aussi, pourquoi pas, un petit émoustillage. Dans ce sens-là l'Autre a raison, le sexe n'a jamais besoin de parler pour exister. Et cette fille ne ressemble à rien. Elle a l'air tout en santé. Un mélange de la Ruth de Booz à deux doigts de se faire ensemencer d'un arbre généalogique. Et « la faucille d'or dans le champ des étoiles », ça lui ressemble aussi assez. Et en même temps plutôt le cheval sauvage que la jument.

Mazette ! avait dit Broque. Lui, ce qui le stupéfiait, c'était d'entendre du Victor Hugo dans la bouche de Malingaud.

Mais la stupéfaction de Malingaud tient au récit de Cramponne. Elle est étudiante. Ou plutôt l'a été. Au prix d'invraisemblables difficultés et ruses de la grand-mère Arsène et coups de collier de Cramponne. Avec une bourse d'environ six cents francs par mois à l'époque. Elle raconte tout, dit Malingaud, un mélange parfait de ses errements de pensée entre les fonctions, les examens et les sigles, à grands coups de mots, B.E.P.C, bachot, puis D.E.U.G., aujourd'hui unités de valeur... Elle entre à l'université d'Aix-en-Provence — puisque celle de Toulon ne convient pas à ses options historiques. Elle promène des mômes, fait des ménages. Gardienne de nuit au service de puériculture à l'hôpital d'Aix-en-Provence. Ou n'importe quoi. Il lui faut de l'argent. Elle a même été ouvreuse au festival d'Aix et goûté des musiques en convoyant les « fans fringués », a-t-elle dit.

Au bout d'un moment, Malingaud sort des bières de sa petite glacière. Qu'il remplit tous les deux jours avec un bloc acheté chez le dernier bougnat qui existe, ou approximativement, rue Bénard. Le sac à charbon sur le dos, le bistrot à côté des sacs et les hommes noirs.

Ils boivent. Malingaud commence à s'intéresser. Malgré les rappels incessants de l'habituel dilemme. Qui veut que toute rencontre ou conversation non choisie mange le temps. Attendre que ça se passe en rageant. Pourtant toute rencontre ou conversation apporte à la quête de vie sa pitance, ne serait-ce que d'un mot. Comment quêter en travaillant d'arrache-pied à un livre qu'on veut remplir du tout-venant de la vie quêtée, sans quitter le livre ?

Cramponne raconte comment elle a commencé à caler aux premières unités de valeur. Pas la fatigue ! Mais les questions qu'on se pose.

L'Histoire. Elle a choisi l'Histoire par goût, dit-elle, de la véritable compréhension des choses qui se passent aujourd'hui. Et dont elle a, en tout. une infinie curiosité. L'Histoire « abat les cloisonnements ».

Il serait trop facile, dit-elle, de jouer avec les contrastes de la vie. La grand-mère Arsène et l'évolution de l'Empire byzantin ou les problèmes du blé en Europe occidentale au XIIe siècle. La cueillette du thym dans les collines, les matinées de marché, et la banque des Pays-Bas. Tout cela, vu la personnalité de la grand-mère Arsène, donnait des résultats plutôt convaincants. A cause de la fameuse communication absolue entre elles deux. Une vie intense. Dont la grand-mère « se régalait ».

Disait-elle. Ravie par surcroît d'en mettre plein la vue à Léandre, son fils à problèmes, mélange à parties égales de vanité et de méchanceté. Qui n'arrive pas à comprendre que Cramponne aime mieux laver par terre à quatre pattes, dit-il, que de chercher des leçons à donner.

Cramponne rêvait de sortir de son trou, disait la grand-mère, en ajoutant que y en a qui ont de la chance. On les envoie à Toulouse ou à Nancy chercher des ordinateurs pour travailler. La grand-mère Arsène jetant des « histoire quantitative » et « histoire structurelle » à la tête de Léandre, est un des plus beaux souvenirs de Cramponne. Il faut dire qu'elle avait mis du temps à lui entonner les mots au milieu des rires. Et des hurlements de Popov qui, Dieu sait pourquoi, donne de la voix dès que le rire explose en éclats. Ou bien le jour où la grand-mère Arsène a dit à Léandre que Cramponne serait capable de calculer le nombre de gens qui savaient lire ou le nombre de femmes qui avaient fait des fausses couches à La Seyne il y a cinq cents ans.

Et en plus de tout, s'appeler Léandre, pensait Malingaud. Il commençait à écouter l'histoire de Cramponne avec un tel intérêt que, même les mots les plus communs d' « unité de valeur », de « contrôle continu · des connaissances » ou de « structurer les connaissances sur un sujet donné » le charmaient. De son temps, vingt ans auparavant, tout s'appelait autrement. Sans compter qu'il n'a jamais été plus loin que le bachot, dit Broque avec une certaine suffisance.

Cramponne s'attarde sur une unité de valeur qui a eu son importance pour elle. (A ce moment-là elle lavait des préaux d'école.) En histoire quantitative, son unité sur le nombre de ressortissants de chacune des classes sociales à Rome. Les chevaliers. Les métèques (ça s'appelait déjà comme ça ? disait la grand-mère Arsène), la plèbe, les patriciens, ainsi de suite. Elle avait dû abandonner faute d'ordinateur à Aix.

Cet été-là elle s'est embauchée un peu partout, à La Seyne, à Sanary, au Plan-du-Castellet ou à Six-Fours. La cueillette du jasmin, la cueillette des olives, les vendanges, et lecture à haute voix chez la vieille mère d'un « artistique ». Protestante militante. Qui disait « Dieu voulant » tous les trois mots. « Dieu voulant, on va se faire une bonne petite tasse de thé. Dieu voulant, lisez-moi donc ces histoires de poissons de M. Cousteau... » Comme il a eu longtemps une maison à Sanary, on aime en parler. On se montre Frédéric Dumas, qui marche pieds nus l'hiver sur le port en faisant son marché, et qui a inauguré les voyages sous la mer avec un équipement sommaire. Donc, Dieu voulant, elle lisait les requins et les raies.

« Il m'arrive encore de dire " Dieu voulant ", disait Cramponne. Ça met un doute presque agréable sur tout ce qu'on fait. »

Elle veut abréger, elle a peur de parler trop longtemps. Mais cette fois Malingaud la pousse à continuer. Il lui propose de marcher jusqu'à la brasserie d'Alésia. Où on est tranquille. Et de raconter en mangeant quelque chose. Elle lui répond avec enthousiasme. Et les voilà partis. La patronne de l'hôtel d'Artois, Madelon pour le quartier, les regarde passer de derrière son comptoir avec un « amusez-vous bien mes chéris », qu'ils saluent d'un sourire. Le mari, un gros navet qui lit *Le Meilleur*, leur tortillonne un regard plat et continue à manigancer son tiercé. Madelon appelle « mon chéri » tous ses clients et tous ceux qui entrent. C'est un dragon aux flammes de caramel.

Au restaurant, Cramponne dévore. Avoue qu'elle a toujours faim. Un appétit encombrant. (Elle ne dit pas que sa faim atteint son point culminant après l'amour. Où elle mangerait — encore une expression de la grand-mère Arsène — les cornes des chiens.) A l'aurore du 2 mai, quand la lucarne a troqué son noir contre un gris, l'omelette de Cramponne et le goût du café vivent toujours dans les souvenirs de Lagrenée comme le sommet du goût des nourritures exquises. Quand Cramponne a fait l'amour pour la première fois, avec Patrice Barella, charpentier de fer aux chantiers de La Seyne, elle a eu tellement faim qu'il a dit : « Il vaut mieux te tuer que de te nourrir. »

France Barilero dirait à Malingaud avec son beau sourire de « relations humaines », s'il lui racontait sa première rencontre avec Cramponne : « C'est un roman tout fait, il ne reste plus qu'à l'écrire !... » Elle croit comme tout le monde que le roman vient d'une idée de roman. Et que si on la trouve, il ne reste plus qu'à le faire.

L'ironie à propos de France est si facile ! Tout le monde s'y emploie. Au moment où Cramponne savoure au milieu de ses commandos de souvenirs et d'idées, ses dernières minutes de chaleur avant de foncer dans la dure journée du samedi, France essaie en vain de dormir. En jalousant Barilero. Qui dort diablement bien, se dit-elle avec un regard d'interrogation un peu amère sur l'oreiller voisin. France souffre d'insomnie. Disons qu'elle est fatiguée de sa perpétuelle lancée dans le travail, les enfants, Barilero, la perfection-maison, la perfection-organisation. Tout va, tout roule. Il faut rester sur l'orbite. Elle ne sait pas qu'elle est fatiguée de tout. Et de ce mari superbe et maléfique. Que tout le monde trouve si intéressant.

Dormir. Ça ne lui arrive pas tellement souvent. Pour parvenir à dormir, elle se pose des problèmes. Par exemple l'histoire comique du service de publicité de l'entreprise de confection où elle travaille. Qui a sorti une affiche de soldes de janvier avec « bondissez sur les soldes » etc. Ils étaient si contents de ce « bondissez » qu'ils n'ont pas vu la bourde en gros à la dernière ligne : « Enorme stock hommes. » L'affiche a été placardée comme ça dans tout Paris. L'usine entière en a fait des gorges chaudes, et je vous laisse à penser les plaisanteries des ouvrières. « Ordurières. » A dit le gérant de l'usine. (Qui a frisé la faillite et bat de l'aile.) « Rabelaisiennes, a dit France. Simplement rabelaisiennes. »

On n'est pas chargé des « relations humaines » sans se trouver constamment en pleine réalité. Exemple le manœuvre un peu innocent dans le sens attardé du mot. Et dont les femmes un jour ont voulu à toute force savoir s'il était puceau. Elles exigeaient de voir sa « carotte ». Et se sont mises en demeure de le déculotter, juste au moment où le directeur le plus manche à balai passait avec un client belge. Auquel il vantait l'élégance de ces femmes. Qui savent s'habiller d'un rien. L'innocent pleurnichait, les ouvrières baissaient des nez tartuffiens et France ne trouvait rien à dire sinon que le monde est comme il est.

« Enorme stock hommes... » Pour s'endormir, elle retourne la phrase. « Soldes de confection pour hommes. » Non. Soldes masculins. Allons allons. Hommes en stock, stock en solde, confection en stock, en solde, en hommes, hommes de soldes et de rapines, soldez les hommes... Monsieur Jourdain lui-même ne s'en tirerait pas, se dit France. Qui se sent lasse. Et de plus en plus inapte au bonheur de sa vie. Où tout va bien. Ou semble. Elle prend un tranquillisant. Tant pis. Il est tard. Mais c'est samedi. Stock et soldes, hommes en confection, confection d'hommes et hommes en solde et soldats et soldez les hommes et les pantalons, des hommes pour rien, des hommes de confection et balancez les hommes !... Et de toute façon ce n'est pas mon rayon.

Cramponne a raconté jusqu'à trois heures de l'après-midi, dans ce café assez obscur où en dehors des heures de repas, les allées et venues ne dérangent personne. Lecteurs. Ecrivants. Ou amoureux.

En particulier le jeune Cadel, manutentionnaire au restaurant de la Cité universitaire. Pour manger. Le reste du temps hanté par le cinéma. Il écrit des poèmes. Et des scénarios. Il se ruine à téléphoner toute la journée à des hommes de cinéma. Il réussit même à en rencontrer. Ces hommes parlent de milliards. Et de public. Est-ce que le public marchera ? Est-ce que le producteur aimera ? Ils lisent des centaines de scénarios. Tombent sur une idée. Parfois sur une phrase. Géniale. Ça suffit. Par exemple le type qui a eu l'idée soufflante d'écrire ces simples mots : « L'arche de Noé 1975. » Ou bien : « On construit la tour de Babel. » Aujourd'hui naturellement. C'est fait, contrat signé. Le type va gagner des fortunes. Scénario, sans problème. Si on ajoute Freud quelque part, ça triple les chances. Cadel cherche son idée. Malingaud lui fait signe qu'il est occupé. Cadel lui dit : « Pourquoi pas Prométhée au Mammouth ? » au moment où il passe. En ricanant. Il est infatigable. Et fatigué. Le restau U le tue.

Et Malingaud écoutait Cramponne, de plus

en plus intéressé, interrogatif. Bientôt solidaire.

Comment Cramponne, en troisième année d'Université, a passé un dimanche, avec la grand-mère Arsène, à évaluer selon sa coutume l'ordre d'importance des choses de la vie. Elle n'aime pas enseigner. Ce que France Barilero ou Julie appellent les « basses besognes », celles du ménage, ses embauches ici et là ne la lassent pas. Ce sont des expériences — du point de vue métier — qui lui ouvrent des horizons. En outre elle aime ce travail. A l'exception des préaux d'écoles ou de la plonge au restaurant, qui saoulent le corps de fatigue et ne laissent aucune liberté à l'esprit parce que « l'horizon est bouché », dit-elle.

« Elle a une façon extraordinaire, dit Malingaud à Broque, de décrire les sols qu'on lave, les grands sols, les escaliers, les odeurs de désinfectant, l'échine pliée ou à genoux par détente. » Ou bien « la vapeur des cuisines et le torchonnage, elle a dit " torchonnage " infernal. Le mécanisme du bras à torchon d'assiette à assiette, et le bruit de la chute des couverts dans leur casier-fourchettes géant, casier-couteaux, casier-couverts à poisson. C'est l'échelon le plus bas du travail », a-t-elle dit.

Elles ont toutes les deux envisagé l'avenir, avec le moindre de ses détails, et les moyens d'« ouvrir les horizons ». « Dans une famille ouvrière comme la nôtre, dit Cramponne, une carrière dans l'enseignement, c'est une accession, et avant tout une sécurité. Mais je cherche surtout à " m'ouvrir des horizons ". A voir des choses. A connaître des endroits et surtout des gens. J'aime les gens. On a énormément discuté. »

Un départ ne les séparait guère plus que la nécessité pour Cramponne de vivre à Aix. Dans une chambre à payer. Les fontaines, les beaux platanes et la brasserie des Deux Garçons ou la fréquentation des étudiants ne comblaient en rien ses espérances. Connaître de la vie le plus possible dans tous les domaines, avant de consentir à s'insérer définitivement dans un cadre de métier. Même intéressant. Et pas les voyages : la vie. Pas les Indes : Paris. Le grouillement des gens, des métiers, des idées. Partir à l'aventure dans la vie générale. Pour un temps. Ou qui sait ? Avant de se figer. Comme on meurt.

Cramponne décrit à merveille l'insolite de ses réflexions dans la cuisine de la grand-mère Arsène. Qui mourrait plutôt que de quitter sa maison. Mais qui, dit Cramponne, a le génie de la compréhension.

Elle rit aux éclats en disant que sa meilleure unité de valeur avait pour thème les hérésies chrétiennes. Quelque chose comme « l'incidence des théories platoniciennes et aristotéliciennes dans l'évolution des hérésies chrétiennes ». Et elle se raconte travaillant le samedi soir. Pendant que la grand-mère Arsène, un peu lasse du silence et de l'embargo du péripatétisme sur Cramponne, en tout cas de ses livres, est assise devant son téléviseur, dont elle a coupé le son. Popov couché sur ses pieds. Lui adressant de temps en temps la parole entre ses dents. Cramponne garde dans la tête ces heures devenues diamants dans le souvenir, et la voix de la grand-mère disant : « Tu t'en fous, toi, de cet Aristote, hein mon Popov. » Le mot Aristote lui plaisait tellement qu'elle regrettait de ne l'avoir pas connu avant. Elle aurait appelé Popov comme ça.

En admettant donc que Cramponne en arrive à son mémoire de maîtrise. Avec au fond de la pensée l'idée non pas de choisir un sujet du genre « L'enseignement en Corrèze de 1715 à

1789 ». Et de partir sur les lieux. La Corrèze !...
Fouiller les fonds d'archives, notariaux et reli-
gieux et s'exiler de La Seyne ou d'Aix pour
aller à Tulle, à Limoges ou à Brive... Non.
Accrocher un moyen d'aller à Paris. Se trouver
une nécessité ultra-facile de consulter des documents aux Archives nationales rue des Francs-
Bourgeois. Mais les voyages ne sont pas payés.
Ni les photocopies. Ni les timbres même si on
demande les documents par lettre. Ni la vie
à pied d'œuvre.

Elle a ajouté que cette envie de vivre à Paris
est bien étrange, si on pense à la férocité des
gens du pays envers les Parisiens. Les vacanciers... Il est vrai, dit-elle calmement, que les
gens en vacances montrent leur plus mauvais
côté. « Leurs vacances n'est pas ce qui m'intéresse. »

Cramponne a donc envie de connaître autre
chose qu'une salle de classe et un salaire. Autre
chose qu'une résidence. Et que cette course
ininterrompue à l'argent qu'il faut gagner pour
payer ce qu'il faut apprendre. Elle dit à Malingaud : « Je ne suis pas née dans un bain où les
études sont naturelles. Ce qui me plaît, c'est
de connaître beaucoup de choses. Bien plus
que d'avoir un métier. Tout ce que j'ai connu
comme gens et comme enseignement, c'était
une ouverture. Mais pour moi, au fur et à
mesure que j'avançais, je voyais tout se rétré-
cir à partir du moment où, au contraire,
j'aurais dû me voir arriver. »

Elle dit aussi que, curieusement, les enfants
de commerçants réussissaient très bien dans
leurs études. C'est même étonnant à regarder.
La fille de la marchande de fromages fait de la
recherche dans un laboratoire de biologie à
Marseille. Le fils du coiffeur prépare l'agré-
gation d'italien. Le fils de l'épicier self-service

veut se présenter à Polytechnique, il est à Paris chez les Jésuites. Ils sont heureux, ils ont des professions en main, leurs familles sont fières d'eux. Et quand ils viennent en vacances, ils servent à la boutique ou ils vendent au marché avec les parents, sans problèmes et sans vanité. Tout le monde est heureux. Mais le milieu est différent. Ils n'ont pas de problèmes d'argent, mais ce n'est pas la question. Ni une question de classe. Du reste ils ne franchissent pas les barrières de classe. Pas plus que les autres. Même s'ils se marient avec des gens du même métier, ils trouvent rarement une ouverture vers d'autres milieux. Ils sont projetés. Mais ils restent accrochés. C'est leur bien et leur mal.

Non, ce n'est pas exclusivement un problème de classe. Encore que Cramponne ressente vis-à-vis de son propre milieu à La Seyne une sorte de conformité de points de vue et d'adhérence aux problèmes. Et qu'elle convienne que la disparité entre ses études et la grand-mère Arsène, dont l'intelligence et la vitalité sont hors mesure, dit-elle, ait joué en faveur de sa vie actuelle.

Donc s'ouvrir à tout ce qui se passe, il ne suffit pas de devenir professeur pour y réussir. Il faut couper ! Sinon on ne sort jamais de son milieu. Et le problème consiste à en sortir, pour moi toutefois, complètement. Tout en y étant intégrée. Je ne veux pas monter dans l'échelle sociale. Je veux m'engager comme mousse sur un bateau comme dans les livres. Seulement mon bateau, c'est Paris. Sinon on risque de se coaguler.

« Elle a employé ce mot, dit Malingaud. Elle a parlé de l'enroulement autour de soi des lieux où on se coagule ! C'est pas étonnant ? »

La grand-mère Arsène et Cramponne ont

signé un pacte. Elles sont nouées dans les profondeurs de leur personnalité. Leurs actes se comprennent. Leurs réactions communiquent. Toute question d'âge mise à part, elles sont semblables. C'est la grand-mère Arsène qui a lancé l'idée du départ de Cramponne. Parce que Cramponne nourrissait cette idée.

Un échafaudage raisonné de projets. Cramponne est jeune et forte. Forte, c'est un mot qu'on emploie beaucoup dans la famille. Cramponne veut vivre, apprendre et voir. Elle veut lire sans étudier. Changer de peau. Qu'elle parte ! Elle a le métier de ses mains. C'est la meilleure ouvrière en ménage qu'on puisse imaginer et elle aime ce métier. Dont les femmes cherchent à se débarrasser parce qu'elles en supportent l'obligation et le poids en sus de leurs travaux ou de leurs maternités.

Que Cramponne parte pour Paris. « Après tout, dit la grand-mère Arsène, on n'a pas fait tout ce travail pour rien. Les connaissances ça sert. Ça reste là où on les a mises. Sans les études, on n'aurait pas eu besoin de réfléchir à tout ça. Et si tu tombes dans la misère, t'es pas perdue puisque je suis là à mon poste. Moi et Popov, tu nous retrouveras à ta volonté. »

Donc partir. Connaître beaucoup d'endroits, beaucoup de monde et elle en a le don. Du monde. Elle se fait aimer partout où elle va.

« Elle a dit ça tranquillement, dit Malingaud. Et c'est vrai. Je commençais déjà depuis un bon moment. Rien qu'à ce seul nom : Cramponne. Je ne sais pas pourquoi. Et pourtant plus elle parlait, moins j'avais de dispositions à faire l'homme, à commencer à imaginer une aventure. Je l'ai écoutée comme un homme écoute un homme. Comme elle parlait. Tu verras. C'est un cas, Cramponne. » Broque avait hoché. Avec scepticisme. Et un certain chagrin de cette rencontre. Dont on ne sait pourquoi il commençait à éprouver une jalousie d'amitié. Qui n'a jamais faibli depuis qu'il a lui-même lié amitié avec Cramponne. Ils forment avec elle un groupe d'hommes. A l'exception naturellement de Barilero. Dont l'inaptitude à toute fréquentation masculine, dit-il, des femmes demeure inguérissable. Il a même trouvé un petit moyen satanier de résoudre le problème. « Tu couches avec moi une seule fois, dit-il à Cramponne, et après on pourra parler comme deux hommes. » L'Egérie de Broque, Nadège, dit qu'aucune femme ne se lie avec un homme en toute asexuation. Que c'est ce qui rend la chose supérieure. Et réciproquement. Mais que malheureusement les siècles ont forgé un « naturel » exclusivement enclin à faire prédominer la « chose ». « Viol de nuit, terre des hommes », ajoute-t-elle. On voit que la manifestation a diffusé jusque dans les enclaves maternifiées de Broque.

Départ de Cramponne. Rendu difficile par les velléités de Patrice Barella de l'épouser. Il a un petit terrain sur lequel il se construit une maison les fins de semaines. Et depuis ses premières amours avec Cramponne il a, dit la grand-mère Arsène, de la suite dans les idées.

Vous savez, a dit Cramponne, comment sont les gens en province ? Ils disent : « Vous êtes de Paris ? J'ai une sœur à Paris, vous connaissez sûrement la rue Picpus ? Si jamais vous la rencontrez, vous savez, c'est quelqu'un de très bien... ! » Eh bien, pour une fois ça a servi. Mon oncle Léandre a un coéquipier, aux chantiers de La Seyne, dont le cousin a habité chez Madelon avant de partir en banlieue. Cramponne est sortie de la gare de Lyon pour aller droit chez Madelon. Contrairement à ce qu'on fait d'habitude, elle a pris une semaine de congé de tout. Elle a rôdé dans Paris. Elle a marché le long de la Seine. Elle est allée au Louvre. Où elle a rencontré Gilles. Entre autres. Elle a vu des cafés, des quantités de cafés, elle adore les cafés. Un point commun avec Malingaud. Le café c'est le forum. Elle a dévoré des films et des librairies. Elle a vécu comme un touriste, dit-elle. Heureuse comme jamais. Elle prenait le métro comme d'autres l'Orient-Express. Elle entrait aux Tuileries comme aux Floralies. Elle marchait faubourg Saint-Honoré comme dans la caverne d'Ali Baba. Montait les quelques marches du musée du Jeu de paume comme un roi vers son trône. Et arpentait les Champs-Elysées dans le privilège de l'immensité des foules, la fantasmagorie des vitrines, et la mise en évidence de quartier en quartier de la nécessité de la grande ville, dit-elle drôlement. Pour alimenter ce qu'on a dans la tête. Elle ajoute que ça ne lui est jamais passé.

C'est ici qu'elle veut vivre. Et gagner cette vie suffisamment pour faire le plus souvent possible le voyage de La Seyne. « Maintenant, dit-elle tranquillement, j'aurai des facilités. Ma grand-mère Arsène a pris la carte Vermeille et c'est moi qui m'en sers. Ça me fait trente pour cent de réduction. »

C'était la première manifestation des affinités véritablement étroites entre Cramponne et sa grand-mère. Comme Malingaud ouvrait des yeux narquois et étonnés, elle a dit : « Qui on lèse ? C'est à moi de jouer à cache-cache dans les trains avec les contrôleurs. C'est facile. Et qui on lèse ? Alors ?... »

« L'extraordinaire, dit Malingaud, est qu'une fois terminé son séjour en touriste, et arrivée au bout de ses ressources, elle ne se soit pas dit : "Maintenant il faut trouver du travail."

Pas du tout. Elle s'est dit : " Avec qui vais-je pouvoir parler ? Qui connaisse la ville mieux que moi ? Et qui me permette de discuter de ce que je peux faire ? En m'évitant les sottises inhérentes à ma qualité de fille de La Seyne débarquant à Paris ? " »

Je suis tranquille pour elle, a dit Malingaud. Elle ne tombera pas amoureuse de Don Juan (c'est un habitant de l'hôtel d'Artois qui, selon sa propre expression, tombe les filles sur sa demande, et clac, sur le divan. Il est employé de banque et ressemble à un tombeur de bandes dessinées, qui aurait un cigarillo au lieu de bulle). Elle n'expérimentera pas le trottoir et n'écrira pas ses Mémoires. Et elle fera ce qu'elle a envie de faire pour la simple raison qu'elle est sans barrières. Je dis ça parce qu'elle a précisé deux points. Le premier, elle ne veut rien demander à Madelon parce qu'elle ne veut pas travailler là où elle habite. Le deuxième, elle veut un logement qui donne sur la Seine !... Je lui ai demandé si elle était tombée sur la tête et si elle connaissait le prix des loyers. Justement. Elle s'est renseignée. Elle sait les endroits. Un jour elle trouvera.

Ils sont restés ensemble toute la journée. Malingaud l'a convaincue de la nécessité de se servir des journaux. De s'aboucher avec une agence de gens de maison. Il a téléphoné à France Barilero. Qui connaît toujours quelqu'un qui connaît quelqu'un qui. France a trouvé des soirées de garde d'enfants chez des amis, en attendant.

Le lendemain Cramponne a acheté sur les conseils de Malingaud tous les journaux à petites annonces. Et a trouvé sans problème son premier emploi. On trouve toujours une place d'employée de maison, a-t-elle dit. En tout cas à l'heure — c'est ce que je veux. Et si je travaille le samedi ou le dimanche et en faisant des extra — ce qui se paie bien — je pourrai payer mes voyages.

Elle a tout calculé. Elle prend douze francs de l'heure, quinze francs pour les samedis et les dimanches, des « sommes folles » pour les soirées tardives « à grand ramdam ». Elle peut donc, avec ce minimum, se payer des après-midi partout. Elle a réussi, en travaillant toute la journée pendant un an, à meubler et installer « son appartement sur la Seine ». Elle a même fait des « nuits ». Elle a la Sécurité sociale. Et elle ne risque pas le chômage, dit-elle calmement. Quand les gens décident de se passer de mes services par compression, je vais chez des plus riches.

Mais tout cela aujourd'hui. Au récit de la première rencontre, Broque a fait une moue hocheuse. Ton historienne en herbe, qui fait des ménages et magouille les théories aristotéliciennes avec le plumeau, j'ai des doutes, a-t-il dit. T'a-t-elle tapé, si j'ose m'exprimer ainsi ?

Malingaud dit oui. Un peu. Pour la première semaine. Sans aucune hésitation. Moi de même. Elle devait payer sa chambre et Madelon a l'art de mettre les gens dehors en les appelant mon chéri. Oui je lui ai prêté... Combien ? dit Broque. Cinq cents francs. Soupir de Broque. Mon pauvre ami !... Il convient toutefois que cette fille, comme il dit, a beaucoup d'imagination.

Mais Malingaud ne le suit pas. « Je ne te suis pas. » Quelle jolie façon à la mode de marcher dans les mots ! Comme si le raisonnement, les deux mains dans les poches, emboîtait le pas. Ou non.

Malingaud avait la certitude de la vérité de Cramponne. Quand ils ont regagné leur chambre, il y a tout de même eu chez lui un soupçon d'hésitation intérieure. Envie de la suivre. Pas seulement en mots cette fois.

Elle lui a dit merci. Chaleureusement. Que cette journée mettait le comble au bonheur de la semaine qui venait de s'écouler. Qu'en plus sa première connaissance était un écrivain. Qu'elle sentait la naissance entre eux d'une extraordinaire amitié. Que s'il était aimé d'une femme, elle lui trouvait bien de la chance. (Ce qui, si l'on y songe, constituait une façon fort rusée à la fois de lui faire compliment et de le laisser hors de sa chambre.) Que le monde est simple (selon sa formule habituelle) quand on n'a pas de barrières. Et finalement elle avait éclaté de rire en disant que selon Aristote, « l'amitié est une âme dans deux corps ». Puis elle était entrée dans sa chambre. Malingaud entendait encore le rire de Cramponne en longeant le couloir vers l'escalier pour descendre dans la sienne.

« Une femme de ménage, avait dit Broque. Tu avoueras... Enfin elle pourra toujours nettoyer chez toi... Si elle ne s'envole pas avec tes cinquante mille centimes. »

Il faisait là sa première erreur. Jamais Cramponne ne bénévole. Quand son travail s'arrête, il s'arrête. Elle a un métier. En dehors de ses heures d'usine-cuisine, elle ne bénévole jamais.

A travers cent mésaventures, tristes ou agréables, parfois tragiques, souvent profitables, des problèmes de femme avec les hommes et des affrontements d'homme avec tout le monde, Cramponne a conquis son droit à la Seine, ses voyages réguliers ou irréguliers. Des amitiés à nulle autre pareilles. Y compris celle d'un garçon de son âge. Avec lequel elle a fait l'amour quelque temps. Jusqu'à ce que l'envie lui en passe. Ce qui l'a convaincue de ses capacités dans la résolution par le calme de tous les affrontements conventionnels, accompagnés de fureurs et d'excès. Qu'elle abhorre. Il a fini par bifurquer dans la sollicitation d'amitié. Une amitié qui enchante Cramponne. Et qui comble ses curiosités des mondes inconnus par les récits qu'il lui fait de sa vie. Il est comédien et lui ouvre des théâtres et des coulisses. Il s'appelle Gildas. La manifestation du 1er mai a eu sur Gildas des répercussions. Cramponne l'a convaincu de la nécessité de faire de l'acrobatie à l'école du cirque. Les conversations de cafés ont des suites imprévues.

En tout cas elle ne court plus aucun risque de « se coaguler ». La rencontre avec Lagrenée fait le reste. Pour la première fois de sa vie, Cramponne obéit à un certain désordre de ses pensées. Qui accompagne inévitablement la vie de l'amour en exercice. Il arrive que ce désordre ancre en elle une sorte d'inquiétude sans précision. Dont elle n'a pas l'expérience.

Elle se lève d'un saut. Et court vers l'escabeau. Grimpe. La Seine promène ses lourdes luisances d'aube d'hiver et ses lumières encore colorées. L'énorme nuit vivante. Le clocher de la Sainte-Chapelle n'existe pas encore. Cramponne se sent propriétaire de Paris. Avec la même étonnante sensation de planer-dominer la ville. Comme ce premier soir avec Lagrenée.

En un quart d'heure, elle est dans le couloir. Elle ne chauffe sa chambre que le soir. Douche-habillage-ménage au galop dans l'air gelé.

La porte voisine grince et s'ouvre. Sort un serpent vertical, une fille tuyau en uniforme-tailleur de bureau et manteau rouge, surchargée de faux cils et de fond de teint. Long serpent impersonnel d'une séduction comme on en voit partout, avec un petit quelque chose en supplément dans la serpentisation. Sifflotant, cliquetant des clés. Claque deux baisers. Parfumés surparfumés. Et dit que Jean-René, comme ça : pouce en l'air. « Je file, je suis en retard. » Vérification du sac. « Comment je suis ? » Cramponne, pouce en l'air. « Tu trouves ? Pourtant je suis vannée. Hop hop au boulot ! Je vais me farcir une demi-douzaine de petits vieux, dis-moi merde !... Non c'est pas la peine. Je file. Plus c'est tôt, mieux c'est !... Les petits vieux se lèvent aux aurores, tu sais, ils dorment mal. On les baratine mieux. Bise ! je t'adore ! Je te verrai ce soir ? Je te vois plus !... A moins que Jean-René !... Celui-là !... Plus on lui en donne, plus il en veut. Il dit qu'il aime les couleuvres. Je suis accrochée, tu sais, je suis accrochée !... Jamais j'ai été accrochée comme ça !... »

Et zoup dans l'escalier. Sept étages. On entend longtemps ses pas sur les marches cirées.

Cramponne ferme tranquillement sa porte et sa veste de mouton. Avec un petit sourire vers les pas. Cramponne ne juge pas, ne déteste pas, ne sermonne jamais : elle enregistre. « Ce qu'on a de plus sûr, dit la grand-mère Arsène, c'est le for intérieur. Le for intérieur il a le droit de tout dire et de tout juger. Mais parler, à quoi bon ? On n'est pas des saints et des martyrs. On n'est pas le Bon Pasteur. On n'a pas reçu l'ordre du Seigneur de prêcher la bonne parole. Alors faut pas se mêler des choses des gens. Ça sert jamais à rien qu'à les braquer. Faut les laisser courir. On a toujours son for intérieur pour ricaner et juger le monde. On apprend des autres. Ils apprennent jamais de vous et ils ont la rancune. Alors à quoi bon ? »

C'est ce que fait Cramponne dans la plupart des cas. La morale, la morale ! Dans ce monde d'aujourd'hui ? Qui tend la perche à tout le contraire ? Dit la grand-mère. Attendons le Messie ! Faut au moins ça pour que ça change !... Nous on fait pas le poids !...

En arrivant sur le trottoir du quai des Grands-Augustins, elle voit le manteau rouge de Rita — elle s'appelle comme ça — cavaler vers la place Saint-Michel.

Cramponne l'a ramassée un jour pleurant des sanglots bruyants dans le couloir du septième, en essayant d'enfourner sa clé dans la serrure. Plus d'argent, plus d'emploi, plus de bon ami : tout à la fois, l'un suivant l'autre. Elle pleurait : heu ! heu ! heu ! « Faut pas faire ça ! » a dit Cramponne. Et elle se vengerait ! Et le patron, tiens !... Bras d'honneur. Et l'ami, tiens !... Re-bras d'honneur. Mais heu ! heu ! heu !... en attendant. Le serpent exagérait ses sanglots. Cramponne avait l'impression de les voir faire des boules en passant dans le gosier, comme les lapins avalés par les boas de bandes dessinées. Balancée de son magasin de chaussures pour réduction de personnel. Une chambre dégueulasse avec un lavabo. Où Cramponne lui a fourré la tête. Et le tout-venant des confidences. Et les parents croulants qui ne joignent pas les deux bouts. Un père manœuvre à son âge, faut dire ce qui est, il a pas le don etc. Ne nous attardons pas, la femme-serpent a de la ressource, Cramponne a mis peu de temps à s'en apercevoir. Une « pauvre bête », certes. Mais non sans venin. Sa petite foncée tortueuse dans la vie est sa seule préoccupation. Le monde entier pour elle se résume en Rita, Rita et ses emplois, Rita et ses Jules, Rita. Un tout petit monde serpentin.

La plupart des gens sont comme ça, dirait Barilero. Pour eux le monde a un seul habitant. Et c'est bien normal, on naît avec soi-même, c'est pas pour rien qu'on coupe le cordon ombilical, c'est pas pour vous lancer dans le monde, c'est pour bien marquer les limites de vos terres. Tu connais quelqu'un qui s'intéresse à quelqu'un, toi ?... Si tu dis que tu vas bien, l'autre se met aussitôt à se raconter. Si tu dis que tu vas mal, ou bien il attend deux minutes et raccroche en disant qu'on sonne. Ou bien il te dit : c'est comme moi, et en avant. Ou alors s'il s'intéresse, c'est que Satan conduit le bal et qu'il a besoin de toi.

Rita travaille. Emploie son argent. S'habille, se farde. Se nourrit. Et avec qui elle va sortir ? Et avec qui elle va danser ? Et avec qui elle va coucher ? Tout le reste à l'avenant. Et je demande rien à personne. Sinon une combine pour avoir des rabais sur tout, une combine pour produits de beauté et coiffeur, une combine pour les week-ends en voiture et hôtels où se dorloter. Elle y réussit. Elle présente dans sa longueur insolite, sa minceur étonnante, et sa serpentation naturelle, une espèce de charme difficile à définir, mais réel. Qui intéresse Cramponne. Encore qu'elle le trouve apitoyant.

Rita a trouvé une combine affreuse. Elle le dit. Affreuse. Minable. Proprement dégueulasse. Ce qu'elle est en train de faire, il faut vraiment avoir le cœur bien accroché. Heureusement, dit-elle, elle l'a.

Elle a trouvé une place de représentant en appareils électriques de chauffage. On l'a prise à l'essai. Ils étaient beaucoup, pleins d'espoir. Tu comprends, dès qu'on te fait entrer, tu crois que c'est arrivé. Mais une fois sur deux tu te casses la gueule sur les tests. Et la deuxième fois t'es quinze à faire un essai et c'est jamais sur toi que ça tombe.

Là, pas de queue, pas de « nous sommes désolés mais la place est prise ». On fait entrer

tout le monde. On vous présente aux repré-
sentants en place, majorité d'hommes. Bien
fringués, cravates, costumes, du tiré à quatre
épingles. Du cigare. Des sourires. On insiste sur
la correction, c'est comme ça qu'ils l'appellent,
dit Rita. Et la première fois on vous donne un
coéquipier. Heureusement. On nous a d'abord
tout expliqué, tu vas voir. Y en a déjà qui calent
avant de commencer, parce que tous les moyens
sont bons. Et on le dit, sans se gêner. Faut
vendre, un point c'est tout. Alors je suis partie
avec un mecton. Pas mal. Entre parenthèses
y a des mois où il se fait quatre ou cinq cents
billets. Pas tous, mais enfin presque. Quelquefois plus. Il a la technique. Alors on est allés
chez deux petits vieux. Aux heures de repas,
c'est mieux. Depuis je préfère de bonne heure,
c'est le moment où ils se laissent avoir le plus
facilement. T'entres là-dedans, en général c'est
des tout petits appartements, tu vois le genre,
des napperons, des chats et des pots. Des
masses de pots avec du papier autour et des
plantes vertes. Oh ! ce qu'ils peuvent aimer ça,
les plantes vertes !... J'arrête pas de les admirer
quand j'y suis, et de caresser le chat. Si le
chat monte sur mes genoux, c'est du tout cuit.
La plupart du temps c'est des tout petits retraités. Ou des petits rentiers comme on n'en fait
plus, qui voient leurs sous fondre comme de la
margarine. Qui ont mal partout. Qui s'affolent
devant une feuille de Sécurité sociale. Remarque moi aussi, mais eux c'est tout de suite du
drame. Tu leur dis des tas de bonjours. T'en
entends toujours un qui dit à celui des deux qui
ouvre : « Si c'est un représentant, mets-le
dehors ! » Ils sont vaches, faut bien que tout le
monde vive ! Alors tu dis : « Comment, mais
vous avez bien reçu la circulaire de l'E.D.F. ?
Sur les appareils de chauffage ? » Là, tout de

240

suite ils commencent à paniquer. Ils ont rien reçu ! Ils te font entrer. Tu les calmes. Tu leur dis : « Mais non, ça ne fait rien. On ne va pas vous manger. On va vous expliquer. » Alors tu y vas de la sécurité des maisons, des appareils qui ne sont pas agréés, du danger, des économies d'énergie, quand on n'a pas de pétrole on a des idées, du gouvernement qui se préoccupe. Y a trop d'incendies et de vieilles personnes qui périssent carbonisées. Ils te montrent leur chauffage, ils comprennent rien, ils s'affolent. Ils disent que ça marche. Alors tu sors le grand jeu. Tu dis E.D.F. tous les trois mots, tu les réconfortes. Ils te font du café. En général il est bon, c'est curieux, ces vieux savent faire le café. Avec des vieilles cafetières où on passe l'eau à la louche. Enfin !... A la fin tu leur colles le truc. Et le tour est joué. Y a des facilités de paiement. Pour eux c'est l'essentiel. Et toi t'as ton petit pour cent. Si t'as de la morale, tu t'en vas, y en a qui supportent pas de mettre des petits vieux dans le coup, ça la fout mal. Mais d'abord on fait pas que les petits vieux. On fait les nanas à l'heure où le mari est au travail. Et puis c'est pour ça qu'on trouve encore du travail là-dedans. Et puis il faut taper aux portes. Mais ça je m'en fous. T'es indépendant. Et tu gagnes ta vie. Après tout ils se chauffent, c'est le principal. On leur vend de la bonne camelote. Et surtout ne me dis pas que « si on faisait ça à ta mère » et « si on faisait ça à ta grand-mère » ! Ma mère d'abord c'est une salope, ensuite elle se laisserait pas faire. Et puis je me défends. Si tu te défends pas, t'as plus qu'à aller rue Saint-Denis faire de la morale au lit.

Devant le silence sans la moindre expression de Cramponne, elle a dit : « Evidemment y a aussi la clientèle normale, c'est la plus nom-

breuse. » Devant le silence prolongé, elle a dit :
« Bon y a des fois où je me dégoûte un peu à la
sortie, mais il faut que je vive. » Et devant la
prolongation du silence, elle a dit : « Ben dis-le,
que je suis dégueulasse. Et quand même que
je le suis, si c'est pas moi ce sera un autre ! »
Et devant l'obstination du silence, elle a inter-
rogé : « Alors, qu'est-ce que t'en penses ? »
« Moi ? a dit Cramponne. Moi ? Rien que ce que
tu penses toi-même. » « Alors, dis que je suis
une salope. » « Moi je ne dis rien. »

Au bout de dix minutes de ce petit jeu, Rita
a dit que Cramponne était vraiment un drôle
de corps. Cramponne a raconté l'histoire à
Malingaud. Qui n'a pu s'empêcher de l'inclure
dans *Le Monde indigo*. Il en a cent mille de la
même veine. Mais les « petits vieux » l'ont
accroché. Peut-être à cause de son père. Dont le
voisin est à l'hôpital. Cinq loulous masqués de
bas de soie lui ont fait griller la plante des
pieds pour qu'il indique la cachette de son
magot. La vieille en est morte de frayeur. Et
Malingaud trouve le pavillon de son père trop
isolé. « C'est Chicago ! » dit Vincente avec une
certaine fierté. Elle a foi dans le courage et
l'esprit de conviction, dit-elle, de son Jules. Elle
est allée voir le voisin à l'hôpital. Avec des
consolations et des confitures. Et elle a dit
fièrement : « Il a pas parlé. » En ajoutant :
« Tu sais bien que nous non plus nous n'aurions
rien dit, puisqu'on n'a pas de magot, comme ils
disent. Alors ils nous auraient cuit les pieds
pour rien... »

Mais Jules Malingaud est le contraire absolu
de Rita, dont l'univers est inscrit dans le serpent. Son monde couvre des mondes. Il est
plongé dans les missiles antimissiles. Dans les
fusées offensives mer-mer et mer-air, dont il
décrit la queue lumineuse. Il dit que les lan-

ceurs mobiles russes ressemblent à des élé-
phants. Il dit que l'Atlantique est un fossé
plein de requins d'acier soviétiques. Et que les
U.S.A. dépensent cent douze milliards de dol-
lards pour la Défense nationale. Il ricane en
parlant de la doctrine de la « destruction
mutuelle assurée ». Quelle belle expression !
dit-il. Quelle sublime expression !... Il y a,
paraît-il, un prix Nobel qui a dit qu'au déclen-
chement fatal, les Russes pourraient détruire
l'Amérique à quarante-cinq pour cent. Les
Américains eux détruiraient l'U.R.S.S. à quatre
pour cent seulement. Mais les Américains
donnent dix milliards pour la recherche, ils
sont plus avancés en technique de pointe. C'est
trop cher pour les Soviétiques. Et les Américains ont moins de missiles balistiques inter-
continentaux. Et les Russes fabriquent un sous-
marin toutes les cinq semaines et demie. Six
contre un. Et les Faucons américains lancent
une campagne d'alerte à la guerre parce qu'ils
ont peur que Carter affaiblisse les crédits mili-
taires. T'as pas remarqué qu'en ce moment on
ne parle que d'armement ? Et de danger soviétique ? Et il ne s'agit pas des asiles psychia-
triques. Danger de guerre, danger de guerre...

La mort, la mort, la mort ! Tout ça partout,
dans les journaux, les radios, les télés !... La
mort, la mort, la mort... Les Allemands ? Ils
trouvent que l'O.T.A.N. s'affaiblit. Missiles,
et sous-marins. Ils ont peur des forces du pacte
de Varsovie... Les marchands d'armes... Les
moyens de défense contre les armes bactério-
logiques, chimiques et nucléaires. On ne parle
que de ça ! dit Jules Malingaud. On regèle. On
lance les faucons et les images, la radio et la
télé en sont pleines. Et tu viens me parler de
quatre loulous de banlieue qui n'ont pas le
respect des vieillards ? Couper têtes !... On

devrait couper la tête à tous ceux qui sont là à ne s'occuper de rien pendant qu'on lâche tous les docteurs Folamour !... Et que moi je suis coupable !... (Il se frappe la poitrine.) Je suis un vieil imbécile !... (Il se tape sur la tête.) Je suis là à chercher, chercher, je l'ai sur la langue, je sais qu'on peut le trouver !... Le moyen d'arrêter tout ça. Et je n'y arrive pas ! Mais comment, comment, comment trouver la phrase évidente, la phrase marteau, la phrase clé qui ouvre les serrures des yeux des gens ? Tu ne vas pas me dire qu'ils sont prêts à voler en morceaux ? Ils ne peuvent pas voir le sang de guerre à la télévision sans changer de chaîne, ou tourner la tête, ou s'enfoncer leurs cous d'autruches dans les bas-fonds de la bêtise de leurs feuilletons !... C'est à devenir fou !... Où est le moyen ? Où est l'idée dont l'évidence empêchera toute guerre ?... Où brusquement le monde se mettra dans la tête que c'est des hommes en morceaux tout ça ? Ils le font bien pour la peine de mort. Couper la tête à un homme, ils sont contre. Mais à mille ou cent ou cent mille ou tous, ils en écoutent parler sans broncher. Pourtant c'est eux !... Ils n'ont pas assassiné d'enfant ni pris des otages !... Je couperais ma tête !...

Et toc toc, dit Vincente en se frappant le front. Malingaud a tout de même réussi à leur faire mettre des verrous convenables. Mais comme ils ouvrent la porte quand on sonne sans dire : « Qui est là ? », ça revient au même, dit Vincente. Si on vit dans la méfiance et le qui-vive, ajoute-t-elle, autant se flinguer, comme disent mes élèves.

Cramponne se dit que le monde est ainsi fait. Le petit père Malingaud en train de prendre en main les destinées de l'univers, de mettre en évidence la mentalité suicidaire des hommes et leur inconscience, tout en jouant avec les avions plus ou moins performants et avec la guerre des missiles et ses mots. Que néanmoins il prononce avec un ravissement ingénu de sa propre connaissance dans les zones mortelles. Et de l'autre côté, du même, Rita réduite à son serpentement, et qui ne veut rien d'autre qu'elle-même dans ses préoccupations. Cramponne n'est pas sans tendresse pour Rita. C'est une pauvre bête. Pas bonne. Serpent. Mais pauvre bête tout de même.

Le jour-nuit la baigne de son air gluant. Dont la vivacité froide l'excite. Elle suit son parcours. En face, la Seine invisible et les lumières du matin dans les immeubles. Tout fait partie de son domaine. Y compris les grilles XVIIIe, les vieilles lanternes et le bois rouge du restaurant Lapérouse. Avec ses spécialités en impressions sur la vitre elle-même. Qu'elle a lues avec Lagrenée. (Elle a pris l'habitude à ce nom, de se dire « Et vive Lagrenée ». Ces mots déterminent en elle une montée de... Elle ne trouve pas le mot. Une vague. Quelque chose de fort et de submergeant. Qui ne se retirerait jamais. Et monterait plus haut à chaque étape. Quelle chance d'avoir un for intérieur ! Se dit-elle. Avec ou sans mots, on est roi de soi !...)

Le menu écrit sur les portes de verre de Lapérouse. « Bisque de homard, poulet aux écrevisses, civet de sanglier... » Le tout-venant de la cuisine bourgeoise. Se dit Cramponne. Une certaine « coquille Saint-Jacques Newburg » lui posait des questions. Elle regarde l'inscription avec amitié. Un jour Malingaud « ne reculant devant aucun sacrifice », dit-il, a téléphoné chez Lapérouse. En racontant qu'il faisait un livre sur Paris, qu'il était intrigué par ce nom de Newburg à propos des coquilles Saint-Jacques. A la direction, on s'est montré charmant. Ils ont cherché dans le dictionnaire, ont-ils dit à Malingaud. Qui leur a répondu qu'il venait d'en faire autant. (Intéressant de savoir, a-t-il ajouté, car tout sert à tout, que Newburg, cette ville sur l'Hudson, a été fondée au XVIIIe siècle par des Allemands du Palatinat. Mais les coquilles Saint-Jacques ?...) Il a entendu des discussions autour du téléphone.

Eh bien, ce sont, lui a-t-on dit, des coquilles Saint-Jacques à base de sauce américaine. (C'est bien la peine d'être historique, dirait la grand-mère Arsène, pour aller mettre ces pauvres bêtes dans une sauce américaine ! Quand c'est tellement bon servi grillé, avec une bonne rouille à emporter les tuyaux !...) Malingaud était ravi de sa petite conversation avec Lapérouse, ce hardi navigateur-maître d'hôtel. Il fait ça tout le temps. Il répond aux annonces pour la guérison des femmes frigides, aux réclames pour P.-D.G. en mal de karaté, ou aux demandes de capitaux pour financer des lotissements dans l'est de la France (gros rapport) ou bien « Planning pour construction d'usine, clé en main (anglais) méthode Pert » etc. Il dit que ça nourrit ses personnages.

Devant la vitrine des soldats de plomb en rang de bataille, le for intérieur de Cramponne salue militairement chaque matin. C'est son armée. Le magasin, en plus, s'appelle *Brocéliande*. En avant le 27e de ligne (1806) et le 13e dragons de 1670 ! Et Fleurus (1690). Ils coûtent cent francs. Et cent trente francs avec un drapeau. Repos. De l'autre côté les mouettes se sont levées. Le for intérieur de Cramponne châtelaine en saluant ce qu'elle appelle ses cygnes. Il est tôt mais il y a déjà partout ces jeunes gens de Saint-Michel. Ces cache-nez hauts comme un homme, ces laines entortillées, ces cheveux gais, longs, courts, embrouillés, collés, flous, ces bottes et ces moutons. Et un vieil homme tout bleu de froid. Silencieux. Dans une porte. Précisément celle qui ouvre sur une cour étrange avec une gigantesque boîte aux lettres pour « plis volumineux », et dans des tonneaux ou des caisses de ciment, des plantes vertes avec des roses violacées. Pas des fleurs de plastique. Des fleurs artificielles. Des fleurs de cimetières dans un fond de cour délabré.

Vieil homme bleu, solitaire. Et quoi dedans ? La solitude, la solitude. Et toute une vie entassée dans ce container-homme. Enfermée. Cramponne passe devant, emporte l'homme bleu. Qui ne le saura jamais. Et à quoi ça lui servirait ? Ah ! si j'étais capitaine de l'Armée du Salut, je le prendrais sous le bras, l'emmènerais, j'irais l'asseoir dans les chaleurs de la Brasserie périgourdine, je le chaufferais et il me raconterait sa vie, Dieu voulant. Le don perpétuel des dames d'œuvres et des saints, ça doit être drôlement réconfortant...

Comme elle meurt de faim, au comptoir du petit café du quai, elle avale un double café et des croissants, tant pis. C'est un jour dur. Il faut remplacer la substance, dirait Barilero que Broque accuse d'aimer l'empiffrement. Il y a tout près de là, dans une vitrine, un poisson-scie. Qui coûte mille quatre cents francs because le marbre du socle. Ce nageur armé pris dans le marbre scie l'air entre des ors, à côté du « Comité catholique contre la faim et pour le développement » et des lanternes rouges du restaurant chinois... Le trottoir de Cramponne a des séductions multidimensionnelles. La chaleur du café. La Seine invisible. Et vive Lagrenée ! Les gens du café ont un seul moyen de communication : le temps. Ils disent qu'il fait plus froid, ou moins froid. Que c'est janvier. Qu'espérons. Que généralement février. Que tout vaut mieux que la pluie. A cause des grippes. Cramponne se sent en explosion de plaisir de ses terres. Elle va. Elle ne peut jamais s'empêcher de s'arrêter devant la librairie technique. Qui change tout le temps ses vitrines. Et qui porte la marque du monde d'aujourd'hui comme personne. Mais aussi le Jumbo rive gauche, qui promet des « voyages hors des hordes ». Cramponne se demande toujours si la Paule de Malingaud, dans sa baignoire rouge à robinets de cuivre, cherche le matin des slogans percutants. Voyages hors des hordes. Safari faridon. Croisières sans croiser personne. C'est son métier. Ecologiquez-vous.

Ce matin, derrière les vitres, il y a parmi les titres de livres, à côté d'un ancien tarot de Marseille, *Comment j'ai touché le tiercé grâce à l'hypnose.* Entre *La Stratégie des entreprises, Les Soucoupes volantes, L'Avocat chez vous, Le Cours des voiles minces, Les Transistors à effet de champ,* et *Manutention et levage dans l'industrie.*

La boutique de l'homme que Cramponne appelle M. Silence, est encore fermée. M. Silence dort. Il vend des estampes et des dessins dans la pénombre. Il est assis au fond. Il a un petit nœud au cou. Il ne bouge pas. Il regarde dehors. On le voit en ombre avec pardevant des petites études de Delacroix, des fleurs. Ou des meubles et des fermes de Millet. Des petites choses sans autre résonance que leur signature. M. Silence bouge-t-il ? Cramponne ne l'a jamais vu qu'immobile. C'est un point d'ombre avec un petit nœud au cou.

Tous les jours, elle fait en elle-même ce qu'elle appelle ramer contre le courant, quand elle passe devant les deux morts. « Georges Loiseleur, prisonnier évadé, mort pour la

France le 19 août 1944 à l'âge de 28 ans. »
Et René Dova, F.F.I., « mort pour la France le
19 août 1944 à l'âge de 19 ans ». Ils sont rape-
tissés chacun dans son carré, entre deux drapeaux entrecroisés et des mots si usés, si
détournés. « Morts pour la France. » Cramponne les voit debout contre la porte. Et chaque matin ramène leur nom, contre le courant
inexorable qui les réduit de plus en plus à
leur petit carreau sur la porte. Georges Loiseleur et René Dova. Sonnerie aux morts. Le for
intérieur les enveloppe de chaleur, il a tous les
droits de l'imagination et du sentiment, il ressuscite, il rame à contre-courant. Les mouettes
saluent. On commence à les voir naviguer en
planeurs au-dessus de la balustrade du pont.
Elles prennent leur petit déjeuner. Dieu leur
mène un noyé ! (Qu'est-ce que tu dis, Cramponne ?) Salut les morts cinq ans avant ma
naissance ! Nous avons toujours le même âge.

Il faut courir. Mme Bertholet, Brigitte pour
ses intimes, doit attendre Cramponne comme
le Messie. Froid le vent. Chaud le métro. Et vive
Lagrenée !

Elle dégringole les marches. Le métro Saint-
Michel est une scène d'Opéra. Les escaliers doubles. Les murs de métal cloué jaunâtre. Les
tubes de néon des quais, tous pointés vers la
rame. La station est courbe. D'en haut on voit
les figurants grouiller à droite à gauche, au
fond sur une rampe, les guirlandes de lumières
s'enfoncent et le dragon arrive en grondant et
tournant dans la courbe, comme un dragon
d'étudiants japonais devant la police. Un Opéra
de figurants cavalant. Ils se répandent sur le
quai, sous la voûte de céramique blanche. Et
sous le matraquage des murs. « 20 % sur tout le
blanc. » « Soldes jaunes à Saint-Antoine. »
« Tartare le vrai goût de l'ail et des herbes. »

« Achetez maintenant votre résidence à la mer. »
J'y cours. Une vieille inscription s'efface sur une
étiquette à moitié arrachée : « Le prix d'un
homme. Pour tuer un Vietcong au Sud-Vietnam,
560 000 dollars. Pour envoyer un homme sur la
lune, 50 milliards de dollars. Pour éviter à un
homme de mourir de faim, 10 dollars. » Et un
cheval, toute crinière volante. C'est la réclame
préférée de Cramponne, cette semaine. « Avez-
vous déjà vu un cheval chauve ? Ecrinal, extrait
de chignon de cheval. Beauté et force de votre
chevelure. »

Cramponne se tient debout contre la vitre du
fond. Barilero prétend que dans le métro —
qu'il ne prend jamais — les gens sont comme
ils sont. C'est-à-dire en ciment. C'est le lieu
majeur d'évidence moderne du refus de communication. La haine des gens pour les gens.
La curiosité malsaine et la méfiance incarnée.
Les yeux en laser. Le corps en briques. Et tout
autour des fils de fer barbelés.

Madelon, la patronne de l'hôtel d'Artois, dit
qu'il ne faut plus prendre le métro, y a plus
que des gens de couleur. On se rend compte,
dit-elle. Là on se rend compte !... A chaque
mètre un nègre ou une négresse, même quelquefois en robe comme en Afrique. A chaque
mètre des Japonais. Les Algériens n'en parlons
pas, ça grouille. Et en plus on marche entre
des faciès — vous voyez ce qu'elle veut dire —
aplatis bruns, des métèques de partout. On a
beau être hospitalier et respecter les touristes,
c'est pas des touristes, tout ça ! C'est des gens
qui mangent notre pain et qui se répandent la
nuit à coups de couteau pour violer les femmes
et tuer les vieillards ! Quand c'est pas des bom-
bes encore, on a de la veine !... Moi j'aime tout
le monde et j'ai pas de préjugés. La preuve c'est
que j'ai jamais empêché un faciès de loger chez

moi. Son argent a la même couleur que celui des autres, le reste me regarde pas. Mais je dis : chacun chez soi. Est-ce que je vais ouvrir un hôtel chez les nègres, moi ?...

Le métro, le métro. A l'étage de Cramponne, vit un vieux « monsieur » très monsieur, un chef comptable retraité et fort actif. Qui collectionne des étiquettes de bouteilles et des boîtes d'allumettes plates. Qui travaille pour des particuliers. Et qui invente à ses moments perdus, dit-il. Eh bien, il ne cesse de chercher le moyen de créer un vestiaire roulant dans chaque wagon de métro. Car c'est comme ça que les gens s'enrhument. Ils arrivent là glacés. Et ils suent sous le manteau. Il faudrait pouvoir l'enlever ! Il a déjà fait un grand nombre de propositions à ce qu'il appelle la « direction des transports souterrains ». Entre autres une sorte de séchoir, du genre de ceux qu'on accroche dans les salles de bains. Et où chaque voyageur en tirant la ficelle pourrait déposer son manteau. A condition évidemment de circuler pendant un certain nombre de stations.

Le fait est que la chaleur est à crever. Mais où mettre des portemanteaux ? dit le comptable. Y a trop de vitres. C'est ça le malheur. Et à quoi bon, puisqu'on roule tout le temps dans le tunnel ? Il suffirait de tout fermer. Des portemanteaux partout. Et le nom de la station en lettres lumineuses. C'est évident. Ça aussi il l'a proposé. « Eh bien, vous me croirez si vous voulez, ils ont même pas eu la courtoisie de me répondre ! En France, on ne sait plus ce que politesse veut dire. »

Cramponne lit les journaux des gens. En général ils évitent de les ouvrir, l'espace est trop cher. Ils lisent la première page et la dernière. C'est la semaine où le prix des légumes s'est mis à grimper. Comme jamais. Un kilo d'endives à dix francs. Et les carottes, de l'or. Tout le métro nage dans le légume. Cramponne a la sensation que Brigitte Bertholet — elle l'appelle Brigitte dans l'intimité de son for intérieur — va avoir un sujet de conversation.

Ses deux voisins — elle les survole, ils sont assis dans le box — lisent *L'Aurore*. « La guerre de la salade va-t-elle avoir lieu ? » *L'Aurore* dit que l'importation de légumes frais provoque les premières baisses à Rungis, mais que les producteurs détruisent un camion de quinze tonnes de salades à la frontière espagnole. « Rungis : légumes en baisse », dit *Le Figaro*. Ce sont les gros titres. Devant Cramponne, *Le Canard enchaîné :* « En avant pour la politique d'oignon sacré !... »

Le regard de Cramponne vadrouille. Elle fait attention. Les hermétros, comme dit Barilero, détestent même qu'on lise leurs journaux. On dirait qu'on leur chipe leurs gros titres. Il prétend connaître un champion de la non-communication métropolitaine qui plie son journal sur le quai soixante fois pour que personne ne puisse lui voler un mot. Cramponne lit furtivement. Il ne faut pas violer le quant-à-soi des gens. « Ils ont toujours été comme ça, les gens, dit la grand-mère Arsène. Faut pas croire que c'était mieux avant. Le chacun pour soi ça a toujours existé. Y a que le contraire qui serait étonnant. »

Deux jeunes filles lisent *Pilote*. « 1977 : guerre au Plitch ! » Avec deux basanés, comme dirait Madelon, écouteurs aux oreilles et armés, suivis d'un redoutable borgne en uniforme à képi. Cramponne se dit qu'elle trouvera la solution chez Brigitte.

Elle s'offre au moins quatre fois *L'Equipe*. Le Français ventripotent est toujours sportif, dit Barilero. Elle s'amuse de voir trois ventres à

Equipe sur quatre. Et à rapprocher les titres, comme fait Malingaud. Qui a la passion des passionnés de sport abstrait, dit-il. En chambre. Les pépères qui accrochent des « Allez les verts » à leurs autos. Encore quand ce sont nos chers gouvernants qui suspendent des séances à l'Assemblée nationale pour les « verts », ça se comprend. Ils caressent la croupe du bon peuple. On offre aux sportifs les Champs-Elysées et quand ils prennent la pile, on dit qu'ils auraient dû être vainqueurs. On est très sport en France, quand on gagne. Ça, Madelon dirait son mot. Elle dit qu'avec un Hollandais, trois Zoulous, un Algérien, un Roumain, un Congolais et un Esquimau, on a la cocarde qui frétille quand l'équipe de machin gagne contre l'équipe de chose, qui en a autant. Si en plus on sait qu'on les paie des fortunes, y a pas de quoi gueuler devant le poste les dimanches que la France va encore perdre ou gagner. C'est pas plus la France que n'importe quoi.

Cramponne lit les titres. « Et si Nantes s'offrait une fugue ? » « Klammer en veut plus. » « Trioulaire enfin champion national. » Broque dit que c'est plus ardu à comprendre, la prose-sport, que les pages de critique d'art exprimant l'inexprimable exprimé d'une exposition de cadres sans rien dedans qui vous emmène dans les hauteurs survoltées de la signifiance.

On voit voler sur *Le Parisien libéré* (jaune) quelques Mireille Mathieu bouche ouverte. Des tas de Churchill en haut-de-forme à côté d'Eden décédé. « Le centre culturel de la Légion à Calvi était un bordel. » Ça c'est le haut de *Libération* qui dépasse. Et au-dessous : « Au C.E.A. de Marcoule, 120 ouvriers bloquent l'Europe nucléaire. L'usine de Marcoule est la seule en Europe avec celle de La Hague à traiter les matières irradiées. Elle est en grève depuis 80 jours. » Ça c'est pour le père de Malingaud, se dit Cramponne. Et « Boukovski à Paris. Les raisons d'une grève de la faim à la prison de Vladimir ».

Le métro s'est bourré d'un seul coup. Elle ne voit plus rien. Ne lit plus rien. Se retourne, écrase son nez contre la vitre. Tous ces voyages sous terre et les gens, et les gens. Comprendre apprendre le sens de tout. L'écrasement, la multiplicité de tout. Choisir choisir dans ce milliard d'idées. Et pendant ce temps le tunnel. Et pendant ce temps les stations. En ce moment, la nouvelle mode de multiplication des mêmes affiches momifie les murs et les abrutit. On passe entre des haies de photos de fromage. Jaune. Fromage jaune. Fromage jaune. Pour savoir ce qu'il faut faire de votre argent, faire de votre argent, faire de votre argent. Le métro glisse, s'arrête. Fromage jaune, fromage jaune. C'est la saison du Valda, la saison du Valda, la saison du Valda. Femme en bonnet rose et sourire aux dents, c'est la saison du Valda, bonnet rose et sourire aux dents, saison du Valda. Ou alors la tasse de potage, tasse de potage. Le fromage au tempérament généreux. Valda Valda. Potage potage. Fromage fromage. Tout ça en réalisme plat. Lévitan, style colonial américain. Le verre d'Alka Selzer. Lévitan. Le fromage. Plat tout ça, triste tout ça. Emmerdant tout ça. Le métro glisse. Ah ! enfin ! une affiche qui tranche. Manque de pot, c'est « la catastrophe aérienne des Andes ». On n'est pas gais dans les tunnels de la consommation. Est-ce que les gens achètent davantage sous le fouet de la répétition ?

Sur le banc de la station Saint-Sulpice, se poursuit un grand banquet de clodos. Ils ont étalé des nourritures sur des papiers, et ils sont cinq à bouffer. Avec des litrons. C'est un plaisir. Les gens s'écartent, mais les trognes rutilent sous l'éternel fromage. Et tout autour défile la variété-merveille du corps des gens et du vêtement dans ce siècle où la pauvreté elle-même porte des couleurs. Tous. L'hiver et ses libertés. Le mouton et les bottes, il n'y a rien de plus propice à l'homme. Et les capuchons. Les grandes écharpes. Les laines vives. Les mille façons de porter les capes et les ponchos. Et les toques. Lagrenée a une toque de renne. Et les bottes, les bottes.

Au fur et à mesure qu'elle approche de la porte d'Orléans, Cramponne a la sensation de s'éloigner de Lagrenée. Toujours quand elle arrive au bout de sa course dans le ventre de Paris, dans les journaux de ses regards quotidiens, dans le béton des gens, dans les affiches à répétition, quelque angoisse ténue lui vient. Qu'elle n'a jamais connue avant. Et qu'elle ne cherche pas à analyser. Elle la ressent. C'est tout. Et s'en débarrasse en émergeant sur la place. Lagrenée part pour l'institut Paul-Emile Carré. Cramponne s'en va chez Brigitte Bertholet. Et quelque chose comme une bifurcation de leur journée se situe là, dans le métro, un peu avant l'arrivée. Une sorte de creux. Un vide. Une impression bizarre. Que Cramponne appréhende. Pourtant elle a profité du métro, selon son expression coutumière. Elle l'a vécu sans le laisser passer. Tout compte. Les temps de transition, seul avec soi-même, sont souvent plus importants que les autres. Il faut vivre comme on voyage, dit Malingaud. C'est un de leurs points communs. Lagrenée sort de sa maison. Il marche dans la rue. Sous sa toque de renne. Est-elle son feu de bois ? Lagrenée. Lagrenée. Il marche dans la rue. Elle est arrivée. Entre dans l'ascenseur. Ou bien la rue est-elle le feu de bois de Lagrenée ? Les questions et réponses sont intérieures. Elle barre en elle-même la question. Et traverse l'espace vers le neuvième étage, déjà prête à affronter ce qui l'attend. Presque impatiente. Ces lentes fusées humaines dans les ascenseurs du monde ont toujours fasciné Cramponne. Ces moments typent l'attente véritable, la transition inutilisable. Les seuls instants de vie humaine dont il n'y ait rien à tirer, entre ces quatre murs de fer, fermés bouclés. Fusée. Sans pouvoir pour le transporté. Sans recours. Sinon rêver d'un ascenseur qui continuerait. Ne s'arrêterait jamais. Elle se demande en riant si le jeune Cadel, explorateur de phrases clés cinématographiques, a songé à sonder cette idée d'ascenseurs infinis. Drôle de poète ! Drôle de manutentionnaire ! Ces jeunes gens acharnés à entrer dans les forteresses de la société ! Si bardées ! Si gardées ! L'ascenseur s'arrête. En avant. Et vive Lagrenée !

Cramponne se trompe. Lagrenée est encore chez lui. Sans doute vaut-il mieux que chaque homme ne vive pas en possession d'une télévision intérieure qui lui donnerait la connaissance des espaces où se meuvent les personnages de son intérêt. Puisque Lagrenée est au chevet de Julie. Qui resplendit.

Car le camélia a fait une fleur le 15 janvier. Un miracle. En ouvrant les volets, ou plutôt en tournant la manivelle à rideau de fer, ce matin, Aglaé, venue passer la nuit au « domicile familial », dit-elle, a poussé un cri. « Le camélia a fleuri, le camélia a fleuri ! Miracle à Paris ! Debout les tranquilles ! Tous au camélia ! Tous au camélia ! »

Un temps de chien. Un ciel de Paris-pluie. Des rafales. Des vents. Apparition de Lagrenée. Depuis que Julie court après le sommeil et prend des tranquillisants, Lagrenée dort dans la chambre de Stanislas. Qui est à Téhéran.

Ils se précipitent. Ils aident Julie à se lever. La femme de ménage, Gloria, une force de la nature dont l'épicier dit qu'elle est « mal embouchée » accourt de son pas d'ours en criant : « Qu'eskilla ? Qu'eskilla donc ? Vous allez nous faire prendre les sangs, à gueuler comme ça, Aglaé ! J'ai failli lâcher la platelle ! » Elle met tous les mots au féminin. C'est sa coquetterie. Ou son tempérament. Son corps ballotte sous ses vêtements. Ses seins battent la campagne. Ses fesses ont des hauts et des bas flasques de montagnes russes. Ses joues elles-mêmes flapotent au rythme de ses pas. Et ses tout petits yeux nagent au fond avec une mobilité d'yeux de moineaux. Aigus.

Julie, qui répète tous les travers de langage de Gloria et s'y complaît, dit selon la formule consacrée : « On l'a depuis douze ans. Elle n'est pas très soignée. Mais je ne saurais m'en passer. Elle nous est tellement attachée !... » Sur ce point, Lagrenée a des doutes. Car cette grosse masse de chair à yeux d'oiseau est singulièrement de son temps. Et quels que soient les efforts de Julie et sa grâce naturelle à conquérir les gens, jamais Gloria n'oublie que le patron est le patron. Et le démontre à chaque instant. Gloria fait son travail. Et ne sentimentalise pas dans les relations. Cordiales. Mais chacun reste chez soi à l'intérieur de sa fonction. Comme il est naturel. Aucun patron au monde ne peut s'y faire. Il croit toujours qu'en gentillessant, il fait tomber les barrières de classe et de fonction. Jamais un patron — ou une patronne — ne comprendra qu'en se montrant charmant, jovial, égalitaire, confiant, de vous à moi et tout à l'avenant, il devient simplement un pas mauvais patron. Mais patron.

Ils aident tous Julie à se lever, lui mettent une grosse robe de chambre sur le dos. Et les voilà devant le camélia.

Il bouge furieusement. Le vent le secoue, le tourmente, les branches fouettent. Les gros boutons verts un peu rosâtres du bout, tremblent. Il y en a même deux petits par terre. Mais au milieu de l'arbuste, une fleur rouge grande ouverte montre ses pétales multiples et réguliers, sa découpe élégante, son long cœur jaune et travaillé de brins. Miracle de l'hiver, fleur royale sur ce fond minable d'altuglace pisseux et de boîtes à hommes sans grâce. Que la sombre froidure du temps rend sinistres. Une fleur de camélia dans ce désert d'idées.

On aperçoit une femme, loin, de l'autre côté, une marionnette sans jambe dans le carré d'une petite fenêtre. Elle regarde le camélia. Dont elle n'aperçoit qu'un point rouge. Elle admire. Ou elle regrette. Dès qu'elle s'aperçoit qu'on l'a vue, elle disparaît, ferme sa fenêtre. On ne communique pas de cellule à cellule.

Il existe dans la fleur en saison de bois sec quelque invisible substance, analogue à la chaleur, et qui diffuse en direction de la sensibilité humaine des particules imprégnées d'un pouvoir d'exaltation. Sinon comment expliquer l'épanouissement de ceux dont les pensées semblent s'arrêter sur un palier et flotter un instant loin de tout ? Gloria elle-même a eu un moment d'arrêt heureux. Elle a dit : « On peut dire ce qu'on veut, c'est beau. » Après quoi elle a enchaîné sur sa lancée habituelle.

Le visage de Julie rayonne. Elle s'excuse. Mais elle est, dit-elle, délirante de joie. Il y a quelque chose d'absurde là-dedans, mais cette fleur illumine sa journée.

Elle retourne lentement dans son lit. Où ils viennent autour d'elle prendre en commun le petit déjeuner. Que Gloria voiture sur la vieille table roulante. Elle dit que ça lui rappelle la sketch de Fernand Raynaud, le pauvre homme. Avec la camélia. Vous connaissez pas ? Vous avez pas regardé la télé avant-hier ? Il entre chez la marchande de fleurs et il dit qu'il veut une camélia. Et elle en a pas, alors elle dit prenez de la tulipe. Et il dit d'accord alors pour les tulipes, mais avec une camélia au milieu. Alors elle dit qu'elle en a pas, mais prenez des anémones. Et il dit d'accord, mettez-moi des anémones, mais avec une camélia au milieu...

Ainsi de suite. Ils boivent leur café en disant que c'est très drôle. « C'est vrai, dit Julie, je l'ai vu, je regarde tout depuis que je suis clouée. J'en riais toute seule. » C'est faux. Mais elle veut faire plaisir à Gloria.

Heureusement Gloria va faire sa vaisselle. Et Julie parle du camélia. A partir de maintenant il va fleurir tout le temps. N'est-ce pas que c'est une vraie merveille ?

Tac-Tac vient chercher Aglaé. Elle ne veut pas manger. Sinon des biscottes. Elle s'assied et mange le paquet, puisque les biscottes ne font pas grossir. Julie parle toujours. Gaie. Camélia camélia. Tout en buvant leur café, ils ont tous les yeux sur la fleur. Julie caresse la main de Lagrenée, posée sur son genou. Camélia. Aglaé lit les journaux. *Le Figaro*, *L'Humanité* et *Le Quotidien de Paris*. Elle a une discussion sanglante avec Tac-Tac à propos de la grève des comédiens. Pour Aglaé tout tourne en eau de boudin, comme à l'ordinaire. Grève pas grève, rien ne sert à rien, tout est foutu à l'avance. Pour Tac-Tac, un des syndicats trahit l'autre. Le ton monte, elles se traitent mutuellement de débiles. Puisque de toute façon, dit Aglaé, grève ou pas grève, qu'est-ce que ça change ? Ça donne seulement l'illusion d'un changement.

Si vraiment il se passait quelque chose, on le sentirait. Mais rien que de commencer ma journée, j'en ai déjà plein le cul.

Gloria qui passe en traînant des draps par un coin (supplice de Julie, les draps s'enroulent aux pieds des chaises et désastrent), dit que de toute façon ils nous prennent pour des cons. On a beau tourner tous les boutons, ou bien ils recommencent les pour pour ou les contre contre, ou bien c'est Giscard ou Chirac, ou bien un vieux film qu'on vous refout pour la troisième fois. Et si les comédiens sont en grève, tant mieux ! Rien que des petites gouapes et des tortille-le-cul qui se croient, c'est pas croyable ! Et la ministre qui vient vous dire — cette fois comme c'est une femme elle a beau jeu de féminiser — la bouche enfarinée, qu'il faut pas acheter de légumes ! Pour les faire baisser !... Non mais qu'est-ce qu'ils nous feront pas gober ! Alors mon mari, qui a pas de dents, faut que je lui fasse de la soupe à quoi ? En sachets ? Avec la carotte à neuf francs le kilo, non mais on nous prend pour des zigotos !... Et les endives à douze francs, faut quoi, faut aller brouter ? Y a pas de carottes, mangez donc du foie gras !...

Julie dit que l'Histoire se sert des mêmes mots. Et que la brioche des princesses sur le point de perdre leur tête s'est métamorphosée en foie gras au lieu de carottes. Tac-Tac et Aglaé rient. « Merde ! dit Tac-Tac, y a la grève à l'Elysée, on aura tout vu. » Ils regardent. « Ça m'étonnerait pas, dit Gloria qui débarrasse les platelles, en ce moment tout le monde s'entend pour le rendre fou, ce pauvre homme ! Y a qu'à regarder la mine qu'il a depuis quelque temps ! Avec sa front tout dégarni et sa trou sous l'œil, il sera bientôt bon pour la villégiature. Et ça nous avancera à quoi ?... »

« Elle est giscardienne à tous crins, dit Aglaé. Non je vous jure, le monde est schizo. » Et ils rient tous avec des larmes, même Lagrenée, parce que le gréviste à l'Elysée repéré par Tac-Tac, c'est « le Grevisse à l'Elysée » dans la rubrique « usage et grammaire ». Faut le lire pour y croire. Si Broque était là, il tomberait dans le ravissement. Un « aimable lecteur » a relevé dans *Démocratie française* best-seller du Président (ce qui reste à voir, Barilero raconte qu'on n'en est encore qu'à trois cent mille, pour le Président c'est le bide) l'emploi au féminin du mot « alvéole ». Qui ne l'est pas. « Il dit une alvéole comme Gloria », dit Aglaé. « Et comme tout le monde », dit Julie. Ecoutez ça, dit Tac-Tac. Mme Eliane Signorini, chargée de mission *(sic)*, répond au lecteur, qui ne manque pas d'humour, et qui lui répond tac tac : " Il est évident que Mme Signorini a puisé les éléments de sa pertinente réponse dans *Le Bon Usage* de mon éminent confrère Maurice Grevisse... " » Et tac tac, ça défile. Dites donc, Julie, y a des endroits dans ce canard où on se marre plus qu'à *Charlie-Hebdo*. Y a un truc sur la séance solennelle à l'U.N.E.S.C.O. pour la dixième journée mondiale de la Paix !... « Depuis la fameuse encyclique de Jean XXIII *Pacem in terris* l'idée de paix, cependant, a réalisé d'immenses progrès dans la mentalité universelle. » Ben qu'est-ce qu'il leur faut !... Et le « mérite de Paul VI est grand » etc. tac tac... bon... « Voilà dix ans que le pape, chaque 1er janvier, adresse un message pacifiant à l'humanité. Aux grands de la terre comme aux humbles... »

« M. Lagrenée a encore fumé dans son lit, dit Gloria, la drap du dessus elle a un trou. »

Julie demande : « Qu'est-ce que vous faites, les filles ? »

Tac-Tac se caresse le ventre en chantant : « J'ai bien mangé, j'ai bien bu, j'ai la peau du ventre bien tendue, merci petit Jésus. » Et comme Julie secoue la tête. « Vous connaissez pas ça ? On entend que ça partout, tac tac, j'ai la peau du ventre bien tendue... On va... D'abord on est en grève. Nous ou les profs je sais plus. » « Te casse pas le tronc, maman, dit Aglaé, on n'a pas de cours. Qu'est-ce que tu dirais si on était en esthétique !... Lambert, au dernier cours de sculpture, m'a dit qu'ils ont remis une feuille blanche, fallait dessiner je sais pas quoi. Sauf deux qui ont remis une feuille avec " l'art est mort ". C'est vieux ! Ils se croient en 68, c'est le musée Grévin ! »

Gloria passe lentement, la viande en trémolos, poussant des produits d'entretien et un seau sur la table roulante. « T'as vu la vitesse de croisière ? dit Aglaé. Pour pousser le truc ? »

Julie demande qu'on croise deux branches avec précaution pour que la fleur soit plus visible de son lit. Elle va paresser. « On va faire rien. On va chercher du travail. Tu sais bien que depuis qu'on a payé les vingt-cinq mille balles de l'inscription U, on est raides. Ce soir on sert les boissons dans un café-théâtre. Juste un soir ! Ça paie pas beaucoup, mais on a le spectacle en plus. Tac-Tac a pas tellement envie. Elle dit que ça la fatigue... »

Tac-Tac raconte que son père prétend que tout est une question de chromosomes. Alors quoi faire ? Par exemple il dit que Tac-Tac a le chromosome du chômeur. « T'aurais plutôt le chromosome de la bêtise », dit Aglaé. « Personne veut plus de café ? dit Gloria. Je me la tape alors, merci tout le monde. J'aime pas la café, ça me donne des palpitations. Mais au prix où elle est, chaque fois qu'on en achète ça a monté l'échelle, alors je vais pas offrir à l'évier la tasse qui reste. Y en a bien pour trois francs... »

Julie demande à Lagrenée ce qu'il va faire. Un cours. Sur Flaubert. Aglaé ricane. Depuis quelque temps ses rapports avec Lagrenée se dégradent. Elle relève tous ses mots, dit Julie. Elle attaque. Elle mord. Elle agresse. « Elle a le chromosome du contestataire perpétuel », dit Tac-Tac. « D'abord à quoi ça sert, tout ça, à quoi ça sert ? » dit Aglaé. Lagrenée, répondant à un haussement du genou de Julie sous sa main, dit que précisément son cours l'amuse, parce qu'il a l'impression, en relisant certains passages de *L'Education sentimentale,* de se trouver dans ces fameux endroits de mai 68, ceux qu'ils appelaient les « défouloirs » par opposition aux endroits à « paroles structurées ». Toutefois selon l'appréciation de Stanislas. « Y a pas de lettre de l'étranger », dit Gloria en entrant avec le courrier. Et comme Julie soupire, elle dit que le courrier du Cha-cha-cha (elle ne l'appelle que comme ça) est pas mieux servi que le nôtre. Elle ajoute que le facteur des imprimés, qui a été remplacé pendant sa crise de hernie, dit-elle, réclame ses étrennes. Elle l'a envoyé voir si j'y suis. « Oh ! non ! » dit Julie. « Pourquoi que vous lui donneriez de la bonne argent que personne en a, quand eux ils se mettent en grève à tout bout de champ et après ils balancent le courrier dans les égouts ? Ah ! si j'étais le gouvernement !... Enfin faites comme vous aimez, moi ce que j'en dis c'est pour vous. A votre place je lui donnerais deux francs !... »

Les deux filles se sont engagées dans une discussion forcenée sur la sélection. Tac-Tac exhume on ne sait d'où l'histoire d'une femme qui avait treize enfants. Tu vois le climat des devoirs le soir. Tac tac, la taloche, tac tac fais ton problème. Là je t'assure le Grevisse à Giscard... Une vraie peau de vache d'ailleurs. Y avait une petite fille qui avait peur de l'orage. Eh ben, quand y avait de l'orage, on l'enfermait dehors !... Aglaé répond que « oui tout est question de formation. Les parents ! C'est les parents !... Moi j'ai le privilège inouï d'avoir un père qui fait des comparaisons osées entre mai 68 et Flaubert. Je connais une fille, sa mère était médecin. Chaque fois qu'elle ouvrait un poulet, elle en profitait pour faire une leçon d'anatomie à sa fille. Pendant ce temps-là la fille du plombier demandait à son père si alvéole est du masculin ou du féminin pendant que sa mère écoutait Tino Rossi : tchique tchique tchique aïe aïe aïe ». D'abord mainte- nant, dit Julie, les enfants font leurs devoirs avec la télé.

Gloria dit que « vous avez pas vu, la croisière des milliardaires dans *L'Humanité* ? Deux mil- lions par personne ça coûte. Anciens. En avion ! Ils vont en faire un beau voyage ! Ce M. Hersant il a tous les journaux dans sa poche et tout sera au champagne et grands hôtels. Quand on pense qu'il y a des familles qui vivent avec trente francs par jour !... Ah ! j'irais bien !... Ça doit être beau à voir, tous ces riches !... Si je pou- vais me la payer, je serais pas la dernière !... » « Tac tac ! » dit Tac-Tac. « Vous me faites mal au ventre, Gloria », dit Aglaé. « Pourquoi ? Vous si vous aviez des sous, vous les donneriez aux pauvres ? Quand on en a c'est pour s'en servir ! »

Julie rit. Cette heure lui appartient. La fleur rouge la regarde dans le vert tremblant sous le vent. Elle demande à Lagrenée quel passage exactement, de Flaubert. « Eh bien, dans la fameuse réunion au Club de l'Intelligence. " Plus d'académies ! Plus d'instituts ! Plus de missions ! Plus de baccalauréat ! A bas les grades universitaires !... Ou alors qu'ils soient conférés par le suffrage universel !... '' Tu ne te souviens pas du fameux passage où Compain — je crois que c'est Compain — monte à la tribune pour dire " Citoyens... etc. Je crois qu'il faudrait donner une plus large extension à la tête de veau '' ?... » « Très drôle », dit Aglaé d'une voix funèbre. Gloria crie qu'elle descend la poubelle. « Elle adore, dit Aglaé. Ça lui permet de faire des piapia avec la nana qui tricote au rez-de-chaussée. Elle a le chromosome du videur de poubelles. L'injustice sociale, ça consiste à empêcher les gens qui ont des dispositions de les développer. » « Je dois avoir des anomalies génétiques, dit Julie. Je ne me sens aucun chromosome qui me propulse... Sauf peut-être celui de planteur de camélias... »

Tac-Tac qui mange les miettes de biscottes en regardant *L'Humanité*, dit que c'est tellement boy-scout que c'est à pleurer. Y a vraiment des gens qui lisent ça ? En plus on parle que de fric et fric, c'est pire qu'à la télé. Y a tout de même des motivations qui se comptent pas en nouveaux francs !... Je te jure, en ce moment si y avait pas Guy Lux, et justement y a plus Guy Lux mais y a des tas de gars qui en profitent pour placer leur chromosome de débilité chantante, eh ben, heureusement, parce que sinon tout le monde devrait faire Sciences Po avant d'ouvrir un journal ou une radio. Tac tac la balance extérieure, tac tac l'inflation, tac tac la hausse la baisse, tac tac l'argent n'a pas d'odeur... « Elles sont vraiment gratinées ces filles, dit Julie. Allez-vous-en, je vais me lever. Où allez-vous ? »

Aglaé déclare qu'elles vont chercher des raisons de vivre à la F.N.A.C. en lisant le dos de couverture des cinq cent mille études écologiques, économiques, politiques, sociologiques etc. parues dans la semaine. Tac-Tac pourra un peu chiper, elle est tellement grosse, ça se voit pas. Julie dit que ça la rend malade quand elle entend ça. « Puisqu'on peut pas se les payer », dit Aglaé. Mais Tac-Tac propose d'aller d'abord manger une glace « Ras-le-bol » au drugstore de Saint-Germain. Ras-le-bol ? dit Julie. Oui oui. Formidable. C'est meringue, glace, chocolat, noisette, vanille, avec de la banane, une sauce chocolat par-dessus, de la chantilly et par-dessus des amandes pilées... Aglaé voudrait voir *Death week-end*. Ça se joue vers l'Odéon et il paraît que c'est d'une violence, qu'*Orange mécanique* à côté c'est il pleut bergère. Ça s'appelle *Week-end sauvage* en français. Ça m'étonnerait que ça me secoue. Mais on peut essayer.

Elles sont en pleine représentation.

Elles s'en vont en chantant « J'ai bien mangé, j'ai bien bu, j'ai la peau du ventre bien tendue, merci petit Jésus »... C'est un vieux machin, dit Tac-Tac, mais y a un type qui a pas arrêté de nous la seriner hier. Gloria, qui rentre, prend le relais. « Elle est marrante, celle-là », dit-elle. Julie dit à Lagrenée que les filles font du théâtre. Il ne répond pas. Il sait qu'Aglaé est son ennemie. Et il sait pourquoi. « Aglaé a six sens, dit Stanislas. Les cinq autres. Et celui des secrets. Elle les devine tous avant même qu'on se les dise à soi-même. C'est une pythie, une pauvre petite pythie, c'est une pitié que cette pauvre petite pythie !... Mais le fait est. »

Lagrenée se dit qu'à aucun moment Aglaé ne montre la moindre velléité de rester un peu avec Julie. Qu'elle aime fougueusement. Mais les temps sont ainsi. A chacun sa vie. La méchanceté des gens bons tient tout entière dans leur absence. (Mais lui-même ? Mais lui-même ? Il n'y songe pas un instant.) La méchanceté des gens bons... Il faudra creuser cette idée.

Il embrasse les lèvres et les mains de Julie. Demande s'il peut ramener Boris pour le déjeuner. Et fait une station devant la fleur du camélia. Jamais le vent ne les fait tomber avant qu'elles ne se fanent. Il part lentement, à pied, sa toque de renne sur la tête. Dieu voulant il sera avec Cramponne demain. Dieu voulant... Ils échangent leurs mots et leurs récits, leurs formules, leurs manies et souvenirs de paroles. Et Tarzan est heureux. Je suis ta sorcière bien-aimée, plan plan.

Lagrenée n'a pas de remords, pas de gêne, pas de dissimulation. On dirait que de par sa nature, il prend naturellement le contre-pied de tous les us et coutumes propres aux couples indivisibles, aux conjoints trompés, aux ménages à trois ou secrets bien gardés des liaisons clandestines. Son attitude vis-à-vis de Julie n'a pas changé. Ni vis-à-vis de Cramponne. Il n'a jamais eu une seconde l'idée de « quitter Julie » pour Cramponne. Ni celle de rompre ses liens avec Cramponne pour complaire à Julie. Il les a en lui dans les deux logis de sa pensée. Et vit. Simplement son feu de bois brûle doucement quand il est incarné par Julie. Flambe et absorbe tout quand il devient Cramponne. « Je suis ta sorcière bien-aimée. Plan plan. » Si ses élèves lisaient dans ses pensées, ils tomberaient de saisissement. Lui aussi.

Le seul point peut-être de fléchissement se situe du côté de Malingaud. Dont la force d'amitié qui le lie à Cramponne fait de temps en temps passer une opacité devant ses réflexions à ce sujet. Pas ce qu'on a coutume d'appeler un nuage sur le soleil. Plutôt un immeuble qui file sur un train en lui jetant un pan d'ombre avant de disparaître à l'arrière.

Mais dès qu'il se trouve seul, Cramponne l'accompagne. Il a la forme d'un navire dont les parois étanches de séparation peuvent isoler une soute de l'autre envahie par la mer. En dehors de la présence de Julie, il existe tout en Cramponne. Avec Julie, chez Julie, rien ne l'écartèle. Il ne la subit pas. Au contraire. Il vit sa vie de Lagrenée avec Julie, dans une parfaite adhésion à leurs us et coutumes de couple. Il lui arrive de se demander, vu le comportement naturel de Julie à son égard malgré ses absences, s'ils ne sont pas tous deux très différents des gens. Que les mêmes circonstances rapetissent et déchirent. Il est vrai qu'il ignore la pensée de Julie solitaire. Il est vrai aussi qu'il n'aborde pas ce domaine de réflexions. Ce qui est sans doute un signe de sa parfaite connaissance des failles possibles dans leur système.

Il sait que depuis le 1er mai ses feux de bois brûlent l'enfer. Que par le biais de Cramponne, il a renversé toute une conception de vie qui l'a mené là où il va. Il continue sur sa lancée. Mais désormais en ajoutant aux siens les regards de Cramponne sur sa propre vie, il consent à aborder avec lui-même des sujets qu'il s'est longtemps interdits.

Professeur. Il aime ce métier. Si difficile. Si décrié. Si mis en pièces. Et en même temps si passionnant. Réussir à supprimer le mur de la non-connaissance. Essayer de capter ce qui cherche une issue sauvagement de l'autre côté. D'un côté la vie sur les bancs, alimentée par toutes les sources surintelligentes et pourries de cette société, la vie gorgée de mass media et de soumission à l'argent. Qui ne parle que de créativité et la tue dans l'œuf. Qui désespère et crucifie. Qui bat en brèche l'originalité, la marginalité, la personnalité. De l'autre cette grande forte culture inadaptée... La jeunesse sent le vent et se mornifie ou mord. Tac-Tac et Aglaé avec leurs glaces Ras-le-bol... Remonter le courant à contre-courant.

Au moment où Lagrenée attend le feu vert, enveloppé dans les réflexions qui lui cachent le trop connu de son chemin, Malingaud en proie à son monde indigo, range ses mots en bataille contre les professeurs avec une violence de guerre des missiles. Mais il s'agit de tout autre chose.

L'ennemi est l'état-d'esprit-professeur. Celui dans notre temps, professeur ou non, qui confère à la culture un état d'esprit professoral. Qui explique l'art. Ou fait de l'art professoral. Qui analyse la littérature. Ou écrit de la littérature de professeur. Qui devient enseignant et prophète de ce qu'il professe au lieu de le faire. Ils sont légion. Ils barbouillent tout de leurs mots savants, de leurs labyrinthes à sociologies primaires royalement universitaires. Ils sont les Juges et les Récitants. Les bonimenteurs exécrés du père Malingaud. (Qui passe dans la tête en missile, et toc toc, couper tête.) « C'est pourquoi d'ailleurs, écrit Malingaud, tous les professeurs proclament la mort du roman. Car la simplicité du roman leur échappe... » Belle phrase, dira Broque. Jolis mots. Vrais. Car ce qui a convulsé les gens devant Proust, Joyce, Pavese ou Céline, ce n'est pas la difficulté : c'est le naturel.

Lagrenée a un jour expliqué à Cramponne son itinéraire singulier vers l'institut Paul-Emile Carré. Agrégé, professeur à Strasbourg depuis plusieurs années, par le hasard des demeures de guerre de ses parents, il souhaite un poste à Paris. Impatient. Malgré la vie intéressante. La cathédrale est rose. On n'a qu'à franchir le Rhin pour aller rôder dans les châteaux de tous les contes d'Erckmann-Chatrian. On navigue entre les situationnistes et les percussions. Et puis mai 68 — bientôt neuf ans déjà — et le bouillonnement d'un climat de liberté. Dont le goût demeure.

En octobre 1968, deux maoïstes sont exclus pour avoir animé un groupe « chinois » de lycéens. Homme de gauche sans appartenance, selon l'expression consacrée, Lagrenée prend leur cause en main, liberté aux lèvres. Accusé de soutenir un groupuscule interdit, il se retrouve dans les imbroglios des opinions de ses collègues, au fond d'un méli-mélo politique aberrant. Plutôt un mélo, dit Julie.

On l'exclut : il est héros. Le voilà en train de se battre contre son exclusion devant le Conseil de discipline. Qui le sanctionne. Le ministère le suspend pour trois mois. Avec paiement. La majorité des professeurs, des étudiants et des universitaires, se solidarisent avec Lagrenée. Bataille. Réunion sur réunion. Meetings. Le voilà projeté, vedettisé, journalisé, en exergue. Discours et appels. Il devient l'objet de manifestes, de pétitions, de grèves. De manifestations. Son nom court. Il est mao, il est communiste, il est trotskyste, il est gauchiste indéterminé, il est humaniste mais honnête, il est porte-drapeau sans drapeau, micro aux lèvres, assis sur les tribunes, militant de sa cause et de mille à la fois. On l'entoure. On le berce. On le hue. On le défend. Lagrenée Lagrenée et l'affaire Lagrenée. On le donne en exemple. Tous les partis de gauche citadellent à son sujet, dans l'atmosphère passionnelle et mélancolique de la fièvre d'après mai. Il devient brandon de contestation, levier, foudre de guerre. Perroquet de micros à répétition. Pendant que Julie enthousiaste se métamorphose en épouse de guerrier et tient table ouverte pour les étudiants, les lycéens et les professeurs mobilisés.

Finalement on pense qu'il va être réintégré. Julie rencontre dans la rue le proviseur qui se fond en bontés. C'est l'euphorie. Et un beau matin, on apprend que Lagrenée a envoyé sa démission. Du recteur au dernier maître d'internat, aux élèves de sixième et à tous les partis et groupes de gauche, voire de droite, tout le monde s'emploie à contrecarrer cette décision. Inexorable. Julie se conforme aussitôt. Ils partent.

Et Lagrenée s'enfonce dans l'anonymat de ses seules volontés. Il disparaît dans l'institut Paul-Emile Carré. Et ne fait plus jamais aucune allusion à ces — pourtant banales — difficultés, complications, manipulations, poussées et rivalités spécifiques du monde indigo.

On raconte qu'il a été tué par le pouvoir. Mais qu'il demeure un exemple de combat victorieux contre le pouvoir. Même si le combattant a disparu.

(Les parenthèses qui procèdent à l'éclairement superficiel du chemin de mes personnages, me procurent des petits moments de facilité narrative. Dont je me réjouis. A chaque instant, l'écrivain d'aujourd'hui, qui a toutes les libertés et en use peu, joue de tout procédé d'écriture qui s'adapte aux nécessités du roman. Quel dommage de ne pouvoir en faire autant avec par exemple chaque homme, chaque femme de la manifestation du 1er mai entière. Dire le moment crucial de sa vie. Là seulement serait la vérité. Le roman aurait cent mille pages. Je vois la tête du lecteur, la mienne aussi d'ailleurs et celle du critique à ces mots. On briserait la « masse » en ses gens. La foule en ses corps et âmes. Le romancier n'y suffirait pas, il serait obligé de refiler la plume à ses descendants sur son lit de mort d'écriture...)

Deux personnes attendent Lagrenée devant la porte de l'institut. Où un concierge unijambiste fume sa pipe. Sa mission est de surveiller, ou plutôt d'espionner les entrées et les sorties. Afin que les sexes s'en aillent ou s'approchent chacun de son côté. Les élèves sortent un par un et se retrouvent derrière le premier coin de rue à gauche.

Deux hommes s'avancent ensemble. Boris Berg. Et un grand monsieur gros avec un chapeau. Qui se rue. Boris recule en haussant les épaules. Lagrenée s'aperçoit que Boris grisaille des joues d'une façon agressive. Il a encore dû passer sa nuit avec une fille chargée d'odeurs fortes, à raconter leurs long-en-large sur les trottoirs du monde ou de la ville. « A qui le dis-tu !... Et tu me dis ça à moi !... » Boris a du pop-corn même sur sa chapka.

« Monsieur, dit le Chapeau (après l'avoir enlevé puis remis), Lagrenée, je m'adresse à vous parce que vous êtes respecté dans l'établissement, et ma fille vous respecte. Il vient de nous arriver quelque chose d'épouvantable, ma femme en est au lit. Nous nous sommes disputés. J'ai trouvé ça dans le sac de ma fille !... »

Et il exhibe une longue bande de pilules. « Vous savez ce que c'est ? » Lagrenée hoche comme Broque, pris d'une envie de rire irrésistible. Et là-dessus tout le machin. Dix-huit ans, couvée, dévoyée par de mauvaises amies, si je parle au directeur... Surtout pas, dit Lagrenée, elle serait renvoyée... Ah ! vous voyez, dit le Chapeau. Et tout y passe, le monde renversé, les films pornos, la politique qui pourrit les jeunes pour en faire des anarchistes sur lesquels les parents n'ont plus de prise, et je l'ai giflée. Et elle s'en sert, monsieur, elle s'en sert avec l'aide de médecins voyous qui n'ont plus besoin de s'en faire. C'est la luxure et la débauche... Ainsi de suite. Et la colère noire. Parce que Lagrenée répond que voulez-vous, si elle la prend c'est qu'elle en a besoin, ou bien préférez-vous qu'elle soit enceinte ?... Il voit le visage de la fille en question, une poupine qui a une mémoire d'éléphant et peu d'aptitudes à la faire jouer en faveur de la compréhension des choses. Pendant que le Chapeau hurle à contre-raison qu'il apportera le bâtard au directeur, il pense qu'il faut calmer ce crocodile en le flat-tant. Il lui dit qu'il est un homme très bien, ça se voit, son intelligence rayonne, il doit surmonter cette tragédie. Rendre les pilules. Se montrer tendre et attentif. N'importe quoi. Il caresse le crocodile et l'encense, et entre vous et moi, et ces pauvres petites dans un monde informel, je veux dire en mutation, ignoble vous avez raison. La douceur, la grâce, l'amour...

Boris, qui cueille des mots, se frappe le front, toc toc, à la manière de Vincente Malin-gaud. Et fait signe que ça a assez duré. Curieux comme le toc toc est passé de Jules Malingaud à son fils, à Broque et Barilero, à Cramponne et à Lagrenée. Qui l'a refilé sans s'en apercevoir à Julie et Aglaé. Qui l'a repassé à Gloria. Qui s'en sert à propos de tout. Il faudrait un jour suivre un mot à la piste. Dieu sait où on le retrouverait !

Les derniers élèves se tordent le cou en entrant et le concierge tord les micros de ses oreilles. Finalement Lagrenée et le Père se saluent comme deux habitants du paradis qui viennent de recevoir notification de leur cano-nisation. Et coup de chapeau. Le crocodile s'en va d'un pas assuré. Et Boris dit que la petite a la figure tuméfiée, elle a dû prendre une tournée de ce salaud.

Il ajoute qu'il a une confidence à faire. Pas très marrante. Il vient d'apprendre, après moult examens et prélèvements, qu'il a un cancer du foie. Tu vois que l'alcool ne désinfecte pas comme on pourrait croire, dit-il. Bref. Je te le dis. Parce que vu mon état avancé, j'ai l'intention de m'offrir quelques plaisirs. Avant de mettre moi-même fin à la chose.

Lagrenée cloué au trottoir. Une phrase idiote lui trotte dans la tête. Une phrase qu'il a employée à propos d'Aglaé. Et qu'il se répète absurdement. Ou parce qu'elle répond en lui à quelque chose. « La méchanceté des gens bons. » Il a pris le bras de Boris et le serre, pendant qu'ils montent les marches et traversent la première antichambre vers la cour sans arbre, sur laquelle donnent les portes des classes. Il cherche désespérément un mot. Le mot. Le mot. La méchanceté des gens bons. Et l'horrible fraternité du silence. Mais en cherchant il presse le pas. Tout son être le projette ailleurs, vite ailleurs, loin de la tragédie qui lui tombe dessus. « La méchanceté des gens bons. » Qui est leur absence, leur absence. A l'intérieur d'eux-mêmes, ce sont des êtres supérieurs. D'une fraternité, d'une chaleur indépassables. Ne pas dire de consolations. Ne pas parler d'espérance. Prendre les choses comme elles sont. Mais il faudrait... « On se retrouve tout à l'heure, Boris. On part ensemble. » Tout son être se tord, se convulse, se rebelle, hurle, met une bombe sur l'univers et atomise le hasard des hommes. Boris entre tous. « A tout à l'heure. » Et le départ en soulagement. La méchanceté des gens bons.

Boris va vers une porte-fenêtre. Lagrenée le regarde. La mort de Boris est devenue son feu de bois. Boris disparaît, un peu ragaillardi de cette main sur son bras. Un peu de chaleur humaine autour de sa mort. Il se retourne pour souffler en riant : « Ce père infect, méfie-toi, il est tellement vertueux avec ses paires de gifles, qu'après t'avoir écouté parler d'amour et de tendresse, il est capable d'incestifier la petite, pilules aidant. »

Les élèves se lèvent. Impeccables. Pas un bruit. C'est la loi du lieu. Lagrenée ouvre *L'Education sentimentale*, la mort de Boris au ventre, le camélia ouvert dans la tête, Julie, Gloria poussant la table roulante et rêvant de croisières de milliardaires, Tac-Tac et sa glace Ras-le-bol, la petite Pilule avec ses gnons aux joues, le regard froid d'Aglaé. « J'ai bien mangé, j'ai bien bu. J'ai la peau du ventre bien tendue. Merci petit Jésus... » Et la haine contre la mort. Qui choisit mal. Qui choisit tout le monde. « Page 340. Je prends le passage : Il ouvrit la séance par la Déclaration des Droits de l'Homme et du citoyen... Quand ils se mettent à chanter *La Casquette*. " Chapeau bas devant ma casquette, à genoux devant l'ouvrier... " Si le directeur traverse la cour, nous sautons sur le croup à la page 317, et sur Flaubert et la documentation de l'écrivain. Qu'il a voulu assister à une trachéotomie, mais qu'il n'a pas pu tenir le coup et qu'il a préféré choisir une guérison sans chirurgien, etc. En avant. »

Avant qu'il ne s'enfonce dans son cours avec sa passion habituelle, son amour de *L'Education sentimentale* et sa façon de projeter chaque problème soulevé dans l'Histoire telle qu'elle est vue aujourd'hui et dans la littérature telle qu'elle a évolué ou cru évoluer, il regarde sa classe figée dans l'attitude imposée. Mais qui écoute et propose. Lagrenée a le don de soulever les passions écolières par sa propre passion à semer du Flaubert, par exemple. Il va fomenter un réseau de questions autour de

Flaubert. Et se reprend en main. Avec un triste sourire intérieur pour les deux pôles de sa journée. Cramponne nue dans son cerveau, la mort de Boris dans sa peau. Et en avant la littérature ! Dont la vie, la mort et l'amour incendient les mots. Dans cet infâme institut. Et les pilules et les coups du crocodile. Et Boris « avant de mettre moi-même fin à la chose ». Et son silence. Et la méchanceté des gens bons. Qui s'éloignent tout marris. Mais s'éloignent. Il fallait tout laisser tomber et partir ensemble. Et il parle. Le feu de bois redevient ce livre sur la table. Dans sa vie enfoncée, sa vie volontairement fermée, sa vie verrouillée, tout se volcanise. Il ne manque plus de rien à sa connaissance. Puisque en un instant il vient d'ajouter la plus profonde violence à ses jours. Et qu'il a le privilège sublime et infâme de vivre au même moment aux deux pôles les plus forts de l'homme : un grand amour et une grande mort. Ces derniers mots sont les seuls exprimés de sa pensée. Tout le reste échappe aux mots. Et il poursuit sur la surface sa descente en Flaubert. Ou sa montée.

Cramponne a mal imaginé Lagrenée. Mais sa vision lui convient. Pendant qu'elle ouvre avec sa clé personnelle. Et se trouve dans le vacarme auquel elle s'attend.

Brigitte Bertholet, une belle femme à petits soins, ne travaille pas le samedi. Elle laisse à sa gérante Odile et à son mari, que tout le monde appelle le Crabe, baptisé par sa femme, le soin du magasin de meubles et tissus, nœud et charpente de son existence. Pour le moment Brigitte explose entre sa mère et son fils dans le salon. Dont les fenêtres donnent sur l'avenue du Général-Leclerc qui pour Cramponne porte le nom de sa péniche. Trépak instantané de

mouettes sur la Seine. Et fonçons dans le ber-
tholetisme.

Mme Bertholet dit à Cramponne de s'attendre au pire : la salle à manger et la cuisine,
c'est le bordel intégral. On était neuf. Quand
ils sont tous partis, elle a juste eu la force de
mettre les restes au frigo, elle était morte.
Vraiment, Cramponne, vous devriez vous arran-
ger pour venir toute la journée. On ferait un
prix au mois et ce serait le paradis. Les derniers
sont partis à trois heures, rendez-vous compte !
Y a des gens qui ne savent pas partir, je les
aurais bouffés ! C'est naturellement les Flopart,
oh ! je les prends en grippe, ils arrêtent pas de
pleurer, pourtant je voudrais bien voir leur
coffre en banque. Regardez la tête que j'ai !...
Maman veut faire les soldes et Valentin s'en
va en veek-end moto avec ses dingues. Non je
vous jure !... Enfin... La soirée était réussie,
c'est l'essentiel. Oh ! la la ! J'ai oublié de téléphoner au traiteur qu'il vienne prendre ses
plats ! Et y en a un de cassé, je vais me faire
incendier !... La petite est partie à son sport,
heureusement ! Je vous jure, les samedis de
repos c'est pire que tout !... « Te plains pas,
dit la mère. Si tu tenais ton garçon comme tu
tiens ta fille, tu te mettrais moins les nerfs en
l'air. Heureusement que j'ai insisté pour que la
petite fasse de la compétition, c'est une de mes
grandes satisfactions. »

Brigitte Bertholet a expliqué un jour à Cramponne que sa mère préconise le sport pour sa
petite-fille. « Plutôt que de perdre sa virgi-
nité avec un drogué ou avec un hippie, dit-elle,
au moins que ce soit avec un sportif bien sain. »
La petite a quatorze ans et ma mère passe son
temps à la tanner, pour savoir si elle est vierge
ou pas, c'est un monde !

Cramponne passe comme Diane dans les buissons. En se contorsionnant de-ci de-là.

Le père de Brigitte, et époux défunt de la mère aux soldes, avait des magasins de meubles façon ancien. La maison est pleine de choses et d'autres. De plantes vertes devant les fenêtres et de canapés de velours gais. De rideaux doubles à fleurs et de guéridons. Brigitte a la passion des guéridons. De fauteuils à oreilles ou à dossier médaillon, ou à rosaces, avec des pieds fuselés à cannelures, ou des pieds cambrés, ou des pieds sabres. Brigitte a la passion des fauteuils. Tous genre ancien, avec des garnitures à coussins en velours mouluré, ou en genre tapisserie ou en soierie à fleurs. Il y a même un très joli guéridon, une copie de Louis XVI en acajou avec des pieds fuselés cannelés. Et sur tout ça, sur la cheminée, partout, des potiches à plantes, des assiettes à cendres, et des vases. Le tout sur un immense tapis à fond mauve, avec des palmettes, imitant le persan.

Et puis le « bijou ». Un petit ange de bronze à patine, sur un socle au milieu de la cheminée, une espèce de statuette symboliste à seins pointus et hauts talons, qui lève une jambe et tient une mèche dans la main. « Ça c'est une vraie XIXe début XXe », dit Brigitte. Qui a une idée fixe : obtenir de sa mère le don d'une console Louis XVI. Une vraie. Mais ça ne détonnera pas dans la maison, dit-elle. Elle cajole. Elle dorlote. Elle a expliqué à Cramponne que cette console l'empêche de dormir. Sa mère l'a mise dans l'entrée, vous vous rendez compte ? Elle qui n'a que de la crotte en meubles. Elle met le téléphone dessus, c'est à se pendre !

C'est une console en forme de demi-lune, en acajou. Elle a trois tiroirs en ceinture, dit Brigitte. Le certificat est dedans, alors !... Elle l'a même copié. Il faut dire que le langage des meubles est spécial, on en mangerait. « Elle pose par des montants balustres cannelés rudentés sur des pieds fuselés à cannelures. Le dessus et la tablette d'entrejambe à marbre blanc ceinturé de cuivre repercé. » Et il y a un encadrement de perles et de rosaces, et les anneaux de tirage sont en bronze ciselé doré. Si maman me la donne pas, je me tue à lui dire que ça risque de tomber sur ma sœur Elise. Qui croira que c'est une table cassée, elle repassera dessus, je le jure ! Quand on se partagera les meubles. On vit pas éternellement. J'en rêve !... Et puis moi, on peut me tuer, mais j'adore les consoles. Il faut de la place au mur d'accord. Mais justement. Ça s'intègre ! C'est fou ce que ça s'intègre !

Curieux la passion de Brigitte pour ses objets. Cramponne a souvent rêvé devant l'effarante petite ange de bronze gambadant. Qu'est-ce qui séduit Brigitte dans cette ange ? Dans ces guéridons ? Et dans cette console ? On dirait que le goût du mobilier lui donne des plaisirs à la folie. Elle vit dans ce bazar. Puisqu'il lui plaît, qu'importe l'authenticité ?

Brigitte Bertholet a du charme, de la gaieté, de la bonté, du bagou. Son mari, une bourrique, sa mère, une vipère, et ses enfants à tuer la comblent d'occupations. Mme Chaimsol, la grand-mère, compulse des catalogues en se léchant l'index pour tourner. « Jamais elle est arrivée si tôt, dit Brigitte en catimini. Ça cache une entourloupe maison. »

Cramponne entre dans la salle à manger, jette un coup d'œil : on connaît. Les mégots, les bouts de pain, épluchures, souillures, assiettes sales, bouteilles partout, sol désastreux, rien que d'habituel. Toutes les imitations de consoles croulent sous les piles et les serviettes sales donnent des airs d'hôpital. Mais à côté de la cuisine, c'est le paradis de l'ordre.

Elle s'y met. Non sans un certain plaisir. Qu'elle ne réussit jamais à analyser. « Tant qu'à faire de nettoyer les écuries d'Augias, dit Barilero, une fois suffit. Mais Cramponne c'est un Hercule à répétition. Et elle ne tue pas ses patrons à la fin, elle ne pille pas les maisons... » « C'est que moi je touche ma paie, dit Cramponne. Je ne me laisserais pas faire comme Hercule. » Chaque fois qu'elle se trouve devant une écurie d'Augias, elle a une pensée gaie pour Barilero. Elle ouvre les robinets comme si elle détournait un cours d'eau... Après quoi, selon son habitude, elle se dit que dans l'ordre des choses importantes, la première est de libérer l'évier, la table, et la paillasse, comme dit la grand-mère Arsène. Et elle se met à patauger dans les ordures de l'évier, les peaux de fromage, les pelures, les os de canard, les débris de tartes, le marc de café, le gras de jambon de Parme, les restes de légumes. Qui font un magma infâme. Elle travaille vite, tout entière absorbée. La paillasse débarrassée. Le double évier est commode. Ça aide. La pédale de la boîte à ordures à portée de son pied. Voilà qui est fait.

Deuxièmement le Frigidaire. Enlever le beurre de l'assiette sale. Le mettre sur une propre. Vider les plats à moitié pleins dans des petits. Contrôler les bouteilles. M. Bertholet sert un vin de Bordeaux qui doit reposer une heure dans les carafes avant d'être bu. Vider, laver les carafes. Maintenant la table. Récupérer pour le griller le pain coupé. Laver en vitesse les grands plats et les ranger. Le couteau électrique. La planche à découper derrière l'armoire. Vite. Bien. Propre. Nettoyer la cuisinière souillée, grasse, hideuse. Hop. Ça vient. Ça blanchit. Pendant ce temps allumer le four pour l'autonettoyage, laver les plats, les mettre de côté. Rabattre le battant de la cuisinière, un torchon dessus pour la vaisselle. Pas de machine à laver la vaisselle. Mme Bertholet dit que ce n'est pas impec. Il faut que tout soit impec. Et puis elle aime ses buffets pleins. Heureusement elle admet la machine à laver le linge.

Ça marche. Où est le plaisir ? De voir peu à peu les choses blanchir, les ordures disparaître ? Regarder fonctionner l'efficacité ? Peut-être. C'est pourtant le métier le plus fatigant du monde, toujours debout dans le piétinement. Bouger sans que le corps manœuvre et gymnastique. La preuve, dit Cramponne, les femmes de ménage sont souvent grosses et affaissées. Si le ménage était un sport, elles seraient comme des allumettes. Un métier dur. Où les femmes sont prises au piège. Un métier de naissance. Où elles se consument dans l'exclusivité de la fonction. Où elles cumulent. Où elles succombent.

La cuisine est prête à recevoir les saletés de la salle à manger. Arrive Valentin. En homme-grenouille ou quasi. Il dit qu'il vient se taper une croûte avant de les mettre. S'assied sur les torchons, boit au goulot de la bouteille de lait dans le couvercle de laquelle il fait un trou avec son doigt, et se remplit une assiette de canard, de tarte et de fromage. Qu'il se fourre dans la bouche. « Ça boume, Cramponne ? » « Ça boume, et toi ? »

La grand-mère Arsène dirait de Valentin qu'il est à l'âge du singe. Tout est singe dans son comportement. On ne peut même pas dire que sa personne de dix-huit ans soit le centre de son univers. Il n'existe pas. Il se meut. Cramponne — qui connaît cette maison depuis trois ans et qui au fond d'elle-même éprouve un sentiment d'amitié pour Brigitte — n'a jamais réussi à savoir si quelque chose d'autre qu'un ressort perpétuel fait courir Valentin. Ou bien il veut quelque chose. Ou bien il se vante de l'avoir. Il ne pense pas d'une façon visible. Il parle, il agit, il se propulse, il réclame, il décide, il fait. Toute la semaine il travaille au magasin en se faisant suer. Dans la maison, ni livres ni journaux. Sauf éventuellement *France-Soir* pour Brigitte. Des journaux de moto et *L'Equipe* pour Valentin. Toutes sortes de *Elle* et *Nous Deux* pour Brigitte et sa mère. M. Bertholet achète *Détective* et *France-Dimanche*. Ils disent tous que le monde est pourri, tous les journaux ne racontent que ce qui va mal. La politique c'est la chose qu'on devrait supprimer en premier. Ils regardent tous les actualités à la télévision et leur rient au nez. Tous des guignols. Ce qui les intéresse, c'est la sécurité. La porte d'Orléans est assez déserte le soir. Et le prix des choses. Dès qu'ils ouvrent le poste (de télé) ils disent que ça y est, tu vas voir, ils vont encore dire que tout va bien, mais que ça va mal. Tiens, qu'est-ce que je te disais ? Tous des guignols. « De droite de gauche ils rigolent. Non mais je te jure. Où est le beau temps du muet ? Non mais à quoi ça sert, ils nous prennent pour des cons. » Tout ce qui tient à la politique n'a rien à voir avec eux. Et comme ils votent toujours du côté de ceux qui tiennent le manche, ils n'ont pas besoin de se turlupiner.

Valentin lit *Pilote*. Et se tape sur les cuisses. Cramponne regarde par-dessus son épaule pour avoir le fin mot du titre du métro. Elle torchonne un plateau tout en lisant. Et poursuit en elle-même un discours à la Barilero du genre « Ben mon vieux, ben *Pilote*, mais c'est Giscard

et Ponia, gare au Plitch ! " Monsieur le Rési-
d'ordre " et le prince en train d'expliquer que
toute la population parisienne, qui a disparu,
est en traitement dans une clinique alba-
naise »... Valentin dit qu'il y comprend rien,
mais que c'est vachement anti.

Pour Cramponne, cette maison constitue
une sorte de représentation gaie de l'enfer.
Qui l'intéresse. Elle a dit un jour à Malingaud :
« Quel dommage que tu ne puisses pas faire
mon métier seulement pendant une semaine !
Tu entrerais chez les vrais gens. Tu verrais
les vraies choses. Que tu ne peux pas imaginer,
ni toi, ni le théâtre, ni le cinéma, ni le roman. »
Barilero a poussé des ricanes du côté du *Journal d'une femme de chambre*. Le métier de
Cramponne l'indispose. Il a même au début
de leur connaissance essayé de diaboliser la
situation. En disant par exemple à Cramponne :
« Les chiottes. Si tu permets. Tu dois nettoyer
les chiottes. Est-il possible que ça te plaise ? »
« C'est la seule chose pour laquelle je mette
des gants, a dit Cramponne tranquillement. Je
vais t'expliquer. Tu retires toute l'eau de la
cuvette avec une éponge. Quand c'est vide, tu
nettoies avec ta poudre préférée. S'il reste des
traces de calcaire, figure-toi que j'ai trouvé un
moyen. Je prends une de ces limes de carton
avec lesquelles on se lime les ongles, et je frotte
le plat sur la ligne roussâtre, tu me suis ? Eh
bien, ça part. Et quand tout est propre, je tire
jusqu'à ce qu'il n'y ait plus de mousse. » Elle
a ajouté tranquillement. « Tu sais, ta France,
le dimanche, elle fait comme la plupart des
femmes. Elle nettoie derrière le dos de la
bonne. Qui ne " va pas dans les coins ". Elle
grogne. Elle trouve toutes les petites saletés
qu'on laisse. Et elle s'y met, parce qu'elle a
bien trop peur de perdre votre Angèle, si elle

lui disait que c'est une souillon. La plupart des femmes le dimanche grattouillent en ronchonnant contre leurs employées. Tu n'as jamais entendu France te dire : " Non mais regardez-moi ce cochon, c'est d'une saleté, au prix où je la paie... Y a des doigts sur toutes les portes, c'est gras !... " Eh bien, France le dimanche met des gants de caoutchouc pour nettoyer ce que tu appelles les chiottes. Et après je parierais qu'elle te les fait voir en te disant : " Est-ce que tu les as jamais vues comme ça ?... " » Et tes mains ? a dit Barilero. « Quoi, mes mains ? Elles sont douces et blanches, parce que moi je fais toujours ma vaisselle avec... » Barilero a cessé de persécuter Cramponne. Dont les réponses lui donnent un malaise. Il dit que le métier qu'elle fait n'a qu'un avantage : éblouir les intellectuels qu'on lui présente en les prévenant à l'avance qu'elle fait des basses besognes ouvrières. « Les intellectuels, dit Barilero, sont à la recherche de contacts prolétaires. Quand ils en voient un, ou une, ils ont la cogitation politique qui bande. »

Et comme Broque regardait Barilero d'un œil rien moins que fraternel, il avait dit : « Qu'est-ce que vous voulez, moi, je ne navigue pas dans les hauteurs de la pensée ni dans les eaux de vaisselle. Je ne lis pas à mon petit déjeuner comme M. Broque ici présent le bulletin de l'Académie des sciences morales et politiques. (Moi ? dit Broque.) Je ne trafique pas du concept à propos de l'influence d'Aristophane sur saint Thomas. Et je ne considère pas l'eau de vaisselle comme un moyen intelligent de me nourrir. » Après quoi il a essayé d'embaucher Cramponne « à des prix défiant toute concurrence ». « Tu feras le ménage dans tes propres meubles. Tu seras la maîtresse de la maison et du patron. On jouera aux gages. On sera le modèle des ménages. Je serai ta servante. Tu jouiras de la sécurité sociale sans majuscule. Et on fera des heures supplémentaires ensemble au tarif de nuit. » Le geste de Malingaud, brusquement hors de lui selon son habitude, avait arrêté le massacre, dit plus tard Broque. Massacre ? « Les choses de ce genre restent dans la tête, disait Broque. Cramponne sera visitée par ces mots quand elle... enfin quand elle travaillera. » Il connaît mal Cramponne. Aucun mot de ce genre ne l'atteint. Sinon pour en sourire en elle-même.

Cramponne passe dans la salle à manger. La première chose à faire est de ramasser toutes les serviettes sales. Puis tous les verres — innombrables — sur la table roulante. Les laver dans l'eau savonneuse. Rincer. Essuyer. Ranger. Ensuite les assiettes. Peu à peu, la cuisine propre, la salle à manger encore infâme se dégagent du plus gros des souillures. Tout s'éclaire. Il y a là malgré tout une espèce de satisfaction des choses. A laquelle Cramponne convient qu'elle n'est pas insensible.

Brigitte dit qu'elle va tuer sa mère. Sainte besogne, se dit Cramponne. Soixante ans, le visage lisse, peint, maigre, redessiné, le cheveu perruqué dans le fauve, le sourcil roman, le cil biche, des bagues partout, le costume de tweed d'uniforme, la montre en pendentif, d'exquises bottes rouges à talons-échelles, et un sac de serpent qui doit coûter des sommes.

Mme Chaimsol (quel nom !...) passe son temps à craindre. Plus rien n'est stable. Tout fout le camp. Entre les tremblements de terre, les hold-up et le collectivisme, ou on panique, ou on les a à zéro, dit-elle. Elle a un coffre en banque plein de bonnes choses, des lingots, des napoléons, des actions. Elle a peur. L'or, c'est plus ça. Ça a baissé, ça remonte que d'un chouia. Les actions, y a une Bourse qui balance à chaque sondage. Chaque fois que le Giscard l'ouvre, que le Barre fait son papa ou que le Chirac pousse son coup de gueule, pan la Bourse est morose, ou se remonte le moral. On comprend plus rien. Dès que le Marchais ou le Mitterrand font patte blanche, Mme Chaimsol rentre sa tête dans le cou et attend le coup. Elle veut vendre tout ce qu'elle a et acheter des bijoux. Je lui dis que dans les bijoux, y a de l'or ! dit Brigitte. Pas du tout. Elle a une idée fixe.

Si la gauche collectiviste arrive au pouvoir, elle met les bijoux sur elle, les certificats d'achat dans son sac. Et elle attend de voir. (Cramponne l'imagine harnachée, bijoutée de pied en cap, et le pied à l'étrier du cheval, à cheval sur la frontière.)

Si ça va — elle veut dire si la gauche capote — pas de problème : prenons les mêmes guignols et on recommence. Si ça ne va pas, elle passe la frontière, vend ses bijoux, s'arme de patience et s'installe. Mais où ? Ah ! voilà ! L'Italie, pas question, c'est le bourbier. L'Espagne, non mais ?... Le Portugal ? Allons donc !... Londres ? Ça bat de l'aile. La Belgique. Voilà. On parle français, et elle a une amie à Bruxelles...

Elle a apporté ses catalogues pour les montrer. Sa fille a des regards coupants. « Si vraiment elle fait ça, a-t-elle dit à Cramponne, alors tout ce qu'elle a pour nous les filles, passez muscade. Je ne suis pas intéressée, mais tout de même. On pense à ses enfants !... » « Tu perdras en revendant », dit-elle. La mère répond que « Oui, un peu, pas beaucoup. J'achète moderne. Et puis tu vois trop de feuilletons à la télé. Moi c'est pas à des receleurs que je revends ». Mme Bertholet ramasse les serviettes. Les met en boules. Sauf la sienne et celle de son Crabe. Qui resserviront. Elle met son nez sur la nappe. « On peut peut-être s'en resservir deux trois fois sans la laver. Ça use tellement ! Les cochons, dit-elle, ils se sont débrouillés pour faire des taches même sous les " zanzibars ". Ah ! les cochons ! Y a même un trou de cigare, c'est la place de Paul, ça m'étonne pas. Il est aussi cochon de sa personne que sa femme le fait cocu, c'est tout dire. »

Les « zanzibars » sont des ronds de paille tressée. « Ça vient des îles africaines », dit Brigitte quand on lui en fait compliment. Elle a une espèce de sensualité des mots spéciaux. Qui amuse Cramponne. Par exemple elle a vu chez un antiquaire des Puces un cabinet du XVIIIe en bois plaqué d'écaille rouge. Avec une quantité de petits tiroirs, et une tablette pour écrire. « Evidemment ça vaut des sommes. » Dit-elle. Mais elle est capable de répéter vingt fois « des moulures en ébène et des encadrements en amarante ». Elle suce les mots, elle les roule sous la langue, ils l'anoblissent, ils la font paraître. C'est un cas.

Valentin, la bouche pleine, confie à Cramponne que sa mère a ses nerfs à cause de la Commission. Cramponne en est aux couverts. Qu'elle frotte à la pâte. Et gling sur le torchon. Frotte frotte rince. Et gling sur le torchon. Ça brille. Elle va vite. Frotte frotte frotte. « Toi tais-toi, dit Brigitte en entrant avec un verre cassé. Vous savez où je l'ai trouvé ? Caché dans la terre du philodendron. Y a des vandales ! J'aurais pu m'ouvrir les veines sans faire attention ! »

Elle confie à Cramponne, pour la vingtième fois, que cette fameuse Commission la tuera. Elle n'en dort plus, elle en rêve, elle en mange.

« Sous prétexte qu'ils se sont trompés sur le forfait d'il y a trois ans, ils nous accusent de cacher des bénéfices ? Tiens !... Avec la taxe professionnelle qu'ils ont augmentée de trois cents pour cent !... Bon, les députés l'ont ramenée. Mais vous savez dans quels draps on est ? Ces bonshommes ils vous parlent comme si on avait fait un hold-up au supermarché. Pourtant c'est moi qui y suis allée. Avec le caractère de mon Crabe, ça valait mieux. J'ai mis mon tailleur rouille, j'étais à croquer. Sans clip, sans rien. Mon vieux sac. Et des gants. Convenable mais pas de luxe. Du reste c'est mon cas. Il faut faire très attention à la présentation dans ces occasions-là. Ni trop ni trop peu. Mais l'autre rapace, "Madame, il m'a dit, je fixe le rappel à..." Bref. Et pas un peu, je vous le jure ! "Allez en Commission si vous n'êtes pas d'accord." J'ai tout dit. J'ai même pleuré. Avec des vraies larmes, j'avais pas besoin de me forcer, j'étais écœurée. Mais lui, c'est pas des hommes ces types-là, c'est des machines à calculer. Rien. Il tapotait sur la table en disant "Allons allons, plaie d'argent n'est pas mortelle". Faut le faire ! Je t'en foutrai des plaies d'argent ! On n'a que ça ! Ils nous prennent pour quoi ? Maintenant au lieu de dire "ça a augmenté de tant", ils vous disent "on est vachement contents, ça n'a augmenté que de tant alors qu'on croyait que ça augmenterait de tant". Et "achetez pas ce qui coûte trop cher". Alors achetez plus rien, ou payez-vous des roses à dix francs pièce. Moi qui aime les fleurs, je me rabats sur des marguerites jaunes à sept francs cinquante la botte, ça tient pas et ça pue le lendemain. Et puis la Commission, elle entérine tout ! C'est des béni-oui-oui ! Ils disent : très bien, il a bien fait le percepteur ou le contrôleur ou le grippe-sous des autres. Allez, par ici la monnaie !... J'en dors pas. Et le Crabe passe ses nuits à compter des sous... Les gens n'achètent pas en ce moment. Ou alors ils achètent ce qui ne s'use pas. Des placements. Mais l'imitation, c'est jamais un placement à toutes fins utiles... »

Valentin : « Manman !... » « Parle donc pas la bouche pleine, on t'entend à Montmartre. Qu'est-ce que tu veux encore ? Fais attention, m'échauffe pas les oreilles !... Pas de Yamaha Yamaha ! C'est vraiment pas le moment. Quel mot !... Yamaha ! Yamaha !... » Elle tourne dans la cuisine en criant « Yamahaaah !... Le grand Indien hou hou hou hou ! » Elle se tape sur la bouche. « Qu'est-ce que tu veux, mon biquet ? Faites pas attention, Cramponne, j'ai les nerfs en bisbille ! Celui-là tant qu'il sera pas motard de la route avec une B.M.W. !... »

« Parle donc pas de ce que tu sais pas, dit Valentin. La B.M.W. ! C'est sportif comme une table ! C'est comme si tu roulais en Rolls. C'est des bricolos. D'accord, tu peux faire deux mille kilomètres sans descendre, mais sans ça !... Dis manman ! Je voudrais un autre casque. A visière tenante. Ça coûte cent trente francs, c'est pas le bout du monde ! »

Et il ajoute malignement : « C'est mieux pour la sécurité. »

Ils se disputent en dégoisant tous les deux à la fois. Brigitte sur le thème : il faut faire attention à l'argent et en plus je tiens pas à te pousser toute ma vie dans une petite voiture, alors l'argent pour la moto ça suffit !

Cramponne en est aux assiettes à dessert. Tremper dans la mousse. Frotter, tourner. Rincer. Poser. Elle a un gloussement intérieur en se rappelant que Valentin et Reine l'ont échappé belle. La calamiteuse Mme Chaimsol promettait monts et merveilles pour eux à leur naissance si on leur faisait porter des prénoms choisis par elle. Carloman le garçon. Et Valderez la fille. Des noms issus de Delly. Sa lecture préférée. « Cette peau de vache imperméable, dit Brigitte, plus les histoires sont culs, plus elle les aime. » Elle a eu pour une fois le courage de s'opposer...

Cramponne écoute. Elle se dit que, toute question d'argent mise à part, on pourrait se croire chez la grand-mère Arsène un dimanche, moto moto, entre les fils de l'oncle Léandre, et le fils de l'oncle Florentin, Constant. Qu'elle affectionne. Elle pense à Malingaud. Il devrait se perfectionner dans l'idée-moto.

Les Eléphants, les Eléphants. Brigitte hurle qu'elle ne veut plus entendre parler des Eléphants. Valentin hurle : « Quand je pense que j'aurais pu y aller ! Et qu'à cause de toi !... Je connais des fils d'ouvriers qui se démerdent pour y aller ! Parfaitement ! Finalement ça va capoter avant que j'y sois allé !... Dans mon équipe, y en a quatre qui ont fait les Eléphants ! »

« Et alors ? dit Brigitte. A part un écusson qu'est-ce que ça leur a rapporté ? »

Elle contemple son fils avec orgueil. Pourtant il a un petit mufle de futur Crabe. Se dit Cramponne. Il suffirait peut-être d'un rien pour le faire virer. Mais ça n'arrive jamais. Elle regarde Brigitte qui trouve son fils beau. Ce petit Crabe. Mais c'est la vie. Et elle se met à éplucher les pommes de terre. « Faites des pluches fines, surtout, les pommes de terre maintenant c'est de l'or en barre, dit Brigitte. Et faites-les à l'anglaise, avec tout ce canard, on se sent des envies de vert. Je vous ai trouvé du persil, trois brins pour un franc cinquante, c'est un monde !... Et pour la laitue, gardez les feuilles tannées. On les mettra dans la soupe.

Ce soir une soupe et du jambon et ça ira. »
« Et gardez les asticots, dit Valentin. On va
bientôt manquer d'asticots pour la pêche. Ils
veulent plus de viande aux hormones... »

« Tais-toi, t'es dégoûtant. Ce soir mon Crabe
a des velléités d'aller voir sa mère. Très peu
pour moi, je sortirai de la mienne... Je me ferai
ma petite soirée solo-solo, ouf !... Avec la Reinette à la télé. De toute façon le samedi c'est à
pleurer. Hier j'étais furax, on a raté " Au théâtre ce soir ". Pour une fois qu'il y avait quelque
chose de rigolo, c'était le repas des associés.
" Au théâtre ce soir ", c'est bête à pleurer,
mais justement c'est ça qui me repose. Enfin
ce soir y a un vieux film, ça j'adore ça. Heureusement qu'y a la grève des comédiens,
ils vont chercher plein de vieux films, au moins
on passe le temps. Moi " Chapeau melon et
bottes de cuir ", avant oui, mais maintenant
c'est de la resucée !... »

Tout en parlant elle caresse les cheveux de
Valentin. « Te fâche pas, mon bicot, j'ai peur
pour toi, c'est tout. C'est dur, les Eléphants,
tu me l'as dit toi-même. Et puis la neige ! »

Valentin sent un fléchissement pour l'année
prochaine. Il met la tête sur le bras de sa mère.
Cramponne tourne vigoureusement le séchoir
à salade. « Si je suis obligée de courir les soldes
avec maman, dit Brigitte, je te rapporterai un
beau jean délavé, j'en ai vu un à quatre-vingt-
douze francs. » Mais il dit que ce n'est plus la
mode. Et il recommence avec ses Eléphants. Son
rêve le métamorphose. Le petit Crabe devient
presque humain. « T'as un œil rouge, dit Brigitte. Faut mettre de la vaseline siliconée. C'est
bien. Et puis ça coûte rien. C'est au mercure.
Dites, Cramponne, tous ces trucs en plastique,
vous vous méfiez hein ? Quand vous me les
achetez ? Avec tout ce qu'on entend... Vous êtes

sûre que c'est du plastique alimentaire ? C'est pas celui qui donne le cancer ou l'urticaire ?... »

« Nurburgring c'est pas le pôle Nord ! dit Valentin. Il suffit de savoir s'équiper. Justement j'ai un copain qui me refilerait ses pneus cloutés. Avec des bottes à semelles chauffantes et des gants à doublures d'allu, ça y est, tout le reste je l'ai ! On irait à quatre ! Ah ! la la ! Ce que je voudrais y aller ! Ça c'est du sport !... » « C'est trop dangereux, dit Brigitte, je vivrais plus... » « Mais y a des dizaines de milliers de gars qui y vont. Ah ! ce que ça doit être bien ! Le soir y a le défilé aux torches, c'est terrible ! Et les side-cars, tu parles d'une descente !... Et avant on fait la lecture des morts... » « Ça c'est le bouquet, dit Brigitte. Si tu crois que c'est alléchant !... La lecture des morts ! Là t'as dit ce qu'il fallait pas !... Et d'ailleurs en quelle langue qu'on la fait ? En allemand ? Et comment vous vous débrouillez avec tous ces gens qui parlent pas le français ? Vous vous frottez le nez de vos motos ? » « On parle moto, dit Valentin. Même si on parle chacun dans sa langue on se comprend. » Il ouvre des yeux de rêve mystique. On croirait qu'il supplie sa mère de le laisser faire La Mecque. Pense Cramponne.

« Un vrai sport. Les routes sont gelées. L'arrivée ça doit être formidable !... Finalement tu comprends pas plus que les autres. T'es mère poule et compagnie malgré que tu te dises moderne ! Tu dis que t'es pas contre la moto, comme les parents zozos qui comprennent rien. Mais ce que tu veux c'est que je roule en 125 sur les Champs-Elysées en roulant des épaules pour me faire voir. Tu vois pas que tout ça c'est des conards, c'est des Charlots ! Des fils à papa qui reprennent vite la voiture dès qu'il pleut... »

Il a travaillé deux étés et deux fois aux vacances de Noël et de Pâques dans un garage, dix heures par jour, pour se payer sa moto. Dont le Crabe ne veut pas entendre parler. Brigitte a ajouté en douce le supplément. (La grand-mère ne s'intéresse qu'à Reine et à son éventuel dépucelage par un sportif. Le plus vite sera le mieux. Les pilules sont pas pour les chiens.)

Une belle moto, deux temps, une belle routière brillante, nerveuse, un engin qui rugit, avec des freins à disque à l'avant et des freins à tambour à l'arrière... Il l'a payée huit mille six cents francs. Le Crabe a failli mourir d'un infarctus en la voyant. Plus il a de problèmes d'impôts et de bénéfices en baisse, moins il la digère. Lui, il ne dépense rien. Lui, il ne fume pas. Lui, il ne boit pas (enfin peu). Lui il se contente de... Etc.

Mme Chaimsol appelle : « Brigitte ! Brigitte ! » Brigitte lève les yeux au ciel. Cramponne passe l'aspirateur sur le tapis de la salle à manger et remet au milieu de la table, dont elle a rentré les rallonges, une grande potiche à quatre pieds pleine de plantes vertes de races différentes. Qu'elle a toujours envie de casser. Mais alors il faudrait casser le reste. Brigitte lui crie qu'elle peut venir dans le salon avant de faire la chambre. De toute façon elles se tiennent dans le petit coin.

Brigitte a de l'affection pour Cramponne. Elle ne cesse de l'attirer dans la conversation. Avec au fond d'elle-même une bonne intention égalitaire. « Je la traite comme vous et moi, dit-elle. Aujourd'hui la mode des distances a passé. Et puis je ne tiens pas à la perdre. C'est une perle. Pas une perle japonaise. Une vraie. Elle me lave mes rideaux, et hop ! elle me les repend mouillés, blancs comme neige et sans s'embrouiller dans les cordons de tirage. Faut le faire ! Et puis elle sait garder ses distances. » Elle craint aussi de rester seule avec sa mère. Qui la persécute de ses tentatives en vue de s'installer chez sa fille pendant les vacances. « Une mère c'est une mère, mais plutôt mourir. Entre mon Crabe et ma maternelle, j'aurais même pas le loisir de me bronzer les fesses. » La petite Reine, au pucelage si préservé, prétend que sa mère a des excitations qui prouvent son malaise sexuel. Le Crabe a une maîtresse, tout le monde le sait. Même pas une jeune. Elle a une verrue sur le nez, dit Reine. Elle a expliqué à Cramponne que sa mère avait besoin d'être baisée un bon coup. « C'est pour ça qu'elle se tarabiscote les méninges et fait des histoires de n'importe quoi. » Et comme Cramponne la regardait sans rien dire, elle lui a confié que sa grand-mère la tarabuste tellement avec ses questions qu'elle ne pense plus qu'à ça. Et c'est assez agréable. Finalement.

Ce qui intrigue Malingaud quand Cramponne, sans détails ni récits, fait allusion aux paroles de la famille Bertholet, c'est ce qu'il appelle la traversée quotidienne de Cramponne dans cette maison. N'est-ce pas un peu... ? Cramponne a beau jeu désormais de répondre que les gens du monde indigo ne connaissent les autres que par ouï-dire. Elle, elle sait. Elle quittera bientôt cette « place ». Dit-elle. Elle n'y reste que par un sentiment incertain qui lui fait prendre Brigitte comme elle est. Quelque chose dans cette femme. Quelque chose de bon et de chaud au fond. C'est une manipulée.

Ce sont ces embardées qui manquent à Malingaud. Dès qu'on choisit un personnage, les gens en font un type de personnage. Un ouvrier, c'est la classe ouvrière. Un commerçant, c'est les commerçants. Le type n'existe pas. On ne peut tout de même pas au commencement de chaque livre mettre un écriteau : « Chaque personnage ne représente que lui-même et sa ressemblance avec d'autres personnages du même milieu est purement accidentelle... »

Cramponne se bourre d'idées. Généralement féroces. Mais parfois tendres. En tout cas sa vision réelle du monde s'enrichit. « Quand on a vu et entendu ces gens, on ne peut plus jamais oublier leur existence », dit-elle. Car ils sont ininventables.

Par exemple le spectacle de Mme Chaimsol à la recherche du cadeau de mariage « le moins cher possible et qui fasse bien ». Avec ces fameuses « listes », les mariés connaissent tous les prix. C'est épouvantable ! Pour la communion de Reine, les Dupont ont donné un cadeau de cinq cents francs. Maintenant que leur fille se marie, et que les prix ont monté en flèche, il faut trouver un truc ! Brigitte offre un meuble, bon, c'est futé, elle l'a ! Un guéridon évidemment. Une copie. Invendable puisqu'elle l'offre. Enfin ça fait toujours plaisir. Mais elle ? Ils veulent une ménagère. Le culot de dire ça !... Alors bon d'accord ! Mais en acier. Elle vient d'en voir une de toute beauté, trois cent vingt-cinq francs. C'est déjà pas mal. Soixante-quatorze couverts en acier. Avec des petits zizis sur les manches. Regarde, ma fille. C'est dit en toutes lettres. Ces couverts « marient avec bonheur et sobriété ligne contemporaine et décor moderne ». Et ça répond aux critères « qualité standing ». Alors ? Hein ? C'est très design. (Elle dit désigne, ça on ne peut vraiment pas le lui reprocher, pense Cramponne.) C'est dans le vent. Ah ! la la ! si on m'avait offert ça quand j'étais jeune !... Ou alors je fais comme les

Olivain. Quand ils ont vu la liste, ils sont partis en vacances. C'est du cadeau forcé, ces listes !...

Finalement elle a une bien meilleure idée. Originale. Parce que tout de même, l'acier c'est de l'acier. Design ou pas, ça fait vulgaire. Si je leur offrais les dix Guy des Cars ? Reliés ? Qu'on fait en réclame sur tous les journaux ? Ça doit être superbe dans une bibliothèque ! « Livres reliés en chevrain — ça doit être de la chèvre — bordeaux, dorés au luxor, feuilles de garde Ingres rouge foncé, tranchefile jaune et rouge, signet or. » Hein ? Signet or, qu'est-ce que tu dis de ça ? Attends. Trente francs quatre-vingts, plus quatre francs quatre-vingts de frais d'envoi. Seulement attends, je paierai que les deux premiers, les autres au fur et à mesure, à tempérament. J'ai qu'à leur expliquer. Y a le texte tout fait pour leur écrire. Je pourrai conserver *L'Impure* en cadeau de bienvenue à la collection. Et je réglerai seulement *La Brute*. Disons *La Vipère*, *La Révoltée*, *Les Filles de joie*, *La Corruptrice*, *Le Donneur*, *L'Insolence et sa beauté*... Tiens, y en a deux que j'ai pas lus... Mais c'est ce chevrain qui me tracasse. Ce serait du plastique ?...

On demande à Valentin de chercher chevrain dans le Larousse toutes affaires cessantes. Il y va. « Y a pas », il dit. « C'est pas possible. Cherche bien. » « Je vous dis que ça y est pas. Y a Cheket (Mahmond) général ottoman. Y a chèvre. Et puis y a chevreau, chèvrefeuille... » « Alors cherche luxor. » Il cherche. « Y a pas. Faut chercher ailleurs... Lou... Lou... C'est un temple... » « J'en étais sûre, dit Brigitte. Dans les dictionnaires c'est toujours comme ça. Les mots qu'on sait, on les cherche pas. Les mots qu'on sait pas, ils y sont jamais... »

Mme Chaimsol dit que tant pis, elle achètera les livres. Comme ils auront pas à les payer, hélas ! ils auront pas le prospectus, donc dictionnaire ou pas ça n'a aucune importance.

« Et s'ils les ont déjà lus ? dit Brigitte. Tu sais, offrir des livres en cadeau de mariage, ça fait un peu curé... » « Oui mais les reliures au mur, y a rien de plus ornant. »

Cramponne savoure la réclame : « Lisez par plaisir, pas par devoir. Acceptez gratuitement *L'Impure* de Guy des Cars !... » Ça c'est pour Malingaud. « Lisez par plaisir, pas par devoir... » Elle se met à prendre une à une les plantes vertes, à les porter dans la salle de bains et à les poser au fond de la baignoire. Elle aime. Elle va et vient. Brigitte glisse à l'oreille de sa mère en catimini : « Non mais tu te rends compte ? T'as déjà vu quelqu'un soigner les plantes comme ça ? Je te jure, elle m'assied cette fille-là ! J'en suis sur le cul. Et pas vulgaire pour un sou avec ça !... T'avoueras que pour une fois j'ai du pot. » « Avec ce qu'elle te coûte, dit la mère, elle peut être bien ! Sans compter la Sécurité sociale. » « On est deux à la payer. » « Oui mais ça monte. Tu tiendras pas longtemps à ce rythme-là. »

Cramponne vide les bacs des plantes. Elle nettoie les feuilles du rhododendron avec un produit qu'elle pulvérise. Et un coton. Les feuilles se mettent à briller. Julie ne ferait pas mieux. Personne ne lui a suggéré ce nettoyage. « Et puis elle a de l'initiative, dit Brigitte. L'initiative, c'est le plus rare. Les femmes de ménage, c'est toujours bâclé et si tu dis pas ce qu'il y a à faire, elles te passeront dix fois devant un mouton sans le ramasser. » Un mouton de poussière, évidemment

La mère dit qu'elle ne digère pas le canard. Surtout en restes. Et qu'il faudrait envoyer Cramponne chercher du jambon maigre. Mais pas du jambon de Paris. Du jambon d'York que le charcutier près du métro cuit lui-même. Et pas gras. Brigitte dit que justement elle en a pris. Ah ! ça te la coupe ! Tu vois que je pense à toi !...

« Tant mieux, se dit Cramponne. J'aurai le temps de finir les plantes. » Elle met un soin caressant à frotter les feuilles couchées sur sa main. Leur délicate texture lui procure une sensation d'enfance et d'innocence. Les plantes se laissent faire comme les enfants nouveau-nés. Elles ont la même peau. Elle change de coton. « Dites donc, dit la mère, vous savez le coton, ça pousse pas dans les escaliers !... Vous pouvez pas faire ça avec une éponge ? » Brigitte cligne de l'œil à Cramponne. Et derrière le dos de sa mère mimique le « ne faites pas attention à ce qu'elle dit ».

« Tu sais, dit-elle à sa mère, c'est vraiment dommage que mon Crabe soit pas décoré. Hier soir les Bescara nous ont dit qu'ils partaient pour treize jours en mars-avril, faire la croisière de la Légion d'honneur. » « Ça ton Crabe, ça je me demande de quoi on pourrait le décorer, celui-là ! Si y avait une décoration de sale gueule, moi je le ferais tout de suite commandeur. Non ma petite, faut faire ton deuil des honneurs, c'est pas pour toi. Et puis d'abord, ce Bescara, c'est quoi ? C'est pas un nom français ? Qu'est-ce qu'il a pas dû faire pour être décoré ! Je te jure, les gens ne reculent devant rien, il a dû verser des pots-de-vin. » « Tu sais pas ce que tu dis ! Il a rendu des services en veux-tu en voilà dans les chemins de fer... Et pourquoi qu'il aurait pas versé des pots-de-vin d'abord ? Mon Crabe en se couchant, pour une fois il avait raison, il disait que du moment que les rois et les ministres en reçoivent, pourquoi pas tout le monde ? En tout cas les Bescara — tu sais il est français, il a que l'origine. Et de toute façon sa femme est normande, alors ! — eh bien, ils s'en vont à Santa Cruz, à Dakar, à Las Palmas. (La voilà encore avec ses mots, se dit Cramponne.) Avec lavabo seulement, la cabine c'est dans les deux mille quatre cents francs. C'est rien si on y pense ! Evidemment si tu veux le sanitaire privé, Bescara a dit que c'est dans les trois mille cinq cents. Ou plus. Mais c'est important. De pas être obligé de courir les couloirs pour aller au chose. Eux de toute façon ils prennent du luxe à deux lits. Ça fait presque sept mille. Mais ça vaut le coup. Et l'air conditionné et tout. Et puis on voit de la société intéressante. Rien que des gens tout ce qu'il y a de placé. Presque tous la rosette en tout cas. Ah ! la la, qu'est-ce que je pourrais faire pour bouger ! pour aller dans les îles !... Tu sais que mon Crabe renâcle à partir en vacances ? Il dit qu'il faut diminuer les dépenses ! Rester ici, autant mourir !... Il a piqué une crise parce que je lui ai dit que l'été il faut que je trouve quelqu'un pour mes plantes ici. Sinon elles crèvent, le concierge laisse les pots baigner dans l'eau. J'ai beau lui dire qu'il faut remettre à sec avec une éponge... » La mère dit que c'est bien fait pour le Crabe si la situation le touche. Il lui a fait assez de tort dans sa vie. A lui de souffrir.

« Le Crabe est un mafatore, un mafatore », chantonne Cramponne en entrant dans la chambre à coucher. Elle a la vision des bavards de bancs sur le port de La Seyne. Ou de la prison maritime de Toulon, avec les joueurs de boules devant. Et les vieux assis sur les bancs. Les prisonniers dans la prison entendent claquer les boules. Et les ouvriers de l'Arsenal discuter. « Le mafatore, le mafatore. » M'a fait du tort. Les faiseurs de tort doivent être légion.

Soleil, boules, tu tires, tu pointes. Elle enlève les draps du lit avec une réflexion sur cet homme et cette femme. Couchés là chaque soir. Et leur destin. Et les jolies nuisettes à dentelle de polyvinyle de Brigitte. De temps en temps le Crabe doit... Rideau. Horrible. Le mafatore. Les plantes baignent et se gonflent. On n'entend plus rien.

Brigitte se love dans un coin de divan. Sa soirée l'a mise à plat. Elle devait aller se faire faire un brushing. Mais elle ne sait pas si elle ira. Elle est usée. Et demain elle a les Germont. Elle espérait qu'ils les inviteraient à déjeuner. Penses-tu ! Les gens deviennent radins. Ceux qui reçoivent on les compte sur les doigts. Ou alors des dîners-télé, tu te tapes du jambon et des chips, autant rester chez soi. Et la plupart du temps dans des assiettes de carton. J'oserais pas. Mais les gens sont déglingués par la situation. Ils mettent de côté. Total, tintin pour les invitations. Elle se met languissamment à faire une liste de courses pour Valentin. Comme ça Cramponne aura le temps de préparer une soupe et une compote pour demain. Et le reste on ouvrira des boîtes.

Valentin sort furieux. La porte claque. Cramponne change les draps. La chambre est moins chargée en meubles que le reste. C'est juste une chambre-dortoir, dit Brigitte. Avec une console-toilette. Deux grandes glaces. Et une seule lampe, du côté du Crabe. Ils ne lisent pas au lit. Par contre la salle de bains déborde de fanfreluches. Tapinets, dit Brigitte, mes jolis tapinets. Devant le bidet, devant le lavabo, devant le chose, sur le couvercle du chose, sous le radiateur, Dieu sait pourquoi. Vieux rose. Sur le radiateur. Partout. Les plantes dans la baignoire ont l'air de princesses. Certaines. Les autres sont comme tout le monde plante, se dit Cramponne. Des petites bourgeoises-plantes. Des passantes. Heureusement on ne retourne plus les matelas. Il y a un côté hiver et un côté été. Une fois par an et le tour est joué.

Pendant tout le temps qu'elle travaille, vite et fort, sa pensée ne traîne pas dans des espaces subtils ou des architectures intellectuelles. Lagrenée, zone interdite. Seuls Malingaud et Barilero entrent de temps en temps chez Brigitte Bertholet. Surtout Malingaud. Cramponne manie une pensée besogneuse, sa tête l'accompagne dans ses gestes. Les travaux exclusivement manuels n'existent pas. L'attention, le raisonnement, la pensée aident à fonctionner les outils humains incorporés. Même pour claquer les draps et les étendre. Coup d'œil général. Cette chambre lui fait froid dans le dos.

Elle va dans le salon et dit : « Madame, je m'arrête, c'est l'heure. » « Bravo, dit Brigitte, c'est ça, prenez votre quart d'heure, ma petite Cramponne. Je chronomètre, je vous préviendrai. » C'est une convention entre elles. Cramponne exige un temps d'arrêt. Non payé évidemment. « Jamais vu ça, dit la mère. De mon temps on n'aurait jamais accepté... » « Chut, dit Brigitte. Tu vas me la faire perdre. Si je la perds et qu'il faut que je me retrouve une souillon-grande gueule, je me pends. »

Cramponne s'assied chez Valentin. Qui a une chambrette comme elles sont. Transistor, tourne-disque, disques, posters etc. Une photo formidable au mur : celle de Saarinen devant Pasolini au Grand Prix d'Allemagne de l'Est. Couchés, jambes de cuir, bras tendus, motos en oblique sur fond de foule. Le gosse a écrit dessous en rouge : « Morts le 20 mai 1973 à Monza (Grand Prix d'Italie). Salut ! »

A côté un autre homme oblique, mains de cuir et lunettes lunaires. Là le gosse a collé une étiquette : « 500 Kawasaki-Guignabodet ». Et une grande photo de « concentration », les petites tout-terrain sur une colline pelée, dans l'herbe. « Meurtres et viols », dit la grand-mère. Le môme, entre autres *Spirou*, lit *L'Echo des savane*s, spécial U.S.A. C'est bien, parce que les extra-terrestres, forcément, avec leurs engins, disent surtout pendant des pages entières whumph, bzzzzz, dum, dum, dum. Ils sont pas gais, les Américains. Ça fait dans le Tarzan morbide, avec des trucs du genre « Naissance de la mort ».

Barilero dit qu'il se sent quelquefois des velléités de parler en B.D. Urk ! Erk ! La terreur ! La faim ! La terre en tremblait ! Ils étaient irradiés ! Slop ! Piouf ! Grouap, grouap ! Les pieds au four ! Winn !... Splash ! Splash ! Meuh ! Bang !... Aïe !... Nous allons cacher la pirogue dans la végétation. Tu l'as dit. Urk.

Cramponne allume une gauloise.

Elle entend la terrible mère — couper tête — une mitrailleuse à cervelle-aimant qui retient tout ce qui est argent. Argent-monnaie. Un tiroir-caisse. Et Brigitte ? Brigitte non. Elle a seulement envie. Envie de tout. Cette société de création d'envies creuse des trous dans les gens. Envie. Acheter. Pouvoir payer. Mettre de côté. Acheter acheter. A crédit. Au comptant. Tous les murs se débrouillent, tous les journaux, toutes les radios, pour creuser des trous d'envie de plus en plus grands dans les gens. Les trous les rendent moroses. Ou anxieux. Malingaud se vendrait pour écouter parler Mme Chaimsol. Incroyable personnage. (Couper tête.) Et le Crabe ! Cramponne est trop bonne ménagère pour n'avoir pas mis le doigt sur la cachette où le Crabe dissimule ses lectures.

Le Crabe lit *Détective*. Elle a vu tout à l'heure le dernier numéro à sa place habituelle, au « chose » comme dit Brigitte, tout en haut, bien roulé dans un élastique. Brigitte s'étonne de voir le Crabe rester une heure dans l'endroit. Et lui met de la confiture laxative dans sa gelée de framboises. En douce. *Détective*... Avec grand titre sur fond noir : « Gagnée au poker par un impuissant. » Rien que les titres en feuilletant. « J'ai eu plus de 60 amants. » Mazette ! dirait Broque. « Marquée de la croix des vaches par son amant. » Quand une femme trompe un proxénète, il la croise au couteau sur la figure. « J'ai appris quelque chose. » Se dit Cramponne. Les voyants, les astrologues, la pierre du Nord qui transforme la vie, les gadgets et articles érotiques sous emballage solide et discret assuré, les rencontres préparées selon vos désirs et votre personnalité... Le Crabe lit tout ça. Et *Union*. Ça il le cache pour rien, Brigitte le lit chez le coiffeur. Une petite revue bien présentée où se documenter sur les réactions sexuelles féminines, les amours de groupes, ou « comment faire l'amour sans érection », l'amour et les bottes etc. L'article de fond, si j'ose dire, du mois, est le point de vue d'une journaliste « sexuellement libre et expérimentée » sur l'« amant idéal ». « Je ne me rappelle pas le premier pénis que j'ai vu. Mais ce que je me rappelle, c'est le plaisir qu'il m'a donné, et surtout la générosité physique de l'homme qui en était le propriétaire. Mais je jure que je suis incapable de me souvenir de la dimension de son membre. Sept centimètres, vingt-deux centimètres ? En soi cela ne veut rien dire. Même si un homme annonce un pénis de trente centimètres, je sais que mon plaisir dépendra des qualités humaines dont nous ferons preuve tous les deux, lui et moi. Sur ce point, j'ai lieu de croire que je pense comme la majorité des femmes : un pénis est un pénis, un point c'est tout... Question d'angle, donc, et non de taille. De position, et non de poussée... Une fois de plus, je m'adresse aux hommes doués d'organes de taille modeste : ayez confiance en vous... »

Cramponne ne jette sur les lectures du Crabe qu'un coup d'œil tranquille. Quoique « un pénis est un pénis, un point c'est tout » lui donne d'irrésistibles visions de Barilero s'il lisait la chose. Il en lit d'autres. Mais arrachées à leur contexte, passez-moi le mot, elles prennent une consistance. Dirait Barilero. Si l'autre patronne de Cramponne, Marie-Laure Duponchois, la voyait lisant ces publications, pourtant fort courues, elle aurait ce qu'elle appelle une moiteur. Malingaud a raison. Il faut ouvrir les barrières et pénétrer partout. Il faut égrener les gens. Ce n'est pas tonique. Mais combien passionnant !

Voyez la chère Mme Chaimsol — couper tête — qui offre un sketch pétulant à sa fille. Brigitte attend midi et demi comme le Messie. « Midi-Première » la sauvera de sa chère mère. Elle se fait les ongles avec toutes sortes de flacons debout sur un tabouret. Pendant que Cramponne entre dans la chambre de Reinette (c'est ainsi qu'on l'appelle). Vite fait. La petite ne veut pas qu'on touche à ses disques. Un jour Brigitte a fait elle-même — elle en a pris la responsabilité — un grand ménage chez Reinette. En commentant d'un mot chaque disque étalé.

« Amour amour, rien que de l'amour. C'est pas étonnant, on leur parle plus que de relations sexuelles jusqu'au b-a-ba. Disait Brigitte. Et allez donc. Mireille Mathieu *Qu'attends-tu de moi ?* Que tu te casses l'organe. *Toi qui t'en*

304

vas. Mouskouri. Et t'avise pas de revenir. Daniel Guichard *Je n'ai pas le cœur à soupirer.* Eh bien, mange ! Michel Sardou *Je vais t'aimer.* Celui-là il annonce la couleur. Vartan *L'Amour c'est comme les bateaux.* Si elle savait ce qu'on s'en balance ! Johnny *Derrière l'amour.* C'est pas mieux que devant. Et *je t'aime je t'aime.* Et *Julia mon cœur. Faibles femmes.* Lover lover lover. Kiss me. Leave me. Sandra Giacobbe *L'amour se meurt avec l'été.* Vivement l'automne. Joe Dassin *Il était une fois nous deux.* Celui-là il bat les records de nouveauté. Julie Bataille *Tu es la plus belle.* Et toi t'es la plus con. Julien Clerc *Le cœur trop grand pour moi.* Coupe-le en deux. Claude François *La solitude c'est après.* Et la connerie c'est pendant. Eric Charden *J'aime bien.* Je te le rends pas. Dalida *Parle-moi d'amour mon amour.* Ça c'est vraiment du neuf et du nouveau. Regardez-moi ça ! Non mais regardez-moi ça !... » Et pour finir « Si au moins elle s'achetait de la guitare espagnole. J'adore la guitare espagnole. Mais tous les mômes savent plus que bêler »...

Et comme il y avait une petite tache sur le drap, elle a dit : « Je vais lui acheter des Kotex Brévia. J'ai vu une réclame dans le *Jours de France* de cette semaine. Odile l'achète. C'est pas mal. Cette semaine y a tout un truc sur les retrouvailles de Sylvie et Johnny. Elle en fait ! elle en fait ! Et la piscine à Hollywood, et le cœur comme ci et le cœur comme ça, pourquoi pas moi ? Parlez si on s'en fout si leur môme parle anglais ou pas. C'est des privilégiés, alors qu'on nous foute la paix avec leurs histoires. Qu'est-ce que je disais ? Ah ! oui. Eh bien, les protège-slip adhésifs, ça a l'air très bien. Surtout pour la petite quand elle fait du sport et qu'elle a ses mensuelles. Il paraît que ça bouge pas, c'est bien ! Je vais lui en acheter.

Ça m'aurait bien servi quand j'avais des pertes. Maintenant j'ai plus besoin de ça. Depuis ma totale, je suis parée. N'empêche que si on m'avait pas tout enlevé, je m'en serais servi, de ces machins adhésifs. Le progrès c'est comme ça, c'est toujours pour les autres. »

Mme Chaimsol donc a enfourché son cheval favori. Les bijoux. Comme elle ne connaît pas assez, elle s'est renseignée. Il ne faut pas se laisser avoir. Surtout quand on veut des placements. Faut se faire conseiller. Elle s'est documentée sur tout. Même sur les poinçons de garantie. Il faut qu'ils soient doubles. « Tu le savais ? Eh bien, moi je le savais pas. Tu sais c'est surveillé. Y a un service officiel de la garantie qui contrôle. Au ministère de l'Economie. Et puis par exemple, si je m'achète un diamant et que j'aie après de quoi m'en payer un plus gros, on me le reprend ce que je l'ai acheté, c'est une sécurité ! On peut revenir se faire nettoyer ses bagues, ses colliers, tu savais ça ? C'est fait à la perfection, tout moderne, avec des appareils à ultrasons. »

Brigitte, qui commence à s'intéresser — les histoires de bijoux font rêver, même si on n'a pas les moyens de s'offrir des couronnes — dit qu'elle a vu un jour dans la vitrine de Cartier un collier de presque soixante boules de rubis, avec, entre, des petits diamants et un fermoir diamants et rubis. « Ecoute, maman, je te le jure sur la tête de Reinette, on aurait dit un collier de groseilles avec une grosse au milieu. J'en bavais sur la vitrine. C'est ça que tu devrais acheter !... Ou alors une torsade de perles avec des fleurs en corail rose !... C'est à mourir devant ! Du reste le rubis, on dit que quand on en a et qu'on le porte tout le temps, il réalise tous vos vœux. C'est de la bêtise, mais enfin on sait jamais. Moi qui suis Vierge... »

La mère dit que ça ne l'étonnerait qu'à moitié, vu le dynamisme de son gendre... « Enfin ! Il a quand même fait une fille et un motard... Dans un grand effort. Ma pauvre fille ! » Entre ses dents elle laisse glisser que même aujourd'hui il va rajouter quelques petits bâtards à verrues à la famille, qui sait ? Et maintenant que les enfants naturels ont droit à l'héritage, ce qui est une honte, il faudra partager tous les guéridons avec les bâtards pour peu que le Crabe casse sa pipe de bonne heure, et le ciel m'entende !

Brigitte chantonne, entend ou pas, et dit que la pierre de la Vierge, c'est le saphir. Sa bague de fiançailles, c'en est un, évidemment. Mais c'est tellement commun !... Midi un quart. Y a des jours où la télé, ça paraît long à démarrer. « Mais qu'est-ce qu'elle fout la grande Duduche ? C'est un monde !... »

Mme Chaimsol dit que ce qui lui aurait plu à elle, si elle était vraiment femme à bijoux, et là c'est autre chose, c'est question de sécurité. Eh bien, elle aurait acheté des alexandrites. C'est changeant comme l'opale et ça ne porte pas malheur. C'est rare. C'est beau. Ça a des reflets verts et rouges. Ça s'appelle comme ça parce que le tsar Alexandre a eu vingt et un ans le jour où on a trouvé la première. Malheureusement c'est les Russes qui les ont. Pas en masses, mais enfin. Alors ça coûte des fortunes. Et puis de toute façon elle a fait son choix. Et ses comptes. Elle sort son petit carnet. Et elle met ses lunettes ornées à larges pare-brise.

D'abord une rosace. En diamants évidemment. Un gros, avec six moins gros, en tout plus de quatre carats. Pour le majeur. Ça vaut dans les cinquante-deux, cinquante-trois mille francs. Pour l'annulaire, au lieu de sa vieille alliance en platine qui lui scie le doigt — pourtant Dieu sait qu'elle n'a pas engraissé, elle se prive assez — une alliance d'or gris avec des émeraudes et des diamants tout autour. Ça fait dans les dix mille francs. Et à l'autre main, un beau rubis avec dix gros diamants. Ça fait dans les autour ou alentour de vingt-cinq mille francs. On en est donc à quatre-vingt-huit mille francs. Le tout peut se porter tranquille, tu voyages avec, tu peux toujours garder tes gants, pas de problème de rien, t'as tes papiers dans ton sac et le tour est joué. Bon. Là-dessus une belle montre en or gris avec trente diamants décroissants autour. Superbe. Les aiguilles noires là-dessus !... A rêver. Au poignet évidemment. Environ dix-huit mille. Alors avec ça pas de gros pendentif, ça se remarque trop et puis ça s'arrache trop facilement, crac et t'es Gros-Jean. Mais un ras du cou en or, dans les douze mille francs s'il est bien tressé, avec des facettes, et par là-dessous, toujours en or, la grande chaîne. Mais alors grande, double, à deux hauteurs, avec au bout disons juste un grand papillon, avec des petites perles à la rigueur, rien de précieux. Mais le tout, la chaîne, dans les quarante mille, à cette épaisseur-là on ne peut pas mettre moins. Un clip forcément. Des boucles d'oreilles. Des vis, je ne suis pas percée. Deux beaux diamants, ça fait aux environs de la brique. Si j'ajoute deux trois bricoles... Evidemment je peux pas me payer le Régent ou les rubis de quatre cents carats de Catherine de Russie, mais enfin à condition de pas acheter des perles... Ça meurt alors j'y tiens pas. Ou alors j'augmente les carats. Ça me fait dans les vingt briques. Avec ça on peut déjà se retourner. Alors pour peu que ça augmente... Et puis les lingots, le coffre, tout ça c'est fini. Les coffres en banque, trois quatre malfrats un peu futés ils vident tout, et toi il faut te mettre à table à la police. Tiens, des lingots ?... Tiens tiens !... Ils étaient déclarés ?... J'ai vu un film à la télé avec une histoire de ce genre-là, c'est pas tombé dans l'oreille d'une sourde. Des clous.

« T'es riche toi, dit Brigitte. On voit bien que tu penses qu'à toi. » « Et à qui veux-tu que je pense ? Vous êtes toutes les deux pourvues, non ? T'as qu'à demander des bijoux à ton Crabe ! Tu verras bien ce qu'il te dira ! De toute façon t'es Vierge, alors moi les saphirs j'aime pas ça. T'as rien à regretter. » « Moi je suis Vierge, et toi t'es sous le signe du Chameau, dit Brigitte. Attention c'est midi et demi !... »

Elle ouvre la télé. Cramponne, qui est en train de remettre toutes les plantes vertes à leur place, pense au collier d'or tressé à facettes. Elle qui aime l'or. Sans le désirer. Le voir. Le toucher. C'est magnifique, l'or. Elle a toujours rêvé de boire dans une flûte d'or. Où l'eau resterait glacée.

Et plan plan plan, et poum poum poum, et sourires sourires tortillons, zauditeurs, tous autour, cher Hugues, cher Zozo, bonjour bonjour, chère Danièle, et le micro qui tire sa ficelle, et zoum zoum zoum. Oh ! merdouille ! dit Brigitte, c'est Hugues Aufray, gnan gnan cheval et compagnie, qu'est-ce qu'on a fait au bon Dieu pour que cette télé y ait plus jamais rien dedans ! Avant encore ça passait, maintenant ils sont tous devenus Canadiens, ma source d'eau pure et ma rivière polluée, et vivre aux champs... C'est tous des fakirs.

Entrée bruyante et furieuse de Valentin. En retard. Ruée dans la chambre. Reparaît en guerrier de couleur. « Salut Cramponne ! » « Salut guerrier ! Bonne route ! » Plac plac, « Salut manman, te fais pas de mouron, ça sera impec. Salut Mamy, bonnes soldes ! » Plac plac. « Tu te laisserais taper, mamy ? Y a longtemps que tu t'es pas laissé taper !... » Elle fouille dans son sac, l'air de dire : « Qu'est-ce que ça peut me faire ? » Elle lui file vingt francs. « Avec ça je suis armé, il dit. Je vais pouvoir me payer une croûte solide au rendez-vous, enfin c'est mieux que le rien du tout de samedi dernier ! Tiens manman, la monnaie du marché. J'ai pris que deux poireaux vu le prix, je t'assure que je les ai payés. Où on va ? Mais où on va ? » « T'es un brave petit épicier », dit Brigitte. Pendant ce temps Hugues Aufray et Danièle Gilbert se disent des choses copines avec beaucoup de dents, et trimbalent leur fil, et plan plan plan, la boule au bec et le fil se tortillant.

Cramponne regarde l'étrange guerrier debout dans les consoles et les pots. D'autant plus métamorphosé qu'il n'a plus de tête. Jambes écartées. Epaules relevées. Même sa voix a changé. Un guerrier superbe. Le guerrier Valentin.

Elle retourne dans la cuisine en jetant sur les plantes vertes régénérées un regard satisfait. Et ferme sa porte. Coup d'œil à l'heure. Vite. Eplucher les pommes. Les couper, enlever le milieu, la bassine, pas trop d'eau, une orange et un citron coupés en deux. Et au feu. Clic. L'allume-gaz électrique.

Soupe-soupe-soupe. Eplucher éplucher. Les pommes de terre on les cuit avec la peau. Après les avoir bien lavées. Brigitte trouve que c'est plus possible d'éplucher pour la soupe au prix que ça coûte. Ail oignon. Une tomate. En avant la découpe. Cramponne parle toute seule. Allez allez, dépêche-toi. Le couteau coupe bien. Plan plan plan de loin. Les bijoux les bijoux. L'or l'or l'or. Le vert des plantes. « Gagnée au poker par un impuissant. » Je m'éclabousse. Il faudra que lundi on pense à nettoyer l'appui de la fenêtre. Et le garde-manger.

La soupe au feu. J'ai encore trois quarts d'heure. Brigitte passe la tête pour lui dire de manger. Y a du canard en masse. Sinon il faudra le jeter, Reinette ne veut que du grillé et si mon Crabe ne rentre pas !... A midi on va piquer toutes les deux dans le frigo avec les pommes à l'anglaise. De toute façon faudra bien qu'on aille boire un thé dans un grand magasin quelconque. On va goûter ! Comme le goûter c'est moi qui le paie, ma mère goûte !... Moi les soldes ça me vide. Mais je réussirai pas à m'en tirer. Remarquez elle a pas tort, jamais on a autant soldé, mais alors ces queues !... Un samedi ! Même devant les boutiques de petites cuillères, les gens sont fous !... Les femmes sont tombées sur la tête. Elles se piétineraient ! Enfin je vais tâcher de prendre les choses du bon côté et de faire des affaires !... Mangez, mangez, ne vous gênez pas !... Ce serait trop dommage d'en jeter !...

Cramponne regarde le canard d'un œil complice Joli canard ! Jamais je ne te toucherai ! Oh ! fils du roi tu es méchant (en descente : oh ! fils du roi tu es méchant) tu as tué mon ca-nard blanc, tout-le-long de la riviè-è-re... (Tram tram, glin glin, les colonies de vacances, jolies jolies chansons. C'est le vent frivolant !... Ainsi de suite, tac tac...) Canard, canard, bon canard. Jamais. Ne jamais accepter une bouchée. Ne pas mettre le doigt dans les bontés des dames. Qui vous obligent pour faire de vous leur obligée. Plus souvent, ma Brigitte. Ton canard ton canard. La soupe bout. Plus souvent. Jamais. Canard, canard.

Elle regarde le canard et détache du bout des doigts un joli morceau de blanc. Qui est noir. Et l'avale. Ni vu ni connu. C'est bon. Un autre petit. Et ça suffit. Le Crabe voulait acheter une Cocotte-Minute. Par économie. Mais Brigitte a menacé de divorcer. Jamais tant qu'elle vivra. « Tous les légumes ont le même goût, ça jamais ! Les hautes températures, ça bousille les vitamines. Je veux pas manger des serviettes d'hôpital. C'est bon pour les femmes qui doivent faire le dîner en cinq sec en rentrant de leur travail. Du reste elles feraient mieux de prendre des boîtes, vu ce qu'elles entassent en boîtes dans les supermarchés !... Mais tant qu'il me restera un franc, la Cocotte-Minute, jamais !... » Bon canard, délicieux canard. Encore un petit bout. Ça ne se voit même pas.

Cramponne entend des gueulantes et des musiques dans l'enfer derrière. La diabolique maison bourrée de Brigitte. Se dit-elle. Et l'horrible mère devant la télé. Le guerrier sur la route. Qui file. Le Crabe dans la ville avec ses imageries de rechange et ses verrues clandestines. Elle ne peut pas s'empêcher de l'imaginer à cheval sur le chose, dans les endroits communs, selon les appellations de Brigitte, avec dans la main la « gagnée au poker par un impuissant ». « De toute façon, pour y rester des heures, vaut mieux qu'il aille dans les communs au lieu de me piétiner sur les tapinets de la salle de bains. Ça couche les poils. C'est leur défaut. » Bouf ! comme dirait l'extraterrestre de la B.D. Urk !...

La compote, à refroidir. Reste à préparer le couvert de demain sur la table de la salle à manger. Avant ils allaient au restaurant. Mais les restaurants ont tellement « monté » que le Crabe a mis fin au gueuleton dominical, dit Brigitte. Sans compter qu'il fallait toujours choucrouter. Parce que le filet, c'est de l'or. Alors le dimanche, elle torchonne. Et cherche des petits coins où prendre Cramponne en défaut. Il arrive même que Cramponne lui laisse des découvertes à faire. Sciemment. Par exemple elle ne soulève pas le savon du lavabo, et dessous, ça croûte. Tiens Brigitte. Casse-moi du sucre sur le dos. Je t'ai laissé un plaisir du dimanche entre deux coups de télé.

Elle a coupé les légumes de la soupe menu menu. Pour qu'elle cuise plus vite. « Second quart d'heure », dit-elle en ouvrant la porte. Et elle s'assied. Allume une cigarette. Et regarde la marmite. Qui sent bon. Minuscule bout de canard. Pour tromper l'attente. Délicieux. Petit clin d'œil à la grand-mère Arsène.

Elle regarde autour d'elle avec satisfaction. Tous les blancs et carreaux étincellent. Tout est redevenu vivant. Drôle de fille, se dit-elle en allumant sa cigarette. Drôles de goûts. Drôles de gens... Elle connaît l'endroit où cette vocation singulière a commencé.

Brigitte ouvre en catimini la porte derrière le dos de Cramponne. Pour voir si elle mange du canard. Trop tard. Elle sait que Cramponne refuse tout, et chipote des petits bouts. Elle voudrait savoir le pourquoi. Franchir le mur. Elle a tout essayé. Impossible. Elle se sent frustrée. Comme de tout. Elle referme. Si elle avait pu ouvrir Cramponne comme cette porte, elle serait entrée dans le jardin de la grand-mère Arsène. Où Cramponne vient d'atterrir sur sa fusée de pensée.

« Il faudrait avoir douze bras, disait la grand-mère Arsène. J'en ai sept ou huit, mais ça suffit pas. » Elle cultivait, elle cueillait, elle arrosait. Mais la plus grande partie du jardin, la plus robuste, poussait sans soins. Entre autres les quatre oliviers.

Quatre vieux, larges oliviers. Vieux de peut-être deux cents ans. (Les mêmes qu'on a coupés partout pour faire l'autoroute dans le plus beau de la campagne, dira plus tard la grand-mère. Comme chez le père Brun à Sanary. C'était Verdun. Avec tous les oliviers, morts, par terre. Même Léandre en a pleuré. Enfin presque.) Les quatre du jardin ont résisté à tout. Même au fameux gel de 1956 qui a tué tant d'arbres. La grand-mère dit qu'ils vivront deux mille ans.

Oliviers. Toujours verts. Plutôt toujours gris-vert, gris jade. Cendrés. Argentés. Couleur olivier, pas d'autre mot pour ce vert-là. Leurs troncs se développent comme des corps d'athlètes, avec des muscles de bois, des gonfleurs, des nodosités. Ce sont des dieux. Les cyprès seraient plutôt des déesses. Avec leurs longs corps droits, flexibles au vent, fins et flûtés, leur petite tête, leur élan à couper le souffle. Les oliviers sont plus près de la terre, plus athlétiques, d'un feuillage plus poète.

Les quatre oliviers du jardin, laissés à eux-mêmes, faisaient quand même des olives. Certaines années, ils en croulaient. Une cueillette un jour a fourni cinquante litres !... De première qualité. Ce qui chagrinait Cramponne, c'était de ne pas recevoir l'huile de ses arbres eux-mêmes. De la savoir mêlée à celle des oliviers de tout le monde. Bonne. Mais dépersonnalisée. Il faudrait un moulin à soi tout seul. Sinon on est bien obligé de prendre à la Coopérative le mélange fraternel de toutes les olives de même qualité.

La cueillette le dimanche, avec la famille, une fête ! Ils montaient tous dans les branches, ils tapaient savamment dessus, ça tombait dans des draps. On cueillait aussi à la main. On triait. Les plus belles partaient au moulin dans des paniers. La grand-mère cuisinait un repas énorme. Un jour pour changer (et s'épargner la peine, disait-elle) elle avait cuit une « choucroute à la provençale ». Tomate et ail. Curieusement délicieuse.

Un jour, les oliviers attrapent ce que la grand-mère Arsène appelle le charbon. On dirait qu'ils ont brûlé. Les branches deviennent noires. Les feuilles se moribondent. Une pitié. Ils vivent quand même. Ils font encore des olives sur les branches saines. D'autres se recroquevillent dans les feuilles noires. Tout charbonne. Il faudrait contre-attaquer. Si on trouvait le temps. Mais quand ? Peu à peu on laisse aller.

Ce n'est pas une maladie mortelle, le charbon, la cochenille, le pou de San José. Mais une plaie. Comme on racontait que les coccinelles tuaient les cochenilles comme les mangoustes les cobras, Cramponne avait chassé la coccinelle dans les collines. Elle en avait trouvé une seule. A six points. Disparue dans un olivier. Les cochenilles avaient dû la manger, disait-elle.

Un dimanche, la petite Cramponne regarde les quatre géants du jardin. Malades du noir qui les dévore. Du reste, ils ont des pousses sauvages partout, des branches cassées ou mortes. Léandre, l'oncle sinistre, a dit qu'il ferait un tour, quand il aurait le temps. Que ça n'a pas d'importance, ces vieux arbres peuvent attendre. Le pou de San José se guérit. Autour des troncs, d'affreuses ronces d'un vert éclatant prolifèrent. Des saletés de salsepareilles, des rampants cramponnés, des piquants implantés s'enfoncent jusque dans le bois. Des bêtes en villes entières grouillent dedans.

Cramponne regarde. Réfléchit. La grand-mère est au marché.

Elle va chercher l'escabeau. Le sécateur. Qu'elle aiguise, et c'est dur. Le racloir. La grosse pioche. Et le tuyau d'arrosage.

Elle mouille, mouille, mouille tout le tour du pied. Et commence à arracher. Les ronces entrent dans ses bras, s'enroulent venimeusement. Elle va les chercher jusqu'au fond des fentes. Elle réussit à « avoir » les racines de toutes les sales herbes, celles qui ont des dents, celles qui portent des étoiles bleues et piquent comme des chardons. Elle fonce à la binette dans toutes les sauvageries irrespectueuses de la nature. Les plantes anthropophages, dit la grand-mère Arsène. Elle enlève les pierres. Elle travaille comme une damnée jusqu'à ce qu'elle ait trouvé le regard de la terre. Et fait un cercle de plus d'un mètre autour de l'arbre.

Alors elle monte dedans, coupe les branches mortes. Nettoie et taille les branches noires de charbon. Avec soin et méthode. Branche par branche. Elle se revoit avec l'énorme râteau, tirant en tas les saletés du premier olivier à droite, celui qui est tout près de la terrasse de la maison. Là où on dresse la table l'été. Car le géant étend les feuilles de ses ailes sur un espace énorme interdit au soleil.

Elle parle à l'olivier. Elle s'adresse toujours aux plantes et aux animaux. Elle explique. Elle dit : « Tu vas voir comme tu vas être content. Aie un peu de patience. Je ne coupe que ce qui est pourri. Je vais te le guérir, moi, ton sale charbon. Je vais te soulager. Toutes ces cochonneries bien vertes qui te mangent le ventre. Et toutes les petites branches que tu laisses te manger le pied. » Elle va même chercher la scie pour carrément couper des grosses branches, des cadavres.

Quand tout est nettoyé, elle pioche la terre autour. Peine avec la grande bêche. Elle ouvre l'eau. Se bat avec la boue. Tant pis. Creuse. Elle n'en peut plus. Son dos, ses bras. Ses jambes toutes griffées. Noire de la tête aux pieds du pou de San José. Les cheveux, les cils... Elle réussit à faire autour du tronc un trou rond, profond. Une belle cuvette d'arbre. Sa joie quand elle se met à laver l'arbre tout entier au jet !... Un olivier... Que personne n'arrose jamais. S'il faut se mettre à arroser les oliviers !... « Bois, mon arbre, ouvre ta bouche, viens que je te lave, mon pauvre malade, tu vas voir comme tu vas te sentir bien. » L'olivier répond par sa métamorphose. « L'arbre s'est mis à respirer, je te le jure », a-t-elle dit plus tard à la grand-mère Arsène. Il est vrai que les arbres ou les plantes, sous les doigts qui les aiment, qui les nettoient, qui les rafraîchissent, prennent une couleur, une façon de vivre, un épanouissement, une espèce de bonheur sensuel qui les fait ressembler à l'homme en convalescence.

La petite Cramponne, debout, exténuée, maculée, écorchée, endolorie, truffée de bleus et la peau noire, délire de plaisir à l'intérieur de Cramponne. Et regarde son olivier avec une joie si profonde, si aiguë que depuis ce jour la grand-mère Arsène, pour désigner le bonheur ivre, continue à dire : « Heureux comme Cramponne le jour où elle a rendu la santé à Victoire. »

Victoire, c'est le nom du géant olivier. Il a fait découvrir à Cramponne le sexe des arbres. Tous masculins, Dieu sait pourquoi.

La grand-mère et le Popov de l'époque sont rentrés du marché avec la petite charrette. Le cri de la grand-mère devant Cramponne s'est changé en silence devant l'olivier. Elle a admiré, si émue qu'elle ne trouvait pas de mots. Elles se sont embrassées. Elles ont commencé à gambader et à se faire des révérences et des révérences à l'olivier. Qui regardait la scène de tout son bois mouillé, ses feuilles régénérées, ses branches dégagées de leurs souillures, les pieds dans la cuvette où nageaient les débris de la salsepareille vaincue. Il buvait doucement, à longs traits, il se régalait, il savourait. Dès que la terre commençait à se montrer, Cramponne remplissait à nouveau la cuvette. Quatre fois. Il y avait si longtemps que les racines rampaient dans le désert souterrain.

L'olivier était un roi, un empereur-olivier, un géant reconnaissant, fou de joie dans la dignité de son immobilité et la puissance de ses bras ouverts en branches et de son tronc de Prométhée. Elles, elles lui faisaient la révérence, jupes aux doigts, parmi les cris de Popov qui grattait les odeurs de bêtes souterraines dans la terre arrachée par la pioche.

Révérence sur révérence. Elles révérencent depuis qu'elles sont allées au cirque ambulant sur le port. Deux clowns jouaient une pièce intitulée *La Révérence*. Ils n'arrêtaient pas de s'en faire en se tenant la culotte à deux doigts, en tombant sur la tête, par terre, et du haut de l'échelle à clowns. Pour finir, une grande chèvre un peu vieille bique et coiffée d'un chapeau à rubans avait fait la révérence, debout dans une crinoline mauve sur laquelle ses pattes de devant batifolaient.

Il n'y avait qu'une dizaine de spectateurs parce que le mistral soufflait fort. Ce qui avait mis en danger l'homme qui marchait sur le fil. Mais on en avait pour son argent. Car tous les clowns, funambules et montreurs donnaient tout le spectacle, vent ou pas. Comme ils font toujours. « Ils risquent la mort pour trois sous, disait la grand-mère. C'est des gens à respecter. Rom ou pas... »

« On a gagné la guerre au pou de San José. Victoire ! » criait la grand-mère Arsène. Cramponne a aussitôt baptisé l'olivier Victoire. Il est devenu la première femme-arbre à la ronde. Les autres s'appellent Victoria, Victorine et Victorieuse. Les premiers arbres-femmes poussent dans le jardin de La Seyne.

Cramponne à l'école, le lendemain, demande à l'institutrice pourquoi tous les arbres sont des hommes et toutes les fleurs des femmes. L'institutrice rit. Puis elle pense. Puis elle dit qu'il y a des arbres femelles. Elle cherche. Mais elle ne trouve que « yeuse ». Elle ajoute, comme tout le monde, en lui caressant les cheveux : « Cette Cramponne !... »

Plus tard, beaucoup plus tard, Cramponne a cherché le nom dans le dictionnaire. L'oracle dit : « Yeuse, nom vulgaire du chêne vert. » Ce qui a fait les délices de Cramponne. Qui, dit-elle, aurait plutôt mis la chose à l'envers.

La gigantesque olivier Victoire debout dans sa superbe est à jamais plantée dans la tête de Cramponne. Il a fallu ensuite faire la guerre savante au pou de San José. Bourrer Victoire de médicaments, de bouillie. L'oncle Florentin l'a deux trois fois vaporisée, avec sa hotte de fer sur le dos, comme les hommes dans les vignes. L'oncle Abel l'a taillée dans le haut. Et il est devenu, ou plutôt elle, d'une beauté d'olivier dont je vous défie de trouver la pareille, dit la grand-mère Arsène. Dont tous les arbres dans le jardin sont devenus femelles. Puisque ce sont les arbres qui portent le fruit.

Plus tard Cramponne a dit un jour qu'à Gethsémani, au mont des Oliviers, il s'en trouve qui vivaient déjà au moment de la nuit fatidique, et du baiser de Judas. Elle a trouvé ça dans le *Livre des arbres, arbustes et arbrisseaux* de Pierre Lieutaghi, qui est le livre des merveilles. Si les arbres parlaient, a dit la grand-mère, on saurait toutes les vérités sur l'histoire du monde.

De ce jour Cramponne a eu le goût de transformer les choses. Et de les voir sous sa main toute-puissante retrouver peu à peu leur santé. Dans le jardin d'abord. Où elle a travaillé avec sa main verte. Et dans la maison. Où elle prend plaisir au nettoyage parfait. Le plaisir, si on l'analyse, vient surtout après. Mais le « pendant » en bénéficie. L'acte nettoyeur, qui va répandre le bienfait sur les choses, provoque une satisfaction d'efficacité. Au fur et à mesure cette satisfaction se mue en contentement extrême. Puis en plaisir. Chaque fois que Cramponne tente d'expliquer ces choses simples à Broque, il hoche. Pourtant, travailler en usine, sans voir le résultat, toujours au même endroit, est-ce mieux, est-ce pire ? Dit-elle. Je ne sais pas.

Victoire !... Le quart d'heure est passé. La soupe, quasi cuite, les carottes un peu fermes, tant pis. Cramponne se hâte. Elle a des ailes de départ proche. Elle tourne sa moulinette avec une rapidité affolante. D'autant plus qu'il lui faut se servir du rond qui a les plus petits trous, car le Crabe déteste les morceaux dans la soupe. « On a beau inventer tous les moulins électriques, il faut quand même touiller dans le légume avec le batteur, c'est un monde ! dit Brigitte. Ou alors des machins énormes qui coûtent le prix d'un aspirateur. Ou presque. » Elle dit que la science c'est de la crotte. Elle guérit pas le rhume. La machine ne moud bien que le persil ou le café. La seule chose qui soit vraiment futée, c'est la mayonnaise en tube. Qui est dégueulasse. Et la crème Chantilly en bombe. Ça c'est inouï. Pchchch !... Et on se fait des broderies de crème sur tout. Formidable. A condition de laisser le machin debout dans le Frigidaire. Evidemment ça ne vaut pas celle qu'on fait. Mais alors faudrait jamais manger

320

de conserves ! Ni donner les draps à laver ! Ce qui fait que quand les Bertholet sont seuls à table, on envoie toujours Valentin ou Reinette chercher la bombe. Quand il y a des gens, on remplit une jatte à la cuisine et on fait comme si la crème venait d'être battue. Ça ne prend pas auprès des femmes averties. Mais tant pis. Cependant le Crabe a toujours un sursaut quand il entend crier : « Valentin, qu'est-ce que t'as encore fait avec la bombe ?... » Valentin s'en injecte dans le gosier de bons jets. Après il lèche la bombe. Après il l'apporte.

Cramponne a fini. Elle fait son tour d'inspection dans la maison. Ramasse un chiffon oublié. Essuie une trace. Les deux femmes fixent la télé. Furieuses du menu. Le film sur la Une n'est qu'à deux heures cinq. Avant il faut se taper de la cantate, dit Brigitte. Sinon ce qu'on peut faire, c'est prendre un petit bout des « Deux Shérifs », et puis revenir sur la Une à deux heures cinq pour le film américain. Ce soir y a un western. Même si c'est tarte, ça détend. *L'Homme en fuite*. Ça a pas l'air gai gai gai. De toute façon c'est toujours aussi bête. Ça se termine à vingt-deux heures. Alors on n'aura plus que juste la fin de « Chapeau melon et bottes de cuir ». Y a rien d'autre sur la Une. Ça c'est un scandale ! Quand c'était les autres avant, encore, mais maintenant !... Comme ça à dix heures et demie, je pourrai voir « Les Comiques associés ». C'est tarte. Mais une fois par-ci par-là ça fait rire. Allez ! De toute façon il faut bientôt partir. Parce que si on attend que les bonnes femmes aient tout raflé, c'est pas la peine. Elles te marcheraient dessus, je te jure ! Les femmes aux soldes, c'est des furies !... Des hystériques !... Faut vraiment se battre !

Elle a fait acheter *France-Soir* à Valentin. A cause des changements de programmes dus à la grève des comédiens. Ou soi-disant. Dit-elle. Puisqu'on sait que les grèves en ce moment, y a rien à faire. Alors c'est pourquoi cette grève ? Pour emmerder le gouvernement ? Eux ils s'en foutent, ils ont pas le temps de la regarder, la télé. D'ailleurs comme ils sont tout le temps dedans, on peut pas être en même temps à la foire et au moulin. Donc les seuls que ça embête, c'est les gens. Les grèves c'est toujours comme ça. On met le métro en grève, les pauvres bougres vont à pied. Ceux du gouvernement, qu'est-ce que vous voulez que ça leur foute, la grève du métro ? Ou la grève des trains ? C'est pas en train que ça circule là-dedans, c'est en hélicoptère. Les postes ? Ils font porter. Mais les comédiens alors là c'est le bouquet !... Ça peut durer jusqu'à perpète, tout le monde s'en fout, au contraire. On a des vieux films, on est contents. Ils ont qu'à aller se faire branler, dès qu'ils seront un peu connus, ils iront s'acheter des teintureries comme les autres, alors !...

Sa mère lui dit qu'elle parle trop. Qu'elle ferait mieux de payer Cramponne. Qui a fini. De toute façon, dit-elle, que ce soit ici ou là, à quoi bon parler puisqu'on est toujours les gogos de tout ? Elle montre le grand titre de *France-Soir :* « Vous êtes en train de gagner la bataille des légumes frais. » Sur toute la largeur. « T'as vu ça ? Ils la gagnent où ? Qu'est-ce qu'ils en savent ? Ils mangent ce qu'on leur met dans l'assiette, ils ont pas à se préoccuper du prix. Du reste moi ce que j'en dis... Je mange pas de légumes, y a trop d'eau, ça engraisse. »

Brigitte cherche son sac. Elles continuent leur mitraillage. Cramponne se tient debout au milieu du bombardement de mots. Qui s'entre-croisent. De toute façon, de toute façon. Cramponne impassible. Bourdonnant à l'intérieur d'elle-même des onomatopées de B.D. Tout en soulevant les coussins des sièges — « si t'avais pas la manie de le cacher, tu serais pas toujours en train de chercher ton sac » — Brigitte vitupère contre « le baiser russe de Mireille à Thierry » qui orne en grand la première page du journal. Elle dit qu'ils se sont tous embrassés sur la bouche au cabaret russe. Et qu'elle regrette d'avoir raté ça. « De toute façon on nous prend pour des cons. Alors c'est pas la peine d'en parler. Veux-tu me dire ce que ça peut nous foutre que Mireille Mathieu — je peux pas la supporter — bécote Le Luron — lui non plus d'ailleurs ? Quand il imitait, oui. Mais maintenant qu'il roucoule... De toute façon ils crèvent d'argent, alors qu'ils laissent la place à d'autres. » La mère ricane qu'à son avis, le baiser à la russe de Roger Peyrefitte avec Alice Sapritch, ça devait valoir le coup de voir ça... « Boukovski à Paris aujourd'hui », lit Cramponne par-dessous. Brigitte compte. Quatre heures et demie moins deux quarts d'heure. Ça fait tout juste quatre heures. Quatre fois treize. Vous trouvez pas que c'est un peu cher, ma petite Cramponne ?... Hein ?... Bon. Enfin ce que j'en dis... De toute façon...

De toute façon, de toute façon... Cramponne dit que la soupe refroidit. Qu'il faudra la mettre au Frigidaire après. Brigitte lui tend la main. « Au revoir, madame, dit Cramponne. Soldez bien... » Tendre la main, Brigitte y tient. Elle dit qu'il n'y a pas de raison, il faut montrer son estime. Ce sont des gens comme les autres. « Rvoir. » Dit la mère. « Rvoir madame. » Dit Cramponne. (Couper tête.)

Elle les entend encore mitrailleuser par-dessus les voix typiques de télé des annonces, voix tortillonnardes et sermonnardes qui jouent le sourire de la parole. Voix des deux femmes

« de toute façon, de toute façon ». Après tout, c'est peut-être le Crabe qui est victime. Se dit Cramponne en s'envolant dans l'escalier. Au sens propre. L'arrêt des paroles lui donne des légèretés de planeur.

De toute façon, de toute façon. Cramponne se demande en accélérant toutes les deux marches les petits sauts de ses pieds, comment il peut se faire que ces femmes et leur Crabe soient contre tout ? Dénigrent tout ? Le gouvernement, la télévision, eux-mêmes les uns les autres, la nourriture, la vie, les gens. Tout. Puisqu'ils marchent avec tout ? Tout est bête et ils sont accrochés à la télé. Tout est cher, et ils achètent. Tout le monde est crétin, et ils fréquentent. Le gouvernement est débile, et ils votent pour à chaque occasion. De toute façon, de toute façon...

Cinq minutes plus tard Cramponne est dans un café au coin du boulevard Brune. Banquette. Elle se détend. S'adosse. Ferme les yeux. Un peu plus d'une heure pour respirer. Yeux fermés. Qu'elle est bien ! Et salut Lagrenée ! A ce moment seulement elle l'autorise à faire son entrée. Ils montent ensemble la petite échelle vers la lucarne de la Seine. Pleine de mouettes et d'eau. De ciel et de toits. Pleine de l'infini d'eux, qui plane sur la ville. Mais qu'est-il arrivé au *Hindenburg* ?

« Ce sera comme d'habitude ? » dit le garçon, luron, frisé, retroussé. « Comme d'habitude. » Il lui apporte une omelette, du pain, et un double café. Beaucoup de pain, il la connaît. Beaucoup de pain : il les connaît tous. Cramponne savoure. Plutôt mauvais. Mais elle se sent comme l'olivier le jour de sa résurrection.

Je profite de cet instant de répit après l'épuisant passage de Cramponne chez Brigitte Bertholet, pour empêcher Médard de se perdre dans la nuit des temps. J'espère que personne n'a oublié Médard, le légumier (encore ! mais je ne suis pour rien dans toutes ces histoires de poireaux-carottes, c'est la réalité qui m'enlégume). L'homme donc, qui a connu le grand frisson — tout au moins espérons — avec le Chaperon rouge le jour de la manifestation. Et que je m'étais promis de retrouver.

Eh bien, voilà qui est fait. Il a naturellement des problèmes. Il est assis devant un cassoulet. Que sa femme lui a préparé. (Un vrai. Pas de ceux dont la télé prétend — entre deux « Ah ! dou dou dou dou dou dou dou » vous voyez ce que je veux dire, ajoutez le son — que c'est le meilleur cassoulet de... et que félicitations mon Doudou. Et elle, coquine, elle hausse les épaules en montrant la boîte à sardines du cassoulet Machin). Non, chez Médard il s'agit d'un vrai de vrai. Sa femme aime le légume sec. Du fait qu'il est un intermédiaire, il se sent visé de tous les côtés. Et téléphone en mangeant. Ce qui est malsain. Sa femme est ennuyeuse à mourir. Elle ne possède que l'attrait-cassoulet. Il est rouge. Il est gonflé. Il va éclater. Un petit chaperon rouge lui passe par la tête sur de grands talons. Si la Haricote voyait ses pensées !

Tout cela évidemment est inventé ! Quoique plausible. Mais il faut bien que le romancier, comme Cramponne, se donne une pause de temps en temps dans l'enchevêtrement des vérités. Et brode. Il a même le pouvoir de décréter d'un instant à l'autre la vérité des choses. Ou pas. Alors pourquoi pas Médard ?... Tous les autres personnages évidemment existent. On peut leur demander leurs papiers. Ils sont sans reproche. Médard, non. Sinon dans les toutes-puissantes volontés de ma fantaisie.

Je laisse Cramponne souffler. En réfléchissant vaguement à propos du monde qu'elle vient de visiter. Pendant qu'une dizaine de Mireille Mathieu et de Thierry Le Luron se bouche-à-bouchent ici et là aux tables sur les premières pages déployées de *France-Soir*. « Vous êtes en train de gagner la bataille des légumes. » « Vous êtes en train de gagner la bataille des légumes. » « Le monde est simple. » Se dit Cramponne comme à l'ordinaire. Tout cela est normal. Passionnant. Jusque dans l'écœurement des choses. Et vivre à en mourir. Et les mouettes sur la Seine. Et vive Lagrenée ! Elle monte avec lui les marches de l'escabeau vers l'infini.

Lagrenée lui a raconté que Boris Berg, dans ses prisons, avait pris l'habitude de se parler à lui-même. Comme s'il logeait un interlocuteur. Il avait même donné un nom à son locataire. Il l'appelait Yorick. Ce qui lui conférait la double nationalité. Moitié crâne, moitié bouffon.

Boris Berg, assis à la table de Julie, fait un numéro éblouissant à propos du Tchad. Dont il parle généralement peu. Sinon à ses filles de nuit. Il dit que curieusement, depuis la certitude de son enterrement — c'est ainsi qu'il s'exprime — il se trouve souvent plongé dans des pays. Qu'il voit autrement qu'il ne les a connus. Comme ils sont « en dehors de lui », dit-il étonnamment. Gloria a consenti à « rester déjeuner ». Dit pudiquement Julie. Elle éléphante entre la cuisine et ce qu'elle appelle le living. Boris dit qu'il a aimé follement tous les pays qu'il connaît. Quelle que soit la vie qu'il y a menée. Au Tchad en particulier. Passons sur la vie.

Le camélia est debout derrière la vitre. Boris est à Fort-Archambault. Et boit beaucoup de vin. Il parle — c'est le jour — des arbres. Dont les noms plaisent à Julie et à Gloria. Les cacias, importés d'Israël. Qui poussent si vite et engendrent de l'ombre. Et les fleurs fabuleuses des kapokiers. (C'est marrant, se dit Gloria, des arbres à coussins...) Il marche dans le sable au bord du fleuve Chari. Il dit que les flamboyants, avec leurs grosses fleurs rouges, sont les arbres les plus beaux du monde. Les flamboyants rouges. Les ficus verts. La chaleur et le cri des hommes sur le fleuve, il insiste beaucoup sur ce cri. Le cri des hommes sur l'eau a un son bien à lui. Il coule et glisse et résonne. Il répercute et tape sur les gens comme un gong humain surhumain. Les vergers d'orangers. Pourquoi brusquement ces images ? Qui ne sont pas celles de ses habitudes. Puisqu'il a connu au Tchad des heures à tous points de vue mortelles. Et qui n'ont rien à voir avec le paysage.

« J'ai décidé, dit-il à Julie, d'être le premier homme à prendre la mort du bon côté. Et sous cet éclairage, mes souvenirs se sont mis à changer. »

Gloria ne dit rien. Elle met des assiettes propres pour le fromage. Elle se sent complètement renversée, dira-t-elle le soir à sa fille. « J'ai jamais entendu quelqu'un parler de sa mort comme si c'était n'importe quoi ou le camembert. Ça doit pas être vrai. Y a personne qui peut faire comme s'il prenait ça du bon côté. Ou alors un curé, mais c'est pas son genre. Cet homme-là qui parle dix-sept langues, il se rend pas compte que c'est malsain de se montrer tout à nu comme ça. Ça met tout le monde mal à l'aise. Fallait voir leurs têtes !... Mon patron ne disait rien mais je voyais bien comment il le regardait. Et ma patronne, la pauvre femme, elle se donnait un mal pour avaler ! Déjà qu'elle est pas tellement grosse. Même moi j'en avais ma claque. On n'est pas à l'hôpital ! J'avais tout le temps envie de lui dire : attendez au moins qu'ils aient fini de manger ! »

Gloria est persuadée que la mauvaise mine de Boris vient de la boisson. Et qu'il cultive cette histoire de mort pour se faire cajoler par ces innocents qui n'ont jamais eu les pieds sur la terre. Un vrai cinéma. Ou alors, il est fou à lier. Ou bien il manigance, dit-elle.

Dans l'esprit de Lagrenée, en dehors des douleurs de l'impuissance et des brusques au-pied-du-mur des cruautés, ne nagent que des pensées informulées sur la manière qu'ont les hommes de prendre la mort. Boris a raison. Il sait. Il faudrait que la mort, dans son inéluctable généralité, soit aussi partagée que bonheur ou malheur. Avec les moyens des hommes. C'est-à-dire chacun pour soi, mais avec la connivence des autres, plus ou moins de solidarité dans la répercussion des groupes concernés. Que le futur mort, averti de sa fatalité prochaine, s'exprime librement en tant que tel. Les autres de même. Tout mensonge aboli.

D'une part les hommes comprendraient enfin la nécessité d'empêcher les souffrances. Et à plus forte raison de les abréger. D'autre part le mort en puissance, avec certitude tout au moins, serait mis à même par ceux qui le regretteront d'utiliser, au maximum de l'amour et du plaisir ou de la torture non dissimulée, tout le temps qui lui reste. Quel beau conte, dans une humanité idéale ! se dit Lagrenée. Il faudrait ajouter un chapitre sur la mort parfaite dans *Les Voyages de Gulliver*. Mais Swift, qui était plus philosophe ou plus résigné ou plus cynique, s'est contenté de montrer l'horrible spectacle des Immortels. Pourrissant sur pied.

Tandis que la conversation se poursuit, les trois auditeurs glacés continuent à promener dans leurs têtes des spectacles sous le masque. Gloria dont la lessive qui l'attend chez elle devient le lieu paradisiaque de la normalité. Julie au galop dans les steppes de la terreur, entre la suggestion de mourir à la Pétrone, la revue de tous les médecins aptes à faire quelque chose, ou la construction avant-mort d'un bonheur fulgurant, mais comment ? Et Lagrenée marchant au milieu des Immortels de Gulliver, qui tombent en quenouille...

Ils se sont mis tant bien que mal à jouer le jeu de Boris. Ou croient le jouer. Julie demande même ce qu'il envisage de faire. Entendant par là que sachant la fortune de son avenir, il a dû rêver à quelque souhait qu'il devient urgent de réaliser... Naïve Julie. Boris répond qu'il a l'intention, tant que son état le lui permettra — c'est-à-dire peu de temps — de vivre exactement comme à l'ordinaire. Pas besoin de changer quoi que ce soit. Devant sa certitude, les choses se métamorphosent d'elles-mêmes, c'est étonnant. Elles décuplent leur prix. Ou bien au contraire deviennent extraordinairement bon marché, quelconques, sans importance, alors qu'on les jugeait essentielles. Tout prend sa vraie place.

Par exemple, il appartient à la catégorie de ceux que la révolution de 17 a survoltés. Leur vie a pris un sens. Ils se sont mis à exister dans la perspective du changement des sociétés exploiteuses. Ils ont vécu passionnément leurs idées. Y compris en Espagne et dans la Résistance. On les a broyés, malmenés, emprisonnés. Le masque des idées est tombé. Aujourd'hui les sociétés dites socialistes sont dépolitisées, privées de liberté. Dénoncées comme telles par toutes les émergences de contestation. Quels que soient leurs succès industriels ou égalitaires dans la culture (quoique la sélection y soit plus forte que partout ailleurs) dans un sens ou dans l'autre, quelles que soient leurs transformations positives, elles sont le Moyen Age du socialisme. Et lui, qui va mourir, se dépêche d'examiner avec passion les craquements positifs du monde, la mort des emprises coloniales, la fin de l'idée figée. Lui, qui va mourir, n'a pas changé. Il a vécu le bouillonnement démystifiant et libérateur des idées. Bien sûr il ne vivra pas la renaissance du socialisme trahi. « Mais vous non plus », dit-il. Alors ? Je vis encore un peu pour ma joie le commencement de la mort du stalinisme.

Il baise la main de Julie. Dont les narines ont des froncements, marques d'une émotion qu'elle réprime avec effort. « Julie, chère, dit-il, aidez-moi à prendre la mort du bon côté et nous serons des pionniers ! Lagrenée et vous, vous avez été pour moi dans cette ville un bain d'âmes. » Il dit cela avec émotion. « Mais, ajoute-t-il, il ne faut pas que je commence à parler de moi au passé. Vous ne pouvez pas imaginer comme c'est grand, la conscience qu'on a soudain d'être vivant ! Il m'arrivait de temps en temps, comme à vous sûrement, très rarement d'ailleurs, d'avoir la sensation du moi, de me réaliser moi-même dans cette conscience surprenante qu'on a quelquefois de son être, vous savez ? Mais la conscience constante de la réalité de la vie et de vivre la vie, c'est une chose incomparable !... Pour ça il faut la mort... »

Il regarde Lagrenée en disant cela gaiement. Et avec leurs yeux ils fusionnent dans un tourbillon de souffrances et de questions, de lucidité et de fraternité dans les mensonges et les vérités. Qui suffit à remettre les choses à leur place en eux. La mort. Rien d'autre.

« De toute façon la seule vie qui compte est celle du présent, dit Boris. Ils me font rire, ceux qui parlent de l'avenir. " L'architecture de l'avenir ", c'est Pompidou qui disait ça en montrant la Défense. Alors qui va faire l'architecture du présent ? L'art du présent ? C'est le présent qui compte. L'avenir il fera son présent tout seul. L'avant-garde, ce n'est pas l'avenir. C'est aujourd'hui, qu'on la voie ou pas. Moi, la présence de la mort me donne une sensation de présence du présent comme je ne l'ai encore jamais eue. Ceux qui habitent les tours de la Défense ne sont pas des gens de l'avenir. Et moi j'habite dans ma petite maison d'aujourd'hui avec ma mort. En me disant que vivre aujourd'hui c'est la chose la plus difficile du monde. Mais c'est bien passionnant ! Et ça débouche sur quelque chose. Comme toujours... »

Il engloutit un nouveau verre de vin et clappe de la langue. Julie et Gloria retiennent en elles-mêmes avec d'extrêmes difficultés le réflexe de lui enlever le verre. Qui le tue, se disent-elles. « Et puis après tout, s'il veut crever plus vite, ça le regarde. » Se dit Gloria. « Pour ce que ça changerait ! se dit Julie. Qu'il boive ce qu'il aime ! »

« Jamais le vin ne m'a fait autant plaisir ! dit Boris. Vous voyez bien que la mort réussit même à me faire réexaminer les choses que j'avalais tranquillement. Je les surgoûte. C'est un avantage auquel je n'avais pas pensé. Mais croyez bien que j'ai compris la leçon... Par exemple ce vin, eh bien, chaque gorgée je l'apprécie à sa valeur. Savoir qu'on va mourir, c'est malheureusement le meilleur tremplin pour vivre au mieux. Dommage qu'on ne puisse pas s'en servir avant... On pourrait, si l'homme mortel ne passait pas son temps à faire l'autruche devant la mort. » Etc. Etc.

Depuis un moment Gloria, dont l'intérieur fulmine, n'en peut plus. Elle trouve la conversation indécente. Elle regarde Boris en posant la compote sur la table. Et brusquement éclate en larmes. Avec des torsions de bouche, de nez et de joues incroyables, vu leur dimension. Julie panique. Elle sent qu'elle va en faire autant tellement les propos de Boris l'ont contrainte à tenir en main son chagrin. Lagrenée regarde Gloria. Ce n'est pas la première fois que cette montagne d'hostilité aimable ou de gentillesse méchante entre dans son feu de bois. Boris résout tout en se levant et embrassant Gloria. Dont l'odeur de sueur, qui crucifie Julie, l'inonde de regret. Quel dommage, dirait Yorick s'il avait la parole, qu'elle soit vraiment impropre à la consommation, et que ses effluves ne soient pas accompagnés d'un physique plus acceptable...

En tout cas l'explosion de Gloria met fin au théâtre de Boris. Qui n'en est pas. Mais on ne peut pas demander aux hommes sans mort — tout au moins datée — de rompre avec leurs feintes habituelles. Ils en mourraient, passez-moi le mot, s'il leur fallait assumer en tout ce qu'ils appellent l'issue fatale. Et laisser de côté leurs fausses gaietés, leurs consolations, leurs mensonges. Qui les aident à laisser au désespoir sa pudeur et à la souffrance sa contrepartie d'avenir.

C'est Gloria qui a le mot. Elle s'essuie, s'excuse, dit que c'était plus fort qu'elle, et qu'il ne faut pas désespérer comme ça, rien n'est jamais aussi perdu qu'on le croit. « Tant qu'il y a de la vie y a de l'espoir. » Dit-elle.

Boris ne cessera de se dire après son départ

qu'il a été un imbécile, comme à l'ordinaire. Que toute tentative d'assumer collectivement la mort est vouée à l'échec. Qu'il s'est rendu ridicule en essayant de traiter avec naturel la chose inatteignable. Qu'au lieu d'enlever aux gens le poids des mensonges, il leur a infligé l'horrible punition de ravaler leur terreur ou leur chagrin pour tenir avec lui leur rôle. « Tu as fait exprès », dit Yorick. Pour la première fois le nom de son interlocuteur favori glace Boris. Le bouffon, de par les circonstances, redevient exclusivement le crâne qu'il était.

Je ne sais pas si le geste final de Julie a contribué ou non à théâtraliser cette scène. En tout cas il n'y a de sa part aucune intention dans ce sens. Son âme éclate de douleur, de contrainte, et d'une errance inhabituelle parmi les zones les plus intouchables du comportement humain. Au moment où Boris se prépare à partir, elle a un geste irraisonné. Elle dit « attends ! » Elle va à la fenêtre, l'ouvre, cueille l'unique fleur de camélia avec un bout de sa branche, et la tend à Boris. Qui dit qu'il ne fallait pas, qu'il est désolé et en même temps ravi. Il a les larmes aux yeux. Elle aussi. Ça devait arriver. Le geste du camélia les mène tous à un millimètre du désastre.

Lagrenée, qui regarde la scène, pense à la grand-mère Arsène. Dont Cramponne lui a raconté qu'elle refuse les enterrements, parce qu'elle préfère « saluer les morts avant ». Et par cela même prophétise l'arrivée fatale. L'enlacement de Julie et Boris le navre. Et le soulage. Boris craque. Et en même temps se normalise. Lagrenée sait que l'admirable idée de Boris : « prendre la mort du bon côté », ne diminue en rien la force désespérée de la révolte sans pouvoir. Et qu'il vient de leur jouer le premier acte, faux à hurler, vrai à pleurer, de sa tragédie-comédie perpétuelle. Qu'ils devront l'un et l'autre normaliser.

« J'ai eu tort ? » dit Julie avec anxiété quand elle se trouve seule avec Lagrenée. Julie pose souvent cette question. Lagrenée la rassure et la félicite. « De toute façon, dit Gloria (qui débarrasse en vitesse pour se tirer le plus vite possible, pense-t-elle, parce que les pompes funèbres elle en a soupé), de toute façon la camélia a deux boutons qui vont ouvrir demain. Alors !... » Gloria ramène toujours les choses à leurs justes proportions. Qu'elles ne devraient jamais quitter. (La camélia ? a dit Boris. Tiens ! c'est drôle !... Pour une fois... Parce que en italien c'est féminin...)

Coup de téléphone d'Aglaé. Qui demande si Lagrenée a l'intention de sortir aujourd'hui. Ou pas.

Drôle de question. Lagrenée répond que non. Il va travailler. Il ne bougera pas de la journée. Julie non plus. La conversation est longue. Celle d'Aglaé. Lagrenée écoute et ne dit rien. Sinon : « Rien. Tu me raconteras. »

Il s'accuse d'avoir mal jugé sa fille. Elle se préoccupe davantage de sa mère qu'il ne l'imaginait. Il s'installe au bureau qui occupe le fond du « living ». Comme dit Gloria. Julie lui demande d'aller chercher *Le Monde*. Si ça ne l'ennuie pas trop. Elle dit que Laramona va venir vers six heures. Et qu'elle aura peut-être une lettre de Stanislas. Lagrenée se garde de dire à Julie ce qu'Aglaé vient de lui confier. Qu'elle a décidé avec Tac-Tac de faire la manche à Saint-Germain-des-Prés. Après tout elles chantent aussi mal et avec aussi peu de voix que n'importe qui. Alors pourquoi pas elles ? Elles ont pris la guitare de Tac-Tac. Qui sait gratter, dit Aglaé. Pas plus mal que n'importe quel susurreur. Et ça sera une expérience. Y en a qui se font plein de sous.

Il y a longtemps qu'elle a cette idée. A force de voir aux terrasses le tout-venant des pierrots à mimes — ça c'est futé parce qu'il n'y a pas besoin de voix — ou des harmonicas qui jouent la Suite en si à Saint-Germain-des-Prés, ou tout au moins qui essaient, et *Bambino* aux Champs-Elysées. « T'en fais pas, papa, on va chanter les chansons des colos, tagada bouzoubouzou ari ari, tu sais ? Les colonies de vacances ? Le crapaud qui dit " nous sommes haïs par les hommes ? " et " Perdus dans le désert immen...ense, le malheureux Bédouin douin-douin-douin-douin, n'irait pas loin loin-loin-loin-loin, si la divine providen...ence... Ali, alo et vive le chameau, voyez comme il trotte !... " Ou bien " A pas de velours, dans le creux des nids, les oiseaux blottis, se sont envolés... " Ou alors : " D'avant en arrière lavez, d'avant en arrière rincez, d'avant en arrière essuyer !... Et voici, comme se lavent, les enfants... bien élevés. " Tu te rappelles pas celle-là ? Elle était gratinée si on y pense !... Tu crois pas que les gens vont se boyauter ?... En tout cas à bas la schizo, vive le retour à l'enfance ousqu'on trouve les motivations de nos états d'âme et salut papa ! On va tâter de l'art et du cochon de consommateur. Si ça marche je t'achète un cigare !... Faut bien tout de même que notre éducation de base soit utilisée à des fins fonctionnelles !... »

Lagrenée sait qu'Aglaé dissimule quelque chose. Il descend. L'ascenseur l'attire vers le sol avec un feulement. Il y voit Boris tout à l'heure. Son camélia aux doigts. Curieux du destin de ce camélia...

Le mot Boris dans l'âme perce un trou. La vie grince, la vie griffe. Quand ils sont seuls, ils comprennent tout. Quoi tout ? Tout. Sans mots.

Tout. Ce sont les mots qui poussent les idées à se couler dans des formes où elles se déforment. Tout. Boris. Aglaé fait la manche. « Le ma...lheureux Bédouin-douin-douin-douin-douin... » Vrai ou faux. Cramponne. Le samedi est un jour effréné pour Cramponne. Cramponne. Le silence autour d'elle. Demain après-midi. Un grand amour et une grande mort. Cramponne. Le camélia de Julie. « Je n'ai pas eu tort ? » Et les crapauds d'Aglaé. Les Bédouins, les chameaux...

Au fur et à mesure qu'il approche du sol, la présence de Cramponne s'accentue. Demain après-midi. La chambre de Cramponne et l'escalier qui monte à la Seine. Sans lieu, sans temps, sans adresse. Ils ne se rencontrent, de par leur volonté, jamais ailleurs. Logés dans la Demeure des quais. Irréelle, et si réelle. Que rien ne vienne rôder autour de ce domicile de Seine où il plane avec Cramponne pendant que Boris en lui marche dans la ville. Boris en proie à cette chose supra-humaine et banale, comme ce bout de papier englué de boue sur lequel il piétine : un tract contre les expulsions.

Il achète *Le Monde* au kiosque. « Anthony Eden est mort » en haut à gauche. « Henri Langlois est mort » en bas à droite. C'est le jour, comme tous les jours... Mort d'Eden, ni chaud ni froid. Langlois. Triste triste. Pour, contre, avec, qui, peu importe. La Cinémathèque a l'air morte.

Il a envie d'écrire ce conte, qui lui venait à l'esprit à propos de la mort. En tout cas d'essayer. Dans cet après-midi de calme et de mort. Suspendu aux flammes de demain dans le domicile du ciel de Seine. Boris et Cramponne. La mort la vie.

Il s'arrête pour acheter à Julie, comme chaque samedi, une botte de soucis très orange.

Leurs fleurs. Qui ont l'avantage de ne pas coûter cher. Et de faire des illuminations dans la maison. Aucune angoisse à propos de Julie. Du genre : sait-elle, ne sait-elle pas ? Rien n'altère leur liaison. Chaude. Il se préoccupe de son mal. Devrait se faire opérer. Et l'argent, l'argent. La peau de chagrin de leurs finances. Trouver un moyen. Il est dans l'ascenseur. Le temps le projette debout, dans les hauteurs enfermées, en fusée, sans secousses, dans la Demeure de Cramponne.

Julie a d'abord pleuré un bon coup. C'est ce qu'il me fallait, se dit-elle. A la fin, on est trop tendus. Gloria partie sans vider les ordures, sans ranger, l'évier est dégoûtant. (Elle en avait sa claque, se disait-elle en disparaissant. A peine dehors elle a respiré, comme à la sortie du cimetière. Elle se dépêche de rentrer, métro et bus, pour faire sa lessive dans la normalité de son chez-soi dans son H.L.M., qu'elle appelle sa cage à poules, de Bagneux. Quel soulagement !)

Julie lave son visage. « Cette chère Julie, cette bonne Julie. » Elle s'enduit de crème, de poudre. Essuie. Masse. Claque, tapote ses joues, la tête entre ses deux mains. Des claques, dégelée de claques, ça te fera du bien. Le nez reste clown. Quand on pense aux femmes que les larmes « embellissent »... Eh bien, ce n'est pas son cas. Cette pauvre lamentable pleureuse de Julie !

« Sait-elle ? » Rien. Et tout. La vie va, tout roule. Mais comment ne pas savoir ? Tout se déploie comme à l'ordinaire. Mais comment ne pas sentir ? Rien que le regard de Lagrenée sur ses feux de bois. Et son intensité. Dans la profondeur de la cohésion, la faille. Invisible. Si on frappe du doigt, le son désigne la cassure. Aucun mot. Tout se meut dans l'irréalité des sentiments non exprimés. Une ombre microscopique à l'intérieur de l'aura dans laquelle ils cheminent ensemble. Une existence plan plan, dit Aglaé. Surtout depuis que Julie ne peut guère bouger. Le cinéma devient une expédition. Les expositions une impossibilité. Plan plan. Merveilleux plan plan. De circonstance. Mais plan plan. Là est le joint. Même sans bouger, rien avant n'était plan plan. Plan plan... « Je suis en train de gâtifier, avec ce plan plan maudit, se dit Julie. Plan plan. Cette terrible Aglaé a mis le doigt sur la chose. Plan plan. Nous ? Horrible. » Ils font l'amour de temps en temps, avec d'infinies précautions de Lagrenée à cause de la jambe douloureuse. Pas souvent. Mais comme toujours depuis cette maudite maladie.

Pourtant elle sait. Sans rien dire. Pourquoi dirait-elle puisqu'il ne se contraint à rien ? Sans rien faire. Pourquoi ferait-elle, puisqu'il vit avec elle comme il a toujours vécu ? Il faudrait construire avec l'amour ce que Boris prétend réaliser avec la mort, pense-t-elle. Tout dire. Et ensuite ? Tout changer ? Les confidences, fausses confidences ? Elle dans un rôle de grandeur d'âme ? Ou dans un rôle de femme de mormon ? Allons allons, cette bonne Julie ! Elle sait de quel jour date la faille. Elle sait tout, sinon qui. Rien de par Lagrenée. Elle sait aussi qu'elle n'alourdit pas sa vie. Qu'elle est Julie. « Je suis Julie. Bonne et chère Julie, sublime Julie, malheureuse Julie, assassinée, intacte, désespérée, intouchée, perdue. »

Elle se coiffe, vaporise de l'eau de toilette sur tous ses horribles attraits, se dit-elle en se regardant avec complaisance. Elle s'enveloppe dans son châle vert. S'installe. Et se donne le plaisir d'un jaillissement de haine irrépressible. Une charretée d'injures. Un défoulement général. Envers cette hyène abstraite, cette salope, putain, vipère du trottoir, moins que rien, ignoble créature. Rien ne manque : « Et les hommes sont tous pareils, et au bout de vingt-six ans, presque vingt-sept... Et parce qu'on vieillit plus vite qu'eux, on se déglingue à leur service. Et je les tuerai tous les deux... » Tout y passe. Sciemment, volontairement, avec une parfaite connaissance des dames de bon ton dont une dite rivale fait craquer le vernis, elle se métamorphose en furie. Ça soulage. Terminé. Ni vu ni connu. Ça va mieux. Plan plan.

Du reste dès que Lagrenée est à sa portée, toute ombre disparaît. Il est comme il est. Enchaînons. Elle sait même qu'il ne viendra pas un jour dire : « Je pars. » Non. Tout va bien. Plan plan. Et la faille : le feu majeur de Lagrenée flambe ailleurs. Rien n'a changé. Mais la vie vaut-elle encore la peine ? D'être vécue ? Plan plan. Maudite Aglaé, avec sa Tac-Tac et son plan plan.

Elle regarde le camélia, en se disant : « Cette Julie est horrible ! Et vulgaire avec ça ! Avez-vous remarqué, ma chère, que les femmes les plus subtiles deviennent ordurières quand leur mari les trompe ? Et capables des bassesses les plus infâmes ?... Eh bien, c'est mon cas. » Le gros bouton du camélia rougeoie. Il va s'ouvrir. La fleur attend. Demain, quel plaisir ! Quel rêve ! Elle se frotte le front contre la vitre. Les larmes sur Boris ont permis aux larmes sur Julie de couler. Non, personne ne peut partager ni sa mort ni rien au monde. Chacun pour soi et Dieu pour tous, comme dit sa mère. Qui est ou plutôt était femme de loi. (On dit bien homme de loi !) Et dont l'âge n'atténue pas la vitalité. Aglaé dit qu'elle mange tous les jours une brebis entière : son deuxième mari. A ce genre de mère, il ne faut dire que ce qui va.

Elle tranche les nœuds gordiens et casse les âmes. J'aurais besoin d'une mère chaude, se dit Julie. Des genoux. Des bras. Des petits mots. Et pleurer dedans comme un veau.

Lagrenée entre et lui tend les fleurs. Qu'elle reçoit avec un élan douloureux-joyeux. Il lui dit que ces après-midi de samedis sont pour lui une halte bénie. En sa compagnie. Et qu'il va écrire. Elle s'en montre enchantée. Entre dans le jeu. Elle a toujours pensé qu'il écrirait. Mais elle le trouve pâle. Tendu. « Boris a-t-il un rêve ? demande-t-elle. Qu'on pourrait réaliser, avant ?... » Elle cherche. Lagrenée dit que les rêves de Boris habitent généralement rue de Lappe. Ou rue Saint-Denis. Où il trouve difficilement — car les filles de ces rues se soignent — de quoi contenter son goût sensuel de l'odeur ad hoc. Boris n'évoque jamais ses rêves. Un jour pourtant il a fait allusion à une couverture de vigogne, rencontrée sur le lit d'une femme. Il disait que coucher sous cette vigogne, s'éveiller, s'allonger dessus devait donner des satisfactions extrêmes. Lagrenée parle de la vigogne avec complaisance. Il joue le rôle pour Julie tandis qu'en lui Boris et Yorick marchent dans la ville, chaque pas les menant plus avant dans la solitude incassable.

Julie dit que la vigogne doit encore être une bête comme on n'en trouve plus. Une de ces espèces qu'on a tellement bousillées que maintenant il faut tuer les chasseurs qui les tuent, et poursuivre les animaux qui restent pour leur faire des piqûres de vitamines, leur lisser le poil et les inciter à convoler en leur fournissant des picotins nourrissants. Et qui en plus coûtent des fortunes. On ne pourrait pas biaiser avec des animaux d'élevage ? Par exemple du mouton ? Ou du vison ? Riche idée. C'est bien le cas de le dire. Ils se mettent à rire, le rire

charrie leur dialogue intérieur, la mort, l'amitié, l'amour, toutes les conversations qu'ils ne
peuvent avoir. Finalement Julie déclare que si
Lagrenée se met à écrire, qui sait ? Ça pourrait
être un métier d'appoint. Et ils rient de nouveau. Mais tout en riant, elle commence à rumi-
ner la chose. A se colorer des imaginations.
S'il veut écrire, elle doit reprendre son poste.
Pour qu'il ait la liberté naturellement. Donc se
faire opérer. Elle va se faire opérer !... Du reste,
se dit-elle froidement, ce sera aussi un moyen
d'accaparer tout le feu de bois conjugal pendant le temps que ça durera. Les opérations de
la hanche, c'est un long séjour à l'hôpital, plus
la rééducation, la convalescence. « Cette bonne
Julie, j'ai toujours su qu'elle était capable
d'ignominie... », se dit-elle.

Elle prend son journal — qu'elle lit soigneu-
sement chaque jour du commencement jusqu'à
la fin — en se disant tristement que la vie
continue, avec la mort de Boris, son bonhomme
de chemin. On ne partage la mort avec personne. « La mort avec personne. » Beau titre
pour le conte de Lagrenée. La voilà déjà femme
d'écrivain.

Dire que Barilero, en costume de voyage et
sac de cuir de même, ignore la naissance, ou
plutôt la velléité, d'un de ces hommes naïfs
dont il est en train, à l'usage de Broque, de
vitupérer le comportement.

Ils sont chez Nadège. Qui est couchée à la
Récamier sur ce qu'elle appelle son « solitaire ».
De velours pelé. Elle agite ses ongles d'un rouge
quasi noir, si longs qu'ils font la courbe, sous
les yeux de Barilero. Dont elle apprécie
l' « aisance ». Broque hoche et suce sa pipe,
son crâne miroite. Son attitude diffuse la politesse du mécontentement.

Il se trouvait en proie à un passage ardu, sur

le plan de recherche du mot exact. Passage qu'il refait pour la centième fois. Chaque étape l'approche de son but. Tout au moins pour cette phrase. Or il en est à son deuxième importun du samedi. Le premier, un étudiant de ses amis, est entré en disant : « Juste une minute. » Cette phrase lugubre laisse toujours présager une installation. Avec l'aide de Nadège. Qui adore voir son Broque adoré adoré des gens. « Tu es adoré », dit-elle. En plus l'adorateur s'appelle Walter. Elle adore. Et courageux. Elle adore les gens courageux. Et pas mal du tout de sa personne. « Moi, dit-elle, je suis comme Frédéric II, j'aime les beaux soldats. C'est rare. Parce que, dans la vie, il y a deux catégories de femmes. Celles qui aiment les professeurs. Et celles qui aiment les soldats. Je suis l'exception qui confirme la règle. Parce que mon Broque est un soldat de la pensée. » Nadège n'hésite jamais devant les formules généralement réservées aux chefs d'Etat dans leurs discours officiels, dit Broque.

Nadège est femme-objet convertie en femme-animal, plus précisément femme-chat. Elle aime avant tout les caresses. Et se caresse elle-même quand il n'y a personne pour la caresser. Elle s'enroule autour de tout et se complaît en sa propre compagnie. Sans autres problèmes. Pour le moment elle chatifie autour de Broque. Planifie le sol sous ses pas. Le maternifie dans la chaleur agréable de son grand corps. Si on gratte en Nadège, on trouve du chat. Et encore du chat. Et loin loin sous tous les chats, des griffes. Mais seulement quand elle s'ennuie. Sa personne l'occupe assez pour que cela n'arrive pas.

Walter a des problèmes. Nadège se dit qu'elle donnerait cher en ce moment pour rencontrer quelqu'un sans problème. Les gens sont formidables ! Ils arrivent, ils disent bonjour. Et hop ! ils vous déposent leur paquet d'emmerdes tout à trac. Sans pudeur et sans résumé. Bien heureux s'ils vous demandent en partant comment vous allez. Cet adorable Walter, qui adore Broque, eh bien, il ne vient jamais que pour poser ses paquets. Il adore Broque. Mais il le pompe.

Broque se met en colère. Ou presque. Le chat Nadège boit du lait. Il va recevoir son paquet, le joli Walter !

Voilà un garçon complètement sans le sou et complètement doué. Il veut faire sa thèse de doctorat d'Etat. Comme Broque. (Mais plus vite.) Pas moyen de trouver du travail naturellement. Ni de l'argent. Ils ont réfléchi. Ils ont solutionné. Donc apparemment il devrait être content. Car. Il a cherché du travail par intérim. C'est la seule façon. Surtout l'été. Il a travaillé dur dans plusieurs boîtes, à des besognes variées. Bureaux. Remplacement de quinze jours ou trois semaines. Comme grouillot, huissier, enveloppes, tri de courrier etc. L'été, du travail un peu plus relevé. A cause du manque. Avec même quelques lettres courantes qu'on lui donnait à rédiger : une promotion. Une fois travaillé pendant les douze cents heures nécessaires pour l'inscription au chômage, il s'est remis à sa thèse d'arrache-pied avec ses mille ou douze cents francs par mois. Maintenant la thèse est finie. Il va la soutenir. Tarzan est heureux.

Et voilà qu'il vient pleurer chez Broque parce que son patron de thèse ne peut pas être membre du jury qu'il est en train de composer. Broque ricane et tend à éliminer Walter. Le cœur de Nadège s'épanouit et grossit. Broque vitupère. Walter rit. Il venait surtout dire qu'il se sentait heureux. Là, dit Broque, là je vous

343

suis ! Répétez, je vous en prie, en ce moment dans la sinistrose générale, comme dit Malingaud, ça me donne des jouissances...

L'idiote de Nadège en profite pour offrir un verre de rosé. Cramponne leur a donné à tous le goût du rosé. Sauf à Barilero. Il honnit ce vin dangereux. Qui n'en est pas un. Et Walter ne s'en va pas. Il boit et se raconte. Comme tous. Et dit qu'il se fera faire des cartes de visite « huissier-docteur ès-lettres ». S'il était ouvrier en chômage, il n'aurait pas le recours de la thèse, dit Broque. Et s'il était en Chine, il aurait dû d'abord travailler dans une entreprise pendant plusieurs années. Et ensuite rien ne dit que le Parti et le Conseil des ouvriers l'auraient désigné comme candidat à l'Université, d'après Un, ses connaissances politiques, et Deux, ses connaissances théoriques. Et s'il était en U.R.S.S. et s'il avait réussi le concours pour entrer en fac, il lui aurait fallu compter avec les impératifs du Plan, et il n'aurait peut-être pas été le un sur sept ou un sur huit admis à entrer en études... Walter dit qu'au moins dans ces pays-là il n'y a pas de chômage. Et il n'y a pas non plus de grèves, et pour cause, dit Broque. Etc. Etc. Enfin au revoir. Tape dans le dos. Ouf ! Les gens vous dévorent.

Il est à peine parti que Broque se met à rire en imaginant Walter en huissier. (Il fait l'erreur de l'imaginer en uniforme. Et en plus il doit confondre avec les suisses de cathédrales.) Ce monde ! Nadège trouve ce monde formidable, précisément. Tout le monde parle de tout, tout le monde sait tout, et Broque surclasse tout le monde. Elle vient s'enrouler. Mais il trouve aussitôt une doublure déchirée à son manteau, et elle s'enfouit dans le dévouement-couture. Avec une telle intensité que Broque se demande si elle trouve des satisfactions sexuelles sadiques à piquer l'aiguille dans la manche.

Il se replonge. Son problème est gigantesquement obscur. Par exemple on donne *La Chartreuse de Parme* à la télévision. Aussitôt apparaissent dans toutes les vitrines des livres de poche *La Chartreuse de Parme* avec en couleur le portrait des acteurs. Ce procédé impose malhonnêtement une tête usurpée au personnage de roman. Qui devient Gérard Philipe, ou Casarès en Sanseverina. A partir de ce moment tout se falsifie. Car le lecteur est créateur de personnages à son seul usage. Chaque lecteur a la capacité de se faire une Sanseverina, un Fabrice ou un comte Mosca. Dans quelle mesure alors le roman à têtes imposées reste-t-il le roman ?

Faux problème. Car par le lecteur, la tête du personnage n'est pas vraiment créée. Elle demeure dans le vague imaginaire, où elle existe puissamment sans traits. Il faut donc chercher à préciser l'essentiel : ce que le lecteur ajoute au roman. Mais il n'ajoute pas : il accompagne de ses propres capacités. Comment donc définir la tête du personnage de roman qui est dans la tête du lecteur ?

Ou ne pas la définir. Car le lecteur n'a jamais dans l'esprit une tête complète. Ou rarement. Lui-même Broque, voit-il la Sanseverina ? Jamais. Elle a une tête de mots, une forme de mots, il l'aime, elle pétille, elle est la perfection de l'esprit et de la grâce. Mais à quoi ressemble-t-elle ? A qui ? Elle ne peut. Le portrait intérieur surclasse toute possibilité rationnelle ou visuelle. La tête du héros de roman, pour le lecteur, vit dans le monde des personnages. Et non des hommes. Un monde sans désignation de tête... Qu'est-ce donc que le « personnage » ? Etc. Etc.

A ce moment, où les choses vont commencer

à devenir intéressantes — encore que Broque stationne sur le trottoir de cette tête depuis une année entière sans avoir encore trouvé le feu vert — Barilero entre, tout harnaché. Et Nadège commence à jouer la chatte sur un toit brûlant. En admirant le costume de tweed et les bottes italiennes. « Quelle classe ! dit-elle. Quelle classe ! Venez, venez, Satan bien habillé, que je vous embrasse !... »

Barilero se prête à l'accolade avec complaisance. Tous les parfums de l'Arabie lui tombent dans les bras, dans un tintinnabulement de bracelets et de pendentifs. Les vastitudes ouatées-parfumées de Nadège lui agréent. D'autant plus qu'elle facilite la collusion avec cette coquetterie sensuelle des femmes entre les bras de l'ami de l'ami. Pour lequel elles déploient l'extrême de la séduction. Sans le savoir, par la conquête de l'ami, elles s'efforcent de renforcer leur domination sur l'amant. Nadège n'a peut-être pas tant de complications inconscientes à assouvir. Elle chatte. c'est tout. Elle aime les bons contacts.

Barilero — quel dommage que Julie, en proie à des vertiges prémonitoires de Lagrenée au sommet de la gloire littéraire, ne puisse l'entendre ! — déclare qu'il compte sur Brok et Chnok pour essayer de convaincre Malingaud qu'il retarde.

Et de foncer. Tout est morose. Même la Bourse. Il a mangé une pizza surgelée importée toute fraîche d'Italie. Et il va en crever. D'autant plus qu'hier au restaurant chinois où il a dîné par obligation, il a mangé un pâté impérial. Dont il est sûr qu'il était fait avec du Ronron. « Tu sais que chez Lasserre on mange des ortolans ? Des vrais ? D'ailleurs c'est pas terrible !... Je préfère de loin les chachas, tu sais pas ce que c'est les chachas ? Ces petits oiseaux qu'on mange dans le Midi ? Qu'on trouve dans la montagne ? Comme des cailles ? Avec des plumes beiges à petits pois ? Quelconques. Ça ne vaut pas les grives. Mais chez Lasserre, le plafond s'ouvre et se ferme, c'est pour ça que j'aime y aller. Tu vois les arbres et les oiseaux. Et ça fait un feulement sensuel quand ça s'ouvre. Malraux y déjeunait tous les jours. Et tu sais qui j'ai rencontré ? Dali. Il mangeait des ortolans, naturellement. J'étais à la table à côté. Il a fait une pièce, tu savais ? J'ai tout entendu, il cherchait à embaucher une nana pour la jouer. Une pièce de théâtre. Dont l'essentiel du texte consiste en pipi, caca, popo... Une vieille avant-garde scatologique de mots. Dont les mômes commencent à ne même plus se servir à la maternelle. Tout ça d'ailleurs textuellement et complètement répressif. Avec un fascisme sexuel, comme disent les filles. De toute façon " les déraisonnables sont en voie de disparition ". C'est pas de moi. C'est de Peter Handke. Depuis qu'il a fait *La Chevauchée sur le lac de Constance*, il faut parler de Peter Handke. C'est très bien d'ailleurs. C'est pas sa faute s'il se met à sortir à tout bout de champ de la bouche de nos manches à air conditionné qui indiquent à l'intelligentsia la direction de la prochaine ruée... Je suis crevé, je fume trop. Je vais me faire mettre des aiguilles dans les oreilles pour m'empêcher de fumer, tu sais que ça marche ? J'en ai marre de ce métier. J'aimerais mieux fabriquer n'importe quoi, des balais de bruyère, ou des enzymes gloutons. Je m'occuperais de tout ce qui n'est pas écrit. De la psychothérapie des enfants dont les parents ne s'entendent pas. Ou de la montre à quartz, ça c'est formidable ! Quand tu es au volant et que tu veux regarder l'heure, t'es obligé de t'arrêter pour pousser le truc !... C'est génial ! C'est l'horlogerie de pointe !... Tu connais la dernière ? Tu sais d'où va partir le Tour de France ? De Florence, mon vieux. Comme je te le dis. Enfin quoi de Fleurance, en France... Tu t'en fous et t'as tort, l'intellectuel doit bander pour le plaisir populaire comme le gouvernement pour le football. Allez les verts ! Ça abolit les injustices sociales... Mais faut que j'aille à Mont-de-Marsan, tu crois que ça m'amuse ! Remarque c'est là que François Ier a épousé la belle Eléonore au couvent de Sainte-Claire. Mon vieux c'est pas gai la vie. T'as pas vu les affiches ? Tu peux pas faire trois pas sans que " chaque heure, chaque jour vous rapprochent de la fin du monde ". C'est *La Malédiction*. On est gais dans la cinématographie. T'as vu que notre gouvernement se déclare " inébranlable dans sa décision de lutter contre la hausse " ?... Textuel. Inébranlable ! Mon vieux, tu veux que je te dise ? Eh bien, ça vole bas. »

Broque dit : « Pouce, arrête, qu'est-ce qu'il y a ? » Il en prend et il en laisse. Mais il sait que Barilero a des motivations. Disons des motifs. Il est vrai qu'une fois sur deux il diverge. Par exemple, pour Walter, il avait proposé de le faire travailler à porter le courrier quand la poste est en grève. « Comme ça arrive tout le temps, disait-il, y a moyen de se faire des pépettes énormes. Surtout si on le jette du fait que personne ira y voir... »

Barilero mange de baisers la main de Nadège et chante : « Je devais lui faire la cour, mais pas l'amour, mais pas l'amour... » Nadège ronronne et merlanfrite. « Tu connais pas ? Mais pas l'amour, mais pas l'amour... Du nommé Alain Souchon. Mais pas l'amour, mais pas l'amour, mais pas l'amour... »

Silence. « Ouf ! dit Broque. Qu'est-ce qui se

passe ? » Il a une brusque inquiétude. Malingaud ?

Barilero dit que précisément. Malingaud. Tu sais que *La Lie* n'a pas bien marché. Alors j'ai tâté le terrain chez Pêle-Mêle. Ils ne sont pas chauds. Chez Sagre Macre c'est du pareil au même. S'il avait fait le livre de Titina, ça changeait le problème, mais c'est cuit. Je te l'avais pas dit ? Mon idée a germé, c'est Barthes qui va le faire. Non pas Barthes, qu'est-ce que je dis ?... C'est le petit Lessicot. Il marche à vingt centimètres au-dessus du sol. Tant pis pour Malingaud. En plus avec *Le Monde indigo* tel qu'il est en train de le trousser, il ne risque pas de creuser le mur. D'abord parce que c'est trop gros, mais ça encore !... Ensuite parce que le sujet, on dirait qu'il fait exprès. On ne commence pas un livre par une manif. Mais peu importe. La vérité est qu'il ne veut pas se rendre compte que tout a changé. La littérature en ce moment, mon vieux, ça se fait comme tout le reste. D'abord il n'a même pas d'agent. Il fait son livre, c'est tout, et il attend l'ange de l'Annonciation. L'éditeur tâte le terrain, l'attachée de presse téléphone. En face c'est mou. On laisse donc aller. Le moins possible de pub. Et le livre se vend cahin-caha. Dis-moi pourquoi il s'obstine ? Mon vieux je te donne un exemple, Sabart a pondu le début du commencement d'un livre sur Jérusalem. Depuis l'origine. Un roman, tu vois le genre. Il a déjà touché deux briques rien que sur le synopsis. Alors qu'est-ce qu'on fait ? On lui colle deux filles le cul sur une chaise à la Nationale. On lui propulse deux historiens. Un pour les fouilles archéologiques dans le document. L'autre pour le contemporain. Avec un conseiller politique capable de maintenir la balance côté pétrole et côté Israël. Il a un agent. Qui lui prend dix pour cent et se démène. Avec tout ça lui il s'installe à la campagne, s'engage à fournir cinquante pages par semaine. On fait le contrat, tout le monde a sa part, tout le monde croûte, tout le monde est content. Et on mitonne un best-seller. Que tu m'en diras des nouvelles. En plus comme il zozote, Sabart, il ne parle plus que de Zérusalem Zérusalem et il se voit déjà trois fois par zour dans la petite boîte. Je ne te dis pas que Malingaud doit en faire autant pour *Le Monde indigo*. Mais merde ! Qu'il se mette dans les mains de quelqu'un, qu'il joue le jeu ! Qu'il sorte de son trou ! Moi tout ce que je peux faire, c'est lui organiser un déjeuner avec Trolon. C'est un type au poil, qui pige très bien. Si Malingaud sait y faire, il peut l'intéresser avec son monde indigo. Sinon quoi ? Il va se retrouver chez Pêle-Mêle, et on finira par lui publier le livre parce que tout de même c'est un auteur et qu'il n'y en a pas tellement. Mais dans le trou, mon vieux, dans le trou ! Il dépassera jamais les cinq ou six mille exemplaires dans l'optimisme absolu. Et après ? Je lui cours après. Il me répond qu'il n'a pas un instant, qu'il a rendez-vous avec des roulants à la gare de Lyon. Je lui dis qui ? Il me dit des cheminots, tu sais pas ce que c'est que des roulants ? Lui ça faisait cinq minutes qu'il le savait, entre parenthèses. Et que pour le moment il y a une seule chose qui l'intéresse et c'est *Le Monde indigo*. Et il verra après. Après ? Moi je te le dis, après, ce sera encore pire qu'avant. Mais bon Dieu il passe son temps à écrire sur cette merde de monde où on vit, et quand il sort de son écriture, on dirait qu'il croit que les petits anges du bon Dieu vont le prendre sous leurs ailes ! Fais quelque chose, Broque, fais quelque chose !

« Fais quelque chose, Broque, dit Nadège,

il a raison, fais quelque chose ! Ce pauvre Malingaud ! »

Broque crie qu'il ne supporte pas l'expression « pauvre Malingaud ». Ça l'humilie. Malingaud n'a besoin de la pitié de personne !

Encore qu'il me soit extrêmement gênant d'avoir choisi pour titre à ce livre le titre même du livre de Malingaud, je me hâte de dire que pour une fois je ne suis pas en désaccord avec Barilero. Quand on est dans un monde comme le nôtre, il faut s'adapter à ses exigences. C'est la moindre des choses. Faut ce qu'il faut. L'essentiel n'est pas d'écrire. Mais de se faire connaître. Une fois qu'on est connu, on peut écrire tout ce qu'on veut. Il faut d'abord passer la ligne qui sépare les écrivains dont on parle des écrivains dont on ne parle pas. C'est la direction du coup principal à porter, comme disait Staline, qui connaissait son affaire vu qu'il a signé comme auteur *L'Homme, le capital le plus précieux.*

« Et la petite boîte ? dit Barilero. (C'est ainsi qu'il appelle la télévision.) Mon vieux la petite boîte aujourd'hui, faut pas se faire d'illusion, y a que ça qui compte. Faut y aller. Mais pour y aller, faut qu'on vous y mène. Est-ce que tu te rends compte du nombre d'attachées de presse qui tarabustent les gens de la petite boîte, chacune avec un tas de bouquins ? Si ça marche pas, t'existes pas. C'est tout. Les microphages (c'est ainsi qu'il appelle les jeunes ou vieux de la chanson) sans la petite boîte, zéro. On leur annonce leur Bobino ou leur Olympia, on les fait passer à " Télé-Midi ", on les fait gueuler en play-back, on les Guy Luxe ou tout autre, et Numéro 1, et le jeu de chose, et les après-midi de TF1 ou 2 ou 6. La petite boîte est à eux. Avant leur show. Pendant leur show. Après leur show. Et le reste du temps le défilé des disques à la radio. Alors tout pour la petite boîte. Un seul passage dans la petite boîte pour un écrivain ? Trois mille exemplaires. Je me démène comme un damné pour que Malingaud aille dans une émission de jeunes. C'est pas mon boulot, mais enfin je connais des gens. C'est l'après-midi, bon d'accord, mais enfin !... Ça le sort du trou de silence ! J'arrive. Je lui dis mon vieux ça y est, tu vas faire une entrée maison dans la petite boîte et c'est parti mon kiki. Quelle expression ! Il faut la dire tout le temps pour comprendre dans quoi on vit ! Bref il me répond comment ça se passe ? Je lui dis qu'une fille ou un garçon lui pose des questions sur *La Lie*. Qu'elle dit pourquoi elle aime ça. Ou pas. Et après elle choisit entre les deux livres qu'elle a lus celui qu'elle préfère et elle dit pourquoi. Il me répond non, je ne veux pas avoir à me défendre contre une nymphette. Qui me dira que j'écris de travers et qui choisira le dernier roman de Mme Machin ou de M. Chose pour dire qu'elle préfère ça. Non non et non. Bon. Je lui trouve un jour une émission sur Malraux. J'ai mis des soirées et au moins quatre déjeuners pour réussir ça, et c'est pas mon boulot, moi je travaille comme tu sais, sur les livres dans les provinces. Quatre déjeuners sur mes notes de frais. Mais du boulot. Bon. Tout va bien. J'arrive le bec enfariné avec ma grande nouvelle. Tu vas à TF2 tel jour et tu te montres pendant une heure entière. C'est l'occasion ou jamais de dire ce que tu penses. On te voit. Et tu ne te diminues pas à tes sacro-saints yeux que le diable les emporte, puisque tu dis ce que tu veux. Tu seras pas tout seul évidemment. Mais tu causes tu causes, et on te voit tout le temps. Malingaud se marre. Il me dit " Malraux ? T'es fou. Je ne veux pas lui casser du sucre sur le dos. C'était un personnage de roman ! C'est vrai que quand il est mort et que tous les guignols sont allés au Louvre et qu'ils ont mis un chat égyptien empaillé ou tout comme pour personnifier la pensée de Malraux — ça c'est vrai — on était tous pliés en deux. Mais va faire autrement ? Dans une cage de verre il était le matou-momie ou statue ou je ne sais quoi. Malraux ? Jamais ! Sans compter l'Espagne et *Les Conquérants* etc. Et les émissions sur l'art ? C'est ce qu'on a fait de mieux dans le délire Malraux tous azimuts ". Et le voilà qui me fait Malraux. Bien imité. " Et cette statue, dont j'ai rencontré la même au musée du Caire, avec cet axe de la mort logé dans cette même petite boîte dont Aristote disait, comme Einstein d'ailleurs, et un soir Nehru m'assurait également que contrairement à ce que m'avait dit Mao, l'oblique concentrationnaire de l'art maya correspondait, comme je l'ai vu sur les hauts plateaux, à cette conscience humaine dont le général de Gaulle a été le plus bel exemple... " Non non, Malingaud m'a dit : un type pareil, avec toutes ses idées dingues et le long hurlement à la mort sur Jean Moulin, et le Parthénon son et lumières, et le Bangla Desh, et malgré la triste manifestation avec Debré en mai 68 à l'Arc de Triomphe, non non ! Je foncerai pas dedans à la télévision. Les personnages, ça court pas les rues. Je lui dis : Mais qui te parle d'en dire du mal ? " Si j'y vais et que je dis ce que je viens de dire, ce sera du mal. Et je ne veux pas. " Alors dis-en du bien. " Mais je ne peux pas dire le bien que les autres en disent, je pense le contraire de ce qu'ils pensent. Alors non. " Va y comprendre quelque chose. En tout cas j'ai fait ce détour, et pourtant mon temps est cher, pour te dire, mon vieux, *Monde indigo* ou pas *Monde indigo*, ça va aller mal pour

Malingaud. Si je réussis à lui organiser un déjeuner avec Trolon, tu sais ce qu'il va me dire ? Il va me dire : " Alors non seulement il faut que j'écrive mon livre, mais il faut que j'aille passer un examen pour plaire à un monsieur et l'intéresser au livre ? Je suis pas représentant. " C'est beau, c'est grand, c'est noble, et c'est con. »

Nadège applaudit. Elle est dans un état de ronronnement grandiose. Et se suspend aux lèvres de Broque en attendant l'oracle. Mon petit Barilero tu vas voir ce que tu vas voir. Se dit-elle. Parce que mon Brok et Chnok ce n'est pas la première fois qu'on lui fait le coup du faut-prendre-le-monde-comme-il-est. Et il va te faire un retourne-moi-ça que t'en seras baba mon papa, mon joli petit Barilero avec tes gros sabots en bottes italiennes...

Broque demande à Barilero s'il a fini. Parce que, dit-il, il a du travail. Sa thèse. T'es soulagé ? T'es content ? Rien de nouveau sous le soleil, et prenons les mêmes et l'on recommence, et tant va la cruche à l'eau qu'à la fin elle s'emplit ? Comme dirait Beaumarchais. Repos.

Barilero hausse les épaules. « Si encore tu me disais comme dirait Illich, ou comme dirait Jakcobson, ou comme dirait... T'as la citation incurablement croulante... T'as pas un peu de scotch pour me remonter les enzymes avant le grand départ pour Kaboul-Mont-de-Marsan ? Je pèle de soif. Avec ça il pleut à torrents. Vous avez pas l'air de vous rendre compte qu'en arrivant, la seule chose que j'avais de sec c'était la langue ! Mon pauvre Broque, Malingaud et toi, vous faites vraiment la course olympique à la satisfaction obscure. Comme qui dirait le volontariat pour un suicide collectif de vos facultés par manque de connaissance de votre présence en France, au siècle 20 de l'ère du pourrissement. Tu sais Van Gogh et son petit frère, pour lui c'est jamais qu'un tas de lierre commun au cimetière d'Auvers-sur-Oise. C'est pour les autres que ça se compte en millions de dollars. Lui il a jamais eu que les corbeaux... »

Nadège a fait une descente en fusée avec toute sa grande masse chez l'épicier d'en bas pour ramener du whisky, au seul énoncé de la chose. Elle sort des glaçons du Frigidaire. Din cloc, Barilero boit une gorgée. Il dit que France l'inquiète. Qu'elle frise la dépression. Plus il la raisonne, plus elle dépresse. C'est le propre de la dépression, dit Broque. Elle dit des énormités, dit Barilero. C'est qu'elle est malade, dit Broque. Mais elle ne veut pas se laisser soigner. C'est le propre de cette maladie, dit Broque. Alors j'ai demandé à sa sœur de la conduire chez le psychiatre. Broque soupire. Tu comprends, dit Barilero, quand on est spécialiste des relations humaines, comme France, on comprend qu'en ce moment elle nage dans le cafard. Tu n'aimes pas France. Elle te le rend d'ailleurs. Mais de là à la voir se transformer en amorphe, c'est pas possible. Il me manquait ça.

C'est la phrase que j'attendais, dit Broque. Dès que quelqu'un a quelque chose, c'est toujours l'autre qui se lamente sur son moi.

Din cloc. « Dis-moi, ajoute Broque songeusement, la vérité. Qu'est-ce qui s'est passé pour que tu viennes me faire tous ces beaux discours ? »

Barilero dit qu'il a eu un déjeuner (c'est comme ça qu'on fait maintenant, tout se traite en déjeuners, dans le show business et la littérature, dans le rewriting ou l'extirpation de leurs Mémoires et souvenirs aux personnalités. Toute la promotion littéraire se déjeune. Comme les affaires ont toujours fait. C'est la consommation, aux sens propre et figuré, du papier imprimé). Au déjeuner de Barilero se trouvait un directeur littéraire de chez Tarain. Un type qui aime bien Malingaud et réciproquement. Mais qui n'a les pouvoirs que de ses petits pouvoirs. Comme tout un chacun. Qui lui a dit qu'en vérité personne n'avait l'intention de publier chez eux le prochain Malingaud. A regret d'ailleurs, a-t-il ajouté. Mais en ce moment on ne peut pas se permettre de perpétuellement soutenir un auteur dont les journalistes ne veulent à aucun prix. Il ne nie pas ce qu'il appelle son talent. Au contraire. Mais pour arriver à lui faire remonter le courant !... Il est tellement peu dans le vent. Alors voilà. D'ailleurs Tarain est désolé... Et donc pour Malingaud c'est cuit. Mais pas un mot à la reine mère. Tu entends Nadège ? Malingaud ne sait rien, il croit qu'une fois le manuscrit terminé, il va le donner, et hop ! à la fabrication ! Mais Satan conduit le bal.

Nadège dit que Broque et elle, elle et Broque, c'est du pareil au même : des tombeaux. Barilero fait aussitôt un numéro sur le tombeau-Nadège, et tombons les tombeaux, et à tombeau ouvert entrons dans le tombeau, et mes amis je vous aime, mais vous savez ce que c'est, il faut que je coure à la gare, moi c'est mon lot, tout dans le tibia. (Et il se frappe le front.) Din cloc. Je vais surveiller la sortie du livre d'un originaire de Mont-de-Marsan. Qui est bûcheron. La revalorisation du travail manuel se fait beaucoup en ce moment dans le livre. Il a écrit une espèce de roman très osé où sévit un avatar moderne du blond Phœbus, comte de Foix. Qui aimait les arts et les gueuses. Et où ça bûcheronne dur. A tous points de vue. C'est un livre à la gloire du bois. Qu'on a rewrité écologiquement et localement. Ça risque de faire un tube dans les environnements. En tout cas il faut que je me le farcisse un peu dans le train. Histoire de taquiner le chauvinisme local des libraires du coin. Le type se voit déjà dans la petite boîte. Il y sera. Lui. Car Satan conduit le bal.

Quand il est parti Nadège se rue sur Broque dans un élan de solidarité. « Que vas-tu faire ? Ah ! les grands hommes seront toujours des persécutés ! Je vais mettre le whisky de côté pour la prochaine fois où il viendra. Si tu savais ce que j'ai payé cette petite bouteille !... Mais qu'importe ! Tu sais que j'économiserai. Qu'allons-nous faire ? »

Broque hoche. Et la regarde comme si elle venait d'apparaître à ses côtés. Qu'allons-nous faire ? Ce nous !... « Eh bien, je vais me remettre à travailler. Toi tu fais Récamier. Et ensuite on va voir *Cria Cuervos*. Comme on a décidé. Qu'y a-t-il de changé ? »

Et Nadège de le regarder avec admiration et émotion. Quels hommes ! Des Titans !... Elle se recouche et se remet à ronronner sur des poèmes de Charles Cros qu'elle se susurre :

« Mais voilà qu'Elle s'est étendue, belle, blanche et nue, sur la table basse, au-dessous des corbeilles, cachant sous son beau corps alangui la feuille entière de papier lisse... »

Elle glisse un œil vers Broque penché sur son papier. Si elle essayait ?... Nue. Blanche et nue. Sur la thèse... Elle rit. Le poème leur va comme un gant. Lui il écrit. Elle... Le poème s'appelle *La Distrayeuse*. « Oh ! la distrayeuse... Ah ! quel beau poète ! Les gens sont si ignorants. Ils ne connaissent que " le hareng saur saur saur ". Alors qu'il y a des choses !... Merveilles... Dans Charles Cros. »

Broque travaille. Tout dans son attitude indique que l'épisode Barilero ne compte pas. Si l'on met l'ongle dans ces préoccupations, a-t-il coutume de dire par conformité avec l'état d'esprit de Malingaud, on est perdu corps et âme. Récupéré, dirait Malingaud.

Naturellement le ver déposé par Barilero papillonne en Broque. Cette espèce de torsion, ce grincement, cette révolte interne et plus violente de l'être, cette façon qu'a l'esprit de se cabrer dans le néant contre une certaine pollution de tout. Cette société qui pratique l'assassinat littéraire ou artistique avec un tel brio et une telle toute-puissance qu'elle finit par prendre dans ses rets et modes les gens les plus avertis. Qui croient qu'avec tous les moyens de connaissance qu'on a, l'équivalent d'aujourd'hui de Sisley vivrait riche et puissant, Pavese pavoiserait, Van Gogh roulerait en Rolls et Cézanne proliférerait à Beaubourg avec tous les honneurs du pied. Ils croient, les naïfs, que sachant ce qu'on sait on ne peut plus se tromper. Ils y croient si bien que jamais personne n'aide personne. Sinon, comment se ferait-il, songe Broque, qu'aucun écrivain n'ait jamais levé l'étendard pour Malingaud ?

Pas une seconde il n'a de doute. C'est son point faible. Et son point fort. Pour lui *Le Monde indigo*, qu'il ne connaît pas, mais dont il écoute chaque jour le cheminement de travail, est une œuvre importante. Ils sont forts. Grands. Sublimes. Ils seront vainqueurs. Intouchables par le tout-venant des moyens ordinaires de percée. L'œuvre d'abord.

C'est bien pourquoi, tout au fond de lui-même et en agitant des têtes de personnages de roman sur un fond de petites boîtes et de comte de Foix bûcheronné dans les librairies par Satan et din cloc, Broque se fait un sang d'encre et tente de chasser des velléités de compromis. S'en défend. Se raisonne. Si tout de même Malingaud, sans se trahir évidemment, sans compromission ni faiblesse envers son œuvre, se faisait un peu plus conciliant ? Ça y est, le voilà qui marche. Et de surcroît, qui oublie d'ajouter que s'il suffisait de jouer le jeu pour monter sur le podium, qui ne le jouerait ? Des meilleurs et des pires parmi les hommes de papier ? Et alors ils se trouveraient devant les nouveaux becs que la société, pas si folle, aménage devant ses portes blindées. Broque se secoue. Il se maudit. Il maudit Barilero et hoche à Nadège qu'elle cesse de marmonner sur ses travaux, elle le gêne. « Oh ! la distrayeuse !... » ronronne Nadège. Rien ne lui plaît comme « ces instants de pure spiritualité commune ». Elle leur trouve une saveur sensuelle. Et allume un cigarillo avec des poses. L'esprit souffle. Même trop. Ce que c'est que les poètes ! En tout cas la poésie a des avantages. Si on en croit Charles Cros, la distrayeuse gagne. Nue. Nadège se jette un regard interrogateur. Et renonce. Trop fatigant. Plus tard. Ronronnons en paix. Thèse d'abord.

Cramponne, se dit Broque, qui trouve que le monde est simple ! Et il se frappe le front, toc toc.

Fin du premier tome

ACHEVÉ D'IMPRIMER
LE 20 DÉCEMBRE 1977
SUR LES PRESSES DE
L'IMPRIMERIE HÉRISSEY
A ÉVREUX (EURE)
POUR LE COMPTE DES ÉDITIONS STOCK
14, RUE DE L'ANCIENNE-COMÉDIE PARIS-6e

Imprimé en France

Dépôt légal : 1er trimestre 1978
Numéro d'éditeur : 3537
Numéro d'imprimeur : 20732
54-02-2474-01
ISBN 2-234-00824-7